Archivio Foucault, 1961-1985 (traduction italienne des *Dits et Écrits* de Foucault, Gallimard, 1994) : édition critique, introduction, biographie et notes, Milan, Feltrinelli, 1996-1998.

Le Vocabulaire de Foucault, Paris, Ellipses, 2002 ; 2009.

Dictionnaire Foucault, Paris, Ellipses, 2007.

Qui a peur de la banlieue ?, Montrouge, Bayard, 2008.

Archives de l'infamie (Collectif Maurice Florence : Judith Revel, Philippe Artières, Jean-François Bert, Pascal Michon, Mathieu Potte-Bonneville), Paris, Les Prairies Ordinaires, 2009.

Les mots et les choses, Regards critiques 1966-1968 (Judith Revel, Philippe Artières, Jean-François Bert, Pascal Michon, Mathieu Potte-Bonneville éds.), Presses universitaires de Caen/IMEC, 2009.

Foucault,
une pensée du discontinu

Judith Revel

Foucault,
une pensée du discontinu

MILLE ET UNE NUITS

Couverture d'Olivier Fontvieille
(Off, Paris), d'après une photographie
du philosophe Michel Foucault en 1976,
© Sophie Bassouls/Sygma/Corbis.

Une première version de ces textes
a paru sous le titre :
Expériences de la pensée : Michel Foucault,
coll. « Philosophie présente », Bordas, 2005.

© Mille et une nuits,
département de la Librairie Arthème Fayard, octobre 2010.
ISBN 978-2-75550-145-2

« Telle est l'ironie de ces efforts que l'on fait pour changer sa façon de voir, pour modifier l'horizon de ce qu'on connaît et pour tenter de s'égarer un peu. Ont-ils conduit effectivement à penser autrement ? Peut-être ont-ils permis de penser autrement ce qu'on pensait déjà et d'apercevoir ce qu'on a fait sous un angle différent et sous une lumière plus nette. On croyait s'éloigner et on se retrouve à la verticale de soi-même. »

Michel FOUCAULT

Introduction

Un auteur singulier

Ce livre est né d'un double constat et d'une question.

Le premier constat concerne la place qui est aujourd'hui celle de Michel Foucault dans l'ensemble du corpus philosophique et, plus généralement, dans l'histoire de la pensée française contemporaine. À vingt-cinq ans de la mort de Foucault, on assiste en effet à deux tendances totalement contradictoires : d'une part, Foucault semble depuis quelques années l'un des « produits d'exportation » de notre production intellectuelle les plus courus (il suffit de consulter les rayonnages des librairies, en Italie, en Allemagne ou aux États-Unis, pour constater à quel point la publication des textes foucaldiens et la littérature critique qui leur est consacrée ont connu une croissance absolument exponentielle) ; de l'autre, cependant, la difficulté à classer Foucault dans l'une des cases de l'organisation du savoir académique, et une certaine réticence à l'intégrer dans l'histoire récente de la philosophie française, ont souvent produit des effets pervers. Ainsi, alors qu'aux États-Unis la catégorie assez floue des *cultural studies* a désormais absorbé Foucault et ses commentateurs, dans d'autres pays, il arrive fréquemment que l'on retrouve Foucault parmi les historiens, les anthropologues, les critiques littéraires, les psychologues, voire les auteurs de science politique. À cela s'ajoute, sans doute, l'effet provoqué par le caractère ouvert de l'œuvre – ou plus exactement la manière dont, enregistrant la mort prématurée de son auteur, beaucoup se sont sentis autorisés à affirmer son inachèvement ; du même coup, non seulement toute tentative d'interprétation a semblé légitime, mais les travaux de complètement sont devenus nécessaires afin de combler un « vide » qui, parce qu'il était la conséquence d'une interruption brutale, paraissait miner intimement la recherche foucaldienne.

Ajoutons encore à tout cela deux points de détail, et l'on aura fini de mettre en lumière la grande confusion en la matière. Pour bon nombre de commentateurs, les travaux de Foucault sont difficilement séparables de la biographie de leur auteur – non que la dimension biographique doive être parfois convoquée, comme il est normal, pour rendre compte de tel ou tel point, mais parce que l'affirmation de la cohérence absolue entre la vie et l'œuvre d'un penseur semble pour eux impliquer la réduction de la pensée au biographique.[1] Quels qu'en soient les motifs, une

_____

1. Pour se limiter au paysage critique français, on se référera par exemple au récent livre de Paul Veyne, dont le titre est à lui seul une déclaration d'intention : *Foucault, sa pensée, sa personne*, Paris, Albin Michel, 2008.

telle réduction est au moins aussi fausse que son contraire – l'effacement total du biographique derrière une prétendue autonomie désincarnée de la pensée. Et, dans le cas spécifique de Foucault, elle a bien souvent forcé à ne considérer qu'une chronique des événements en lieu et place d'une véritable recherche, à moins qu'elle ne transforme Foucault en une mauvaise version d'« intellectuel engagé » et ne fasse de l'engagement, bien loin du sens qu'il a pu avoir dans d'autres cas, l'étiquette facile que l'on appose sur des choix – théoriques ou très concrets, publics ou privés – pour éviter de devoir en rendre réellement compte[1]. La soigneuse construction d'image à laquelle s'est livré Foucault, et dont il faudra bien un jour commenter l'étonnant poids philosophique, a fini de brouiller les cartes : il a fallu désormais compter non plus avec un penseur, mais avec une « figure » de la pensée.

Enfin, les dispositions testamentaires laissées par Foucault et interdisant la publication d'œuvres posthumes (en particulier le quatrième volume de l'*Histoire de la sexualité*) ont donné lieu à un étrange phénomène de « remplissement », où la fonction du souvenir et la substitution du lien personnel à l'ana-

---

1. Sur la difficulté à utiliser la figure de l'« intellectuel engagé » de manière indiscriminée, je me permets de renvoyer à mon « Sartre-Foucault : on change d'intellectuel », in Ph. Artières et M. Zancarini-Fournel (éd.), *1968. Une aventure collective*, Paris, La Découverte, 2008.

lyse conceptuelle ont parfois été censées représenter la seule modalité possible de rapport à « ce qui ne pouvait pas être écrit » : de là à transformer la pensée foucaldienne en une *parole*, il n'y avait qu'un pas, et il a souvent été franchi.

En somme, tout Foucault est là : omniprésent et central dans la réflexion contemporaine, mais fuyant et inclassable ; tour à tour transformé en « personnage » par les nécessités de la chronique et une iconographie aussi riche que soignée, et considéré comme une présence absente et porteuse de vérité à qui n'adresser que notre écoute silencieuse.

Venons-en à présent au deuxième constat. On connaît la phrase ironique de Foucault en réponse à un critique imaginaire dans *L'Archéologie du savoir* : « Ne me demandez pas qui je suis et ne me dites pas de rester le même : c'est une morale d'état civil, elle régit nos papiers[1]. » Foucault n'a jamais aimé les étiquettes : de fait, s'il a eu de nombreux amis et collaborateurs et si ses travaux l'ont souvent amené à croiser d'autres parcours, s'il n'a jamais été avare en participations à des groupes (qu'il s'agisse de rédactions de revue, de séminaires de recherche, ou de collectifs politiques) et s'il est arrivé qu'il écrive avec d'autres, il n'a pas donné lieu au sens strict à la formation d'une « école », du moins tant qu'il était vivant.

---

1. M. Foucault, *L'Archéologie du savoir*, Paris, Gallimard, coll. « Bibliothèque des sciences humaines », 1969, p. 28.

Au contraire, et de manière extrêmement cohérente, il a toujours semblé fuir les appartenances définitives, ne se reconnaissant que des parentèles de passage ou des ressemblances de famille – et, par la suite, niant généralement qu'elles aient pu exister. On aura dans ce livre l'occasion de commenter les déclarations contradictoires qui émaillent, par exemple, le rapport complexe de Foucault au structuralisme : en réalité, tout se passe comme si l'appartenance à un courant constitué portait avec soi un insupportable poids identitaire, et justifiait par là même une « déprise » – le terme est foucaldien – permanente vis-à-vis de ce qu'on avait voulu ou cru être.

Mais, là encore, le paradoxe est énorme. Quel penseur a été plus « identifié » que Foucault ? Tour à tour (et parfois simultanément !) structuraliste et relativiste, antimarxiste et néomarxiste, libéral et postmoderne, positiviste et déconstructionniste, Foucault fait aujourd'hui l'objet de nombreuses réappropriations et identifications rétrospectives. Or, au-delà de la simple question de leur bien-fondé, ces identifications – parfois semble-t-il au moins partiellement légitimes, parfois aussi totalement hasardeuses – posent un problème réel. Qu'y a-t-il chez Foucault qui suscite à tel point la volonté d'en définir une fois pour toutes les contours ? Et encore : à l'inverse, qu'y a-t-il chez Foucault qui semble toujours bloquer les tentatives de classification et d'homologation à un modèle, à une école ou à une doctrine ? Le même problème pourrait être formulé de manière purement « chronologique » : qu'y a-t-il chez Foucault qui pousse autant à l'identification « générationnelle » (du simple et très trinitaire Foucault-Deleuze-Guattari à la représentation plus générique et plus creuse d'une « pensée 68 » dont Foucault serait l'une des figures tutélaires) ? Et pourtant, qu'est-ce qui fait de Foucault un événement absolument singulier dans le paysage de la pensée du second après-guerre ? La liste des pères intellectuels et putatifs du jeune philosophe Foucault regorge bien entendu de noms qui, en bonnes figures paternelles, sont en général admirés et parfois durement contestés, mais dont aucun ne réussit entièrement à rendre compte d'un véritable lignage – on pense bien sûr à Hyppolite, à Althusser et à Canguilhem, mais ce sont paradoxalement autant de figures qui finissent toujours par renvoyer à la singularité de Foucault lui-même.

C'est donc de cette singularité étrange que nous aimerions partir, c'est-à-dire des éléments qui ont tour à tour déjoué les identifications, miné les pistes balisées, effacé les traces, et qui ont pourtant rendu possible une sorte de foisonnement interne de l'œuvre, une richesse qui lui est propre. À vouloir rendre Foucault singulier, il y avait toutefois deux risques importants. Le premier était de l'isoler de son temps, des emprunts qu'il avait pu faire et des influences – fussent-elles passagères – qu'il avait pu subir, de le couper des tensions qui avaient pu traverser tel ou tel moment de la pensée française dont il était contemporain, de lui nier tout contexte ; en somme, de faire comme si l'homme qui avait si bien décrit le fonctionnement des grilles épistémiques, enseigné au Collège de France dans une chaire consacrée à l'analyse de l'« Histoire des systèmes de pensée » et tissé des rapports si étroits avec l'histoire et les historiens, comme si cet homme-là n'avait précisément aucune histoire. Le second était de l'exclure d'office d'une histoire de la philosophie dont on sait à quel point le dialogue à distance est partie intégrante : d'affirmer la singularité de Foucault comme une solitude, c'est-à-dire comme un monologue autoréférentiel, et de lui nier la possibilité de dire quelque chose d'une époque de la pensée qui a été à la fois la sienne et celle d'autres.

Or, que peut bien être une singularité si elle se refuse à demeurer hors de son temps ? Que peut donc être une singularité si elle se refuse à accepter un destin de solitude ? C'est à cette question qu'aimerait essayer de répondre au moins partiellement la brève généalogie de la pensée de Foucault que nous allons tenter ici, c'est-à-dire aussi, de manière indissociable, la construction de ce qui semble parfois se présenter comme le « cas » Foucault.

Bien entendu, nulle prétention d'exhaustivité ne nous anime. Certains diront – et ils auront sans doute raison – qu'il manque à ce livre tel ou tel aspect du travail foucaldien, et que le commentaire que nous tentons dans ces pages est, sinon partiel, du moins partial. Et nous répondons dès à présent : comment pourrait-il en être autrement ? Non, la lecture que nous proposons ici n'est pas neutre : au lieu de s'attacher à résumer de la manière la plus lisse possible la pensée de Foucault, elle a choisi de l'affronter à partir du nœud philosophique qui est probablement au centre des principaux malentendus interprétatifs qu'elle a générés, et qui nourrit depuis des années un certain nombre de critiques radicales. Qu'on ne s'y trompe pas. Il ne s'agit pas ici de défendre Foucault contre ses détracteurs, mais de partir de ce qui est, pour nous, à la fois le barycentre de la recherche et sa principale pierre d'achoppement. Ce barycentre problématique, c'est celui de la cohérence interne de l'œuvre ou, pour le dire à la manière de ceux qui trouvent précisément que cette cohérence fait défaut, celui de la discontinuité radicale du parcours foucaldien.

Il s'agira donc avant tout de montrer que cette cohérence existe, même si elle est complexe ; et que la difficile construction qu'elle implique – malgré les très nombreux changements dont elle est émaillée, qu'ils soient méthodologiques ou conceptuels – possède une profonde articulation. Il sera donc nécessaire de reprendre toute la périodisation traditionnellement adoptée (afin généralement de rendre le travail de Foucault « identifiable ») ; de se demander également à partir de quels clivages et de quelles oppositions un véritable système de morcellement a été établi par les commentateurs, et quelles en ont été les conséquences. Ce problème touchera en particulier les deux grandes césures instaurées au sein du parcours foucaldien : celle du passage d'une réflexion essentiellement linguistique et littéraire, centrée sur le champ discursif, à une réflexion politique prenant la forme d'une analytique du pouvoir et intégrant non seulement le discours, mais aussi les pratiques et les stratégies ; et celle qui voit l'apparent abandon des thèmes politiques pour un retour (mais s'agit-il réellement d'un retour ?) à l'éthique et au thème de la subjectivité.

Ces deux césures sont complexes. Non seulement elles séparent l'œuvre de Foucault en trois tronçons correspondant en gros aux trois décennies d'écriture du philosophe (années 1960, 1970 et 1980), mais elles sont à leur tour redoublées par un certain nombre de changements presque aussi brutaux, dont il s'agira de comprendre les motivations et la valeur de rupture. On pense bien entendu au passage du projet d'une *archéologie* à celui d'une *généalogie*, entre la fin des années 1960 et le début des années 1970, mais aussi à toute une série de concepts qui apparaissent à l'intérieur de la « décennie politique », et dont l'articulation, la succession et/ou la simultanéité sont loin d'être claires : quelle concaténation y a-t-il donc entre l'analyse des disciplines et celle du contrôle, entre la description des biopouvoirs et la « naissance de la biopolitique », entre la gouvernementalité des autres et la gouvernementalité de soi ? Et l'on pense également à l'étrange et très forte irruption au cœur des travaux foucaldiens des dernières années des thèmes de l'invention de soi et de la production de subjectivité, dont il s'agira de comprendre ce qu'ils représentent : faut-il y voir la réhabilitation de cette figure du sujet dont la critique avait pourtant été essentielle à Foucault dans la définition initiale de sa recherche, ou bien l'ouverture à une autre dimension, qui pourrait précisément être cette « éthique » dont les derniers travaux nous parlent et le réinvestissement des analyses précédentes ?

Il faudra enfin essayer de définir quels peuvent être les critères de notre propre lecture des recherches foucaldiennes : et si, pour être juste avec Foucault, il fallait avant tout tenter de lui appliquer une approche qui soit à son tour foucaldienne ? Et si commenter Foucault, c'était aussi le faire *à la manière de* Foucault ? L'idée n'est pas gratuite, elle ne se veut pas simplement un artifice rhétorique ou un ornement stylistique – en somme, ce n'est pas par pure joie du pastiche qu'elle s'impose.

Il y a chez Foucault, nous essaierons de le montrer, un véritable « travail de la discontinuité » qui est sans doute responsable pour une bonne part de la difficulté que nous avons à appréhender quelque chose qui ressemble tant soit peu à l'idée d'un projet linéaire. Cette recherche de la discontinuité obéit à un souci précis et à une volonté explicite de rupture par rapport à un certain nombre de représentations du discours philosophique, mais aussi de conceptions de la continuité historique – et il faudra bien entendu en définir la nature, les racines philosophiques et les motifs. Il y a donc simultanément la recherche d'un statut philosophique de la discontinuité, une tentative de construire une pensée qui intègre la rupture, le saut, la différence, le changement d'une manière inédite, et qui fasse de ce travail du concept extrêmement précis le moteur même des travaux entrepris. On comprendra alors quelle limite pourrait être celle d'une recherche qui ne verrait chez Foucault qu'une discontinuité de la pensée, là où s'élabore peut-être au contraire une véritable pensée du discontinu.

En bref, l'enjeu est le suivant : essayer d'identifier chez Foucault tout à la fois un projet philosophique profond traversant l'œuvre dans son entier et un type de progression spécifique – et c'est à ces deux aspects que nous donnerons le nom de *discontinuité*. Il s'agit alors de voir dans quelle mesure Foucault peut être réintroduit dans l'histoire de la pensée contemporaine, c'est-à-dire de quelle manière la singularité qui est la sienne représente à la fois une spécificité absolue et la pièce d'un dessin plus vaste auquel correspond sans doute l'une des alternatives philosophiques des cinquante dernières années.

Comme l'écrit Foucault dans un très beau texte consacré à Canguilhem, à la fin des années 1970, « l'histoire des discontinuités n'est pas acquise une fois pour toutes ; elle est elle-même "impermanente" et discontinue[1] », et c'est le pari d'une histoire de ce genre que nous aimerions ici tenter de relever.

Corpus

Une précision, encore, afin de rendre compte du corpus de textes foucaldiens pris en considération et d'en justifier la consistance. L'œuvre de Foucault peut essentiellement être divisée en deux grands ensembles qui ont longtemps été séparés pour des raisons qui tenaient tout à la fois à l'histoire qui leur était propre et aux conditions d'accès qu'ils impliquaient : d'une part les livres – dont la publication s'échelonne de 1954 à 1984, tout au long des trente ans d'écriture du philosophe –, et de l'autre un ensemble se présentant de prime abord comme assez hétéroclite et comprenant des textes écrits ici et là au fil des prises de parole publiques et des collaborations avec des revues et des journaux, ou sous forme d'interventions ponctuelles lors de colloques, de conférences, de cours, de débats ou d'entretiens.

Des livres, et des conditions auxquelles il nous a été donné d'y avoir accès, il y a peu à dire, sinon qu'ils ont représenté pendant longtemps le seul véri-

---

1. M. Foucault, « Introduction », in G. Canguilhem, *On the Normal and the Pathological*, Boston, D. Reidel, 1978 ; trad. fr. in M. Foucault, *Dits et Écrits*, 4 vol., Paris, Gallimard, coll. « Bibliothèque des sciences humaines », 1994, vol. III, texte n° 219.

table corpus foucaldien sur lequel se sont concentrés les commentateurs, en raison de la difficulté d'accès au reste de l'œuvre, demeuré dans un état de dispersion peu propice à l'analyse jusqu'au travail d'édition récent qui en a restitué l'unité[1]. Mais ils n'ont malgré tout pas été sans poser problème, puisqu'ils ont mis les chercheurs devant une série de questions non indifférentes : fallait-il, par exemple, considérer les tout premiers livres (en particulier les deux textes de 1954, l'« Introduction » au livre de Binswanger, *Traum und Existenz*, et le petit volume *Maladie mentale et personnalité*) comme internes au parcours foucaldien ou fallait-il au contraire faire commencer la recherche de Foucault une fois l'émancipation de la phénoménologie acquise, c'est-à-dire en 1961, avec l'*Histoire de la folie* ? Ce qui est dans tous les cas évident, c'est que la périodisation généralement effectuée à l'intérieur même du parcours de Foucault, et la distinction entre un « premier », un « deuxième » et un énième Foucault dont nous rappelions plus haut le caractère problématique, ont été élaborées à partir de la prise en compte presque exclusive des livres, ce qui en confirme tout à la fois la centralité et l'ambiguïté.

Du second ensemble de textes, il a fallu attendre la publication raisonnée dans les quatre volumes des *Dits et Écrits* pour pouvoir disposer de conditions de lecture satisfaisantes et faire jouer une vue d'ensemble

---

1. M. Foucault, *Dits et Écrits*, *op. cit.*

dont la seule prise en compte des livres avait trop longtemps provoqué la réduction radicale. Ces presque quatre mille pages[1] (en particulier certains articles et textes de conférences publiés à l'étranger et jusqu'alors inédits en français) ont considérablement enrichi notre lecture de Foucault, en ont relancé les contenus et les perspectives – mais, là encore, non sans occasionner de réelles difficultés. Non seulement ces textes ne correspondent pas toujours au discours des livres dont ils sont les contemporains, mais ils posent plus généralement la question de leur statut. Laboratoire de l'œuvre livresque ? Première ébauche ? Cahier de charges ? Ou, au contraire, espace critique ménagé par Foucault à l'intérieur même de sa propre production afin d'en affiner, d'en corriger ou d'en refonder postérieurement les positions théoriques et l'outillage conceptuel ?

Le problème est d'autant plus vif que Foucault lui-même n'a paradoxalement de cesse, dès le début de son travail, d'affirmer une sorte de « principe d'indistinction » dans la lecture, l'analyse et la problématisation des textes auxquels il se réfère. Non pas que ces textes ne soient pas différents les uns des autres (par leur objet, leur appartenance à une discipline ou à un genre spécifique), mais parce qu'ils appartiennent tous à ce que Foucault appelle parfois une seule et

---

1. Il faut encore y ajouter la publication progressive des cours au Collège de France, dont il n'a longtemps existé que la simple version audio.

même « masse discursive ». Ce principe, dont on peut
clairement voir l'application dans un livre comme *Les
Mots et les Choses* et la revendication explicite dans
certains passages de *L'Ordre du discours*[1], joue en réalité de deux manières simultanées : à la fois comme
décloisonnement disciplinaire et comme suppression
de la vieille distinction entre discours subjectif et discours objectif dans toutes les variantes sous lesquelles
elle est susceptible de se présenter (à commencer par
celle qui oppose le discours de savoir entendu comme
discours de raison aux autres formes discursives). Ce
n'est qu'à partir de ce présupposé que peut prendre
sens un concept comme celui d'*épistémè*, sur lequel
nous reviendrons bientôt : l'*épistémè*, c'est le nom de
ce grand isomorphisme des discours à une époque
donnée, c'est la condition de possibilité de l'utilisation de l'idée de « masse discursive » une fois ancrée
dans un travail minutieux de périodisation historique.
Et si la « masse discursive » fait clairement référence à

_____

1. Par exemple : « […] je suppose que, dans toute société, la production du discours est à la fois contrôlée, sélectionnée, organisée et
redistribuée par un certain nombre de procédures qui ont pour rôle
d'en conjurer les pouvoirs et les dangers, d'en maîtriser l'événement
aléatoire, d'en esquiver la lourde, la redoutable matérialité » (*L'Ordre
du discours*, Paris, Gallimard, 1971, p. 11) : même si Foucault, dans
la seconde partie du texte, est amené à distinguer entre les différents
fonctionnements disciplinaires, c'est toujours à partir d'un certain
nombre de présupposés de gestion *du* discours (au singulier) que l'on
peut penser le foisonnement et la différenciation *des* discours (au
pluriel).

un type d'analyse développé dans les mêmes années par les tenants du structuralisme – là encore, on reviendra bientôt et de manière plus précise sur les rapports complexes de Foucault au structuralisme, qui méritent à eux seuls une analyse détaillée –, en réalité, Foucault y recourt bien au-delà d'une stricte analyse structurale des discours dont on verra qu'elle sera totalement abandonnée après la publication de *L'Ordre du discours*, en 1971. C'est en effet à partir du même principe qui permettait dans les années 1960 de dé-singulariser et de dé-subjectiver les discours pour pouvoir en examiner les déterminations épistémologiques, historiques et sociales générales que Foucault pourra, dix ans plus tard et une fois ce principe renversé, essayer de lire partout des tentatives de re-subjectivation des discours objectifs et de réappropriation des savoirs, en particulier dans le traitement qu'il réservera à l'archive.

Nous ne voulons pas entrer pour l'instant dans l'épaisseur de la question, puisque nous essaierons de l'affronter d'ici peu. Il n'en reste pas moins que si nous devions appliquer aux écrits de Foucault lui-même la méthode qui fut la sienne à l'égard de la masse discursive sur laquelle il travaillait, rien ne nous autoriserait à distinguer entre les livres et les textes « périphériques » (si l'on entend par cette expression non des textes subalternes par l'importance et la richesse, mais tous les écrits qui ne sont pas les livres). À dire vrai, rien ne nous autoriserait non plus à dis-

tinguer la production foucaldienne de tout ce qui a
été écrit à la même époque, puisque ce serait là réaffirmer la spécificité de l'« auteur Foucault[1] » contre
l'idée d'une détermination générale des systèmes de
pensée, alors que celle-ci n'accepte bien entendu
aucune possibilité de singularisation personnelle,
sinon à titre d'anecdote.

Or les choses ne se présentent en réalité pas aussi
simplement. On le constatera rapidement, nous
avons délibérément choisi de travailler de manière
privilégiée sur les textes périphériques, ce qui implique
bien évidemment la reconnaissance d'un statut privilégié dont nous essaierons de montrer qu'il tient en
réalité chez Foucault à une économie des discours
complexe qui assigne une fonction précise à chaque
registre (les livres, bien sûr, mais aussi les articles, les
conférences et les entretiens, les cours). Plus encore,
on verra que, à l'intérieur même des textes périphériques, les différents genres pratiqués par Foucault
répondent tout à la fois à des exigences distinctes et à
des périodes de travail extrêmement définies, comme
si le choix de la modalité de parole ou d'écriture était

---

1. La critique de la notion d'« auteur » est un leitmotiv évident du
discours foucaldien dans les années 1960. On se référera par exemple
au texte « Qu'est-ce qu'un auteur », *Bulletin de la Société française de
philosophie*, 63ᵉ année, n° 3, juillet-septembre 1963 (repris in
M. Foucault, *Dits et Écrits, op. cit.*, vol. I, texte n° 69) ; ou encore à
certains passages éclairants de *L'Ordre du discours, op. cit.*, en particulier pp. 28-32.

non seulement tout à fait problématisé, mais utilisé de manière stratégique en fonction d'un contexte spécifique. Enfin, dans la mesure où il ne s'agit bien entendu pas de négliger les livres, mais d'en reconstruire la position au sein d'une production plus vaste et bien plus articulée qu'il n'y paraît, il faudra s'interroger sur les rapports – parfois difficiles, parfois encore ouvertement contradictoires – qui existent entre les livres et les textes périphériques. Ce dont on tentera de faire l'hypothèse, c'est que le parcours de Foucault ne peut pas être pleinement restitué à sa richesse s'il n'est pas rendu compte d'une expérimentation qui est avant tout centrée sur l'écriture, c'est-à-dire, comme le disait Foucault lui-même, un exercice dont la fonction est essentiellement *éthopoiétique* : « un opérateur de la transformation de la vérité en *êthos*[1] » ; et que cette écriture implique des stratégies qui jouent précisément sur la différenciation des interventions et de leur style, des conditions d'expression, du statut du locuteur et de sa parole, et plus généralement sur tout ce qui peut faire valoir la pensée comme une expérience, c'est-à-dire aussi comme (ré-)invention de soi.

---

1. M. Foucault, « L'écriture de soi », *Corps écrit*, n° 5 : *L'Autoportrait*, février 1983, pp. 3-23 ; repris in M. Foucault, *Dits et Écrits, op. cit.*, vol. IV, texte n° 329.

I

Une cohérence difficile

Qu'est-ce qu'un « parcours » ?

Le travail philosophique de Michel Foucault couvre trente ans d'écriture, de recherche, d'enseignement et de partage de la pensée. Trente ans dont l'unité problématique et la cohérence parfois difficile demeurent bien souvent, encore aujourd'hui, au centre des critiques qui lui sont faites, comme si non seulement les changements de champs d'intérêt et d'outillage conceptuel, mais également un rapport complexe tout à la fois avec la philosophie universitaire et avec certaines formes d'engagement direct et de militantisme empêchaient une fois pour toutes d'accorder au parcours foucaldien la dignité d'une pensée ; à moins que le terme de « pensée » ne serve à son tour à lui refuser cette autre dignité qui est celle de la philosophie.

Que l'on ne s'y trompe pas. Certes, très tôt, certains commentateurs ont préféré adopter le terme de

« parcours » afin d'affirmer envers et contre tout la cohérence essentielle de la recherche foucaldienne : que l'on se souvienne seulement de la préface qu'Hubert Dreyfus et Paul Rabinow ont donnée à l'édition française de leur beau livre sur Foucault[1] et de la manière dont ils expliquent l'abandon des titres successivement envisagés pour l'ouvrage, et l'on aura une idée de ce que signifie en réalité ce « parcours ». Car ce n'est qu'après avoir renoncé à appeler le livre *Michel Foucault : From Structuralism to Hermeneutics*, et opté par la suite pour *Michel Foucault : Beyond Structuralism and Hermeneutics*, que les auteurs ont consenti à intituler l'édition française du texte *Michel Foucault. Un parcours philosophique*, avec pour sous-titre *Au-delà de l'objectivité et de la subjectivité*.

Or, comme ils le reconnaissent eux-mêmes, « c'était plus qu'une simple question de terminologie[2] », dans la mesure où la difficulté à réduire Foucault à une unique position philosophique tout en tenant compte des changements intervenus dans l'œuvre motivait leur hésitation. Et c'est en particulier l'impossibilité de fixer une bonne fois pour toutes un parti pris de méthode (structuraliste, herméneutique) susceptible de rendre compte de toute la recherche foucaldienne qui justifiait de fait un

---

1. H. Dreyfus et P. Rabinow, *Michel Foucault. Un parcours philosophique*, Paris, Gallimard, coll. « Folio Essais », 1984.
2. *Ibid.*, p. 9.

« au-delà » des appartenances philosophiques à tel ou tel courant (*Beyond*) traduit par l'idée complexe du « parcours ».

Il n'en reste pas moins que tout cela n'était pensable qu'en ménageant à l'intérieur de la chronologie des écrits une division extrêmement précise : car c'est en réalité la minutieuse partition interne qui a semblé le seul moyen de contrer le reproche de la dispersion ou de la fragmentation de l'œuvre, et qui a permis paradoxalement sa transformation en parcours. C'est parce que les analyses de Foucault ne se laissaient pas identifier que les commentateurs, sommés de choisir entre l'idée d'une unité difficilement soutenable et l'hypothèse d'un « parcours » complexe et beaucoup moins linéaire, ont été obligés d'en passer par une périodisation rigoureuse. De ce point de vue, la construction du livre de Dreyfus et Rabinow est exemplaire. Les analyses – au demeurant remarquables – y sont en effet nettement divisées en deux grands blocs : celui de l'analyse des discours (« L'illusion du discours autonome ») et celui de l'analytique du pouvoir (« La généalogie de l'individu moderne : l'analytique interprétative du pouvoir, de la vérité et du corps »), qui sont en réalité structurés à partir de l'opposition entre l'archéologie des sciences humaines et la généalogie du présent.

Périodisations

Pourtant, le problème demeure. La difficulté à rendre compte de la cohérence du travail de Foucault n'en est en effet que déplacée et relancée au niveau de la périodisation elle-même, c'est-à-dire à propos du passage d'une « période » à l'autre. Dans l'ouvrage de Dreyfus et Rabinow qui nous sert ici d'exemple, le passage est ainsi effectué de manière négative à travers l'idée d'un échec qui aurait légitimé tout à la fois l'abandon du premier paradigme et le passage au second (dans un chapitre intitulé explicitement « L'échec méthodologique de l'archéologie ») : « *L'Archéologie du savoir* se heurte aux obstacles qu'elle est précisément censée diagnostiquer et laisser derrière elle[1]. » C'est donc apparemment sous la forme d'une rupture radicale, d'une interruption et d'une refondation (sur le terrain de l'enquête généalogique) qu'il s'agit de penser cette première distinction entre les périodes – et l'on comprend ce qu'il y a de paradoxal à assurer la cohérence interne du parcours foucaldien par la périodisation, si celle-ci aboutit malgré tout à l'instauration de coupures radicales.

Ces coupures radicales ont, depuis, foisonné dans les commentaires et façonné à beaucoup d'égards notre lecture. On se retrouve en effet devant un Foucault que bien des essais de littérature critique ont

---

1. *Ibid.*, p. 133.

achevé de construire dans les dernières années : non pas *un* auteur, mais trois, voire quatre – chacun avec son propre cadre de référence et d'appartenance, sa méthodologie, ses domaines d'intérêt et ses éventuels emprunts, sa terminologie spécifique et ses apories –, sans que rien assure la progression d'une figure à l'autre, sinon l'apparente logique de la récusation des travaux antérieurs et de l'abandon d'un certain outillage conceptuel.

À suivre ce modèle, il y aurait donc un Foucault d'avant Foucault, celui de l'*Introduction* à Binswanger et de *Maladie mentale et personnalité*, dans les années 1950[1], dont l'horizon est encore essentiellement phénoménologique ; puis un Foucault définitivement émancipé de sa formation initiale, et qui non seulement écrit l'*Histoire de la folie* en 1961, mais modifie profondément et rebaptise l'année suivante son texte sur la maladie mentale[2] ; un Foucault des années 1960, qui publie ses premiers grands livres, lance les notions d'archéologie, d'*épistémè*, d'ordre discursif, et

---

1. M. Foucault, « Introduction », in L. Binswanger, *Le Rêve et l'Existence* (trad. J. Verdeaux), Paris, Desclée de Brouwer, 1954, pp. 9-128, repris in M. Foucault, *Dits et Écrits, op. cit.*, vol. I, texte n° 1, pp. 65-119. Je me permets de renvoyer à ce propos à mon « Sur l'Introduction à Binswanger », in L. Giard (éd.), *Michel Foucault. Lire l'œuvre*, Grenoble, Jérôme Millon, 1992, pp. 51-56 ; sur l'idée d'un « pré-Foucault », voir également P. Macherey, « Aux sources de l'*Histoire de la folie* », *Critique*, n° 471-472 : *Michel Foucault : du monde entier*, Éd. de Minuit, août-septembre 1986, pp. 753-774.
2. M. Foucault, *Maladie mentale et psychologie*, Paris, PUF, 1962.

est associé tout à la fois au structuralisme et à l'anti-psychiatrie, à la nouvelle critique et à l'influence (successive ou simultanée ?) de Nietzsche, de Bataille et de Blanchot[1] ; un Foucault des années 1970, militant et engagé – des prisons au mouvement gay –, qui, ayant rompu avec le structuralisme, déborde du cadre de l'analyse des discours pour s'intéresser aux pratiques et aux stratégies, passe de l'archéologie à la généalogie, lance les notions de discipline et de contrôle, puis (mais s'agit-il ici vraiment d'un dépassement ?) de biopouvoirs et de biopolitique, et travaille essentiellement à une analytique du pouvoir ; enfin un Foucault des années 1980, fondamentalement intéressé par les processus de subjectivation et par la redéfinition d'un modèle éthique dans le cadre de ce qu'il nomme une « ontologie critique de l'actualité », et qui n'hésite pas à redéfinir son travail comme

---

1. Ce « Foucault des années 1960 » est en lui-même problématique dans la mesure où il semble correspondre tout à la fois – et de manière assez contradictoire – à des analyses « archéologiques » et à un voisinage méthodologique avec le structuralisme, et à des analyses littéraires empreintes de réminiscences phénoménologiques et fortement influencées par Bataille, et surtout par Blanchot. Il n'est pas rare que les commentaires n'envisagent que l'un des deux aspects et ignorent délibérément l'autre : c'est par exemple le cas de beaucoup de « lectures françaises », qui n'accordent en général que très peu d'importance aux très nombreux textes foucaldiens sur la littérature et privilégient l'identification tranchée de Foucault au structuralisme (on ne commente ainsi que *Les Mots et les Choses* et *L'Archéologie du savoir*, au détriment des autres textes).

un « journalisme » philosophique ou comme une problématisation historique du présent.

Ce qui frappe ici, c'est encore une fois l'extrême difficulté à rendre raison de chacun de ces passages. On se souviendra que, au moment de la publication des *Mots et les Choses*, l'un des reproches les plus récurrents formulés contre la notion d'*épistémè* portait précisément sur l'absence d'une véritable analyse de la rupture épistémique, du basculement d'une *épistémè* à une autre[1]. Le même reproche pourrait être fait à cette lecture à la fois chronologique et divisante de la production foucaldienne : certes, la division permet de maintenir une apparence de linéarité dans le corpus, mais au prix d'une absence presque totale des transitions, et par le jeu d'une simple juxtaposition des phases de la recherche selon l'ordre de son déroulement qui suppose paradoxalement l'existence inexpliquée de grandes crises internes à l'origine de ces « phases ».

----

1. Voir, par exemple, les questions posées à Foucault par la revue *Esprit* (M. Foucault, « Réponse à une question », *Esprit*, n° 371, mai 1968, repris in M. Foucault, *Dits et Écrits, op. cit.*, vol. I, texte n° 58), ou celles du Cercle d'épistémologie (M. Foucault, « Sur l'archéologie des sciences. Réponse au Cercle d'épistémologie », *Cahiers pour l'analyse*, n° 9 : *Généalogie des sciences*, été 1968, repris in M. Foucault, *Dits et Écrits, op. cit.*, vol. I, texte n° 59). Dans les deux cas, la réponse longue et articulée de Foucault fournit des indications précieuses sur la manière dont il conçoit les thèmes du changement, de la transition, de la rupture, de la continuité et de la discontinuité, etc. Nous y reviendrons bientôt.

L'hypothèse que nous aimerions proposer ici est au contraire la suivante. Linéarité, continuité, cohérence et unité ne sont pas des termes équivalents. Et pourtant, tout se passe comme si Foucault était malgré tout sommé de correspondre à un modèle logique selon lequel la cohérence ne pouvait signifier que le déroulement linéaire et unitaire d'un seul et unique motif ; comme si le seul accroc que pouvait accepter la causalité interne du parcours était de fait la forme radicale de l'interruption et de l'abandon motivés par la reconnaissance de l'échec ; comme si la justification du passage d'une période à l'autre n'avait le choix qu'entre la reconnaissance d'une permanence *malgré le changement*, c'est-à-dire d'une identité absolue (Foucault dit la même chose malgré le changement qu'il instaure), et la reconnaissance d'un saut si fort qu'il en empêche la constitution d'un *mouvement* de la pensée par-delà ses étapes (Foucault ne dit jamais la même chose, c'est donc que rien n'est susceptible d'être constitué comme une progression). En somme : ou l'on accepte la linéarité, ou l'on court le risque de l'incohérence. Si nous essayons en revanche de comprendre Foucault en vertu d'une autre logique, il se peut que l'on restitue à son travail quelque chose comme une cohérence non linéaire ; mieux, une cohérence précisément due à la critique de la linéarité, au refus de l'identité, à la volonté de ne pas produire d'unité. Mais, pour cela, il faut repartir des textes mêmes, et en particulier de ce que Foucault dit à la fois de son propre rapport à l'histoire et de ce concept d'*épistémè* sur lequel il construit une bonne partie de ses analyses dans les années 1960.

Épistémè

Le terme d'*épistémè* est en effet au centre des analyses des *Mots et les Choses*[1] et a donné lieu à maints débats dans la mesure où la notion est à la fois différente de celle de « système » – que Foucault n'utilise pratiquement jamais avant que sa chaire au Collège de France ne soit intitulée « Chaire d'histoire des systèmes de pensée » – et de celle de « structure ».

Par *épistémè*, Foucault désigne en réalité un ensemble de rapports liant différents types de discours et correspondant à une époque historique donnée : « Ce sont tous ces phénomènes de rapports entre les sciences ou entre les différents discours scientifiques qui constituent ce que j'appelle *épistémè* d'une époque[2]. » Les malentendus engendrés dans les années 1960 par l'usage de la notion tiennent à deux raisons. D'une part, on interprète l'*épistémè* comme un système unitaire, cohérent et fermé, c'est-à-dire comme une

---

1. M. Foucault, *Les Mots et les Choses. Une archéologie des sciences humaines*, Paris, Gallimard, coll. « Bibliothèque des sciences humaines », 1966.
2. « Les problèmes de la culture. Un débat Foucault-Preti », *Il Bimestre*, n° 22-23, septembre-décembre 1972, repris in M. Foucault, *Dits et Écrits, op. cit.*, vol. II, texte n° 109.

contrainte historique impliquant une surdétermina-
tion rigide des discours ; et, de l'autre, on somme
Foucault de rendre compte de sa relativité historique,
c'est-à-dire d'expliquer la rupture épistémique et la
discontinuité que le passage d'une *épistémè* à une
autre implique nécessairement. Sur le premier point,
Foucault répond que l'*épistémè* d'une époque n'est
pas « la somme de ses connaissances, ou le style général de ses recherches, mais l'écart, les distances, les
oppositions, les différences, les relations de ses multiples discours scientifiques : l'*épistémè* n'est pas *une
sorte de grande théorie sous-jacente*, c'est un espace de
dispersion, c'est un *champ ouvert* […] l'*épistémè n'est
pas une tranche d'histoire* commune à toutes les
sciences ; *c'est un jeu simultané de rémanences spécifiques*[1] ». Plus qu'une forme générale de la conscience,
Foucault décrit donc un faisceau de relations et de
décalages : non pas un système, mais la prolifération
et l'articulation de multiples systèmes qui se renvoient les uns aux autres.

Sur le second point, Foucault revendique à travers
l'usage de la notion la substitution de la question abstraite du changement (particulièrement vive à l'époque
chez les historiens) par celle des « différents types de
transformation » : « Mon problème : substituer à la
forme abstraite, générale et monotone du "change-

---

1. M. Foucault, « Réponse à une question », *op. cit.*, p. 676. Les ita-
liques sont ceux de Foucault.

ment", dans laquelle si volontiers on pense la succession, l'analyse de différents types de transformation. Ce qui implique deux choses : mettre entre parenthèses toutes les vieilles formes de continuité molle par lesquelles on atténue d'ordinaire le fait sauvage du changement (tradition, influence, habitudes de pensée, grandes formes mentales, contraintes de l'esprit humain), et faire surgir au contraire, avec obstination, toute la vivacité de la différence : établir méticuleusement l'écart. […] Remplacer, en somme, le thème du devenir (forme générale, élément abstrait, cause première et effet universel, mélange confus de l'identique et du nouveau) par l'analyse des *transformations* dans leur spécificité[1]. »

Ce qui est assez remarquable dans ces citations, c'est que l'on assiste véritablement à la construction d'une opposition forte entre deux modèles d'enquête différents : celui qui privilégierait « l'esprit général d'une époque, la forme générale de sa conscience : quelque chose comme une *Weltanschauung*[2] », c'est-à-dire une lecture de l'histoire où la totalisation est toujours possible[3] ; et celui qui, au contraire, affirmerait

---

1. *Ibid.*, p. 677.

2. *Ibid.*

3. Et quand elle ne l'est pas, ajoute Foucault, il reste toujours la possibilité de décrire à partir des mêmes présupposés de continuité qui lui sont propres une discontinuité à son image : « l'émergence et l'éclipse d'une structure formelle qui régnerait, un temps, sur toutes les manifestations de la pensée », ce que Foucault appelle « l'histoire d'un transcendantal syncopé » (*ibid.*).

« un rapport complexe de décalages successifs[1] », c'est-à-dire un faisceau de références, de ressemblances et de différenciations en perpétuel changement. Et s'il est clair que les analyses de Foucault appartiennent au second modèle, il est intéressant de comprendre à partir de quelles références il est devenu nécessaire de penser ces « décalages successifs » et à quel type d'analyse cela donne lieu lorsqu'il s'agit de les appliquer de manière concrète.

---

1. *Ibid.*

II

Discontinuité de la pensée
ou pensée du discontinu ?

Le problème de l'affranchissement explicitement recherché par rapport à un type d'enquête traditionnel perçu comme continuiste et linéaire est récurrent chez Foucault dès le milieu des années 1960 : il accompagne la publication des *Mots et les Choses* et, à bien des égards, il en représente le véritable enjeu. En réalité, les thèmes du changement et de la transformation, quand ils sont poussés à leur extrême, ne peuvent pas ne pas impliquer une redéfinition de ce que l'on entend par « rupture », « saut », « discontinuité » ; et, à l'inverse, c'est parce que les analyses de l'*Histoire de la folie* ou des *Mots et les Choses* semblent sous-entendre une périodisation entièrement construite à partir d'une lecture discontinuiste de l'histoire que le problème de la transition d'une période à une autre – ou, pour le dire en termes plus foucaldiens, d'une *épistémè* à une autre – devient un objet de débat essentiel.

La question semble la suivante : au-delà de la pertinence des découpages historiques effectués par Foucault – qui ont effectivement été parfois durement contestés par les historiens eux-mêmes –, c'est-à-dire par exemple de la consistance historiographique d'une notion comme celle d'« âge classique » ou de la définition de ce que l'on entend par « modernité », à partir de quels présupposés théoriques Foucault a-t-il construit la légitimité d'une approche qui implique la critique violente de l'histoire comme *continuum* et, par là même, l'introduction de scansions qui prennent la forme d'une rupture ?

Comme toujours, chez Foucault, les influences sont complexes. Le thème de la discontinuité semble en effet apparaître au même moment sous une triple détermination, à la fois littéraire, épistémologique et historique, avant de recevoir une formulation plus explicitement philosophique.

C'est dans deux textes de critique publiés presque simultanément, l'un consacré à Jean Thibaudeau[1] et l'autre à Jules Verne[2], que nous trouvons la première

---

1. M. Foucault, « À la recherche du présent perdu », *L'Express*, n° 775, 25 avril-1er mai 1966 (sur J. Thibaudeau, *Ouverture*, Paris, Seuil, coll. « Tel Quel »), repris in M. Foucault, *Dits et Écrits*, *op. cit.*, vol. I, texte n° 35.
2. M. Foucault, « L'arrière-fable », *L'Arc*, n° 29 : *Jules Verne*, mai 1966, repris in M. Foucault, *Dits et Écrits*, *op. cit.*, vol. I, texte n° 36.

allusion à ce qui va bientôt se transformer en un motif majeur. À propos d'un livre de Thibaudeau et de la manière dont la vieille forme du sujet lourdement remise en cause par les expérimentations du Nouveau Roman laisse apparaître une nouvelle figure de la subjectivité, Foucault écrit en effet : « À la discontinuité des choses vues par fragments répétés se substitue la continuité d'un sujet que son présent déverse sans cesse hors de lui-même, mais qui circule sans heurt dans sa propre épaisseur dispersée. À travers les changements de chronologie, d'échelle, de personnages, une identité se maintient par où les choses communiquent[1]. » De manière assez étrange, il semble donc que dans un premier temps Foucault, loin de prendre le parti de la discontinuité et de la fragmentation, y oppose au contraire une certaine continuité subjective, mais c'est aussitôt pour faire de cette continuité un lieu de dissolution de l'identité (« hors de lui-même ») et de dispersion (« épaisseur dispersée ») ; un lieu où l'identité et la cohérence ne sont garanties que par le changement ; un lieu où la seule continuité possible est celle d'une discontinuité qui ne serait plus simplement entendue comme la conséquence d'une limitation nécessaire (nous sommes voués au discontinu parce que nous n'avons pas accès à la continuité absolue d'une conscience souve-

---

1. M. Foucault, « À la recherche du présent perdu », in *Dits et Écrits, op. cit.*, vol. I, texte n° 35, p. 505.

raine), mais vécue en positif comme la possibilité de redéfinir le sujet à partir de son « incessante mobilité », comme processus continu de modification. En somme, l'opposition entre continuité et discontinuité est ici transformée par Foucault en une opposition entre deux modèles de continuité : un premier modèle où la continuité serait garantie par l'absence de changement, c'est-à-dire par la permanence absolue d'une forme partout identique à elle-même, et un second modèle où la seule continuité possible serait au contraire la forme même du changement, la constance de son mouvement inéluctable. Et ce qui intéresse Foucault, c'est précisément que la seule continuité possible soit celle de la métamorphose, ce qui revient à dire que la seule constante imaginable est celle d'une discontinuité entendue comme changement continu, comme continuité en mouvement.

L'analyse se poursuit alors en s'attardant davantage sur le texte de Thibaudeau. Foucault y reprend bon nombre d'éléments qui apparaissaient déjà clairement dans le travail fait quelques années auparavant sur Raymond Roussel et qui constituent le cadre général des analyses « littéraires » auxquelles le philosophe se livre avant la publication des *Mots et les Choses* : « Le texte de Thibaudeau forme une très subtile architecture de paragraphes inachevés, de phrases interrompues, de lignes qui demeurent en suspens sur le blanc du papier, de parenthèses ouvertes et jamais refermées, de seuils qu'on franchit d'un bond, de portes qui claquent, de portails auxquels on revient et qui marquent le départ[1]. » La fascination pour une littérature qui fait de la dissolution des ancrages traditionnels de la narration, de l'introduction de l'aléatoire dans la structure du récit ou de la disparition du sujet (qu'il s'agisse de l'auteur, du narrateur ou de toute idée de « personnage ») le terrain de sa propre expérimentation linguistique est en effet le motif récurrent de nombreux textes foucaldiens de la première moitié

---

1. *Ibid*. La lecture « roussellienne » de Thibaudeau – et plus généralement de toute la production littéraire à laquelle s'intéresse Foucault dans les années 1960 – est évidente. Qu'on se souvienne par exemple de la manière dont Foucault commente Roussel en insistant sur ce qui « impose une inquiétude informe, divergente, centrifuge, orientée non pas vers le plus réticent des secrets, mais vers le dédoublement et la transmutation des formes les plus visibles : chaque mot est à la fois animé et ruiné, rempli et vidé par la possibilité qu'il y en ait un second – celui-ci ou celui-là, ou ni l'un ni l'autre, mais un troisième, ou rien » (M. Foucault, « Dire et voir chez Raymond Roussel », *Lettre ouverte*, n° 4, été 1962, repris in M. Foucault, *Dits et Écrits*, *op. cit.*, vol. I, texte n° 10, p. 210), et l'on comprendra à quel point les thèmes de la « transmutation », de la bifurcation aléatoire et du dédoublement anticipent déjà ceux du changement et de la dispersion. À une seule réserve près : les thèmes du hasard, intimement lié à l'idée d'une écriture roussellienne de la métamorphose et du débordement – et omniprésent dans les premiers textes de Foucault sur la littérature –, semble mis entre parenthèses dès qu'il s'agit de produire des analyses historiques consistantes, c'est-à-dire dès que l'on entre dans le projet d'une « archéologie ». La réconciliation entre le « hasard » et l'histoire ne se fera que plus tard (à la toute fin des années 1960), à l'occasion d'un certain nombre de commentaires de Nietzsche sur lesquels nous reviendrons longuement plus avant, c'est-à-dire au moment du passage de Foucault à la « généalogie ».

des années 1960[1]. Mais ce qu'il s'agit de comprendre, c'est qu'au-delà de l'apparente insistance sur l'inachèvement, l'interruption, la suspension, et plus généralement toutes les formes qui semblent miner la possibilité d'une unité traditionnelle, nous avons cependant affaire à quelque chose qui ne se satisfait plus de la simple fascination esthétique : une réelle tentative de refondation de l'unité *en tant que processus de différenciation sans fin*, une redéfinition de la continuité *comme discontinuité continue*.

En un raccourci formidable, Foucault avait affirmé dans un texte de 1964 à propos des procédés d'écriture de Roussel : « C'est le labyrinthe qui fait le Minotaure : non l'inverse[2]. » C'est un peu ce qui se passe aussi pour la continuité qu'il s'agit de définir ici. À une conception traditionnelle de la continuité qui assure le *continuum* par la permanence dans le temps d'un élément non susceptible de changement (le Minotaure rend possible le labyrinthe, tout comme le sujet anhistorique qui traverse l'histoire en assure paradoxalement l'unité), Foucault oppose en effet une conception où c'est la forme même du chan-

---

1. Je me permets de renvoyer à ce propos à mon « Foucault et la littérature : histoire d'une disparition », *Le Débat*, n° 79, Paris, Gallimard, 1994.
2. M. Foucault, « Pourquoi réédite-t-on l'œuvre de Raymond Roussel ? Un précurseur de notre littérature moderne », *Le Monde*, n° 6097, 22 août 1964, repris in M. Foucault, *Dits et Écrits, op. cit.*, vol. I, texte n° 26, p. 424.

gement qui devient la seule constante possible (le labyrinthe permet le Minotaure parce que c'est la différenciation qui permet l'émergence de l'identité, et non le contraire).

Le second texte « littéraire » de Foucault auquel nous faisions allusion est consacré à Jules Verne – un auteur en apparence bien moins « ésotérique » que Roussel et beaucoup moins expérimental que la production des collaborateurs de *Tel Quel* dont Thibaudeau fait partie. Pourtant, encore une fois, Foucault revient sur le même problème et semble en donner une formulation plus complexe encore. À partir de la distinction établie entre la « fable » et la « fiction » (la fable est ce qui est raconté ; la fiction est le régime selon lequel la fable est « récitée », « la trame des rapports établis, à travers le discours lui-même, entre celui qui parle et ce dont il parle[1] »), Foucault déplace encore une fois le terrain d'expérimentation des pouvoirs du langage de ce qui est dit à la manière dont on le dit : c'est la forme qui est porteuse d'invention et de rupture, non le contenu. Or ce que nous offre l'œuvre de Jules Verne, c'est – comme chez Roussel, comme chez Thibaudeau, et plus généralement comme chez tous les écrivains auxquels Foucault s'intéresse et qu'il commente en ce début d'années 1960 – la tentative de faire de la discontinuité la

---

1. M. Foucault, « L'arrière-fable », in *Dits et Écrits*, *op. cit.*, vol. I, texte n° 36, p. 506.

constante même du procédé narratif : « Les récits de Jules Verne sont merveilleusement pleins de ces discontinuités dans le mode de la fiction. Sans cesse, le rapport établi entre narrateur, discours et fable se dénoue et se reconstitue selon un nouveau dessin. Le texte qui raconte à chaque instant se rompt ; il change de signe, s'inverse, prend distance, vient d'ailleurs et comme d'une autre voix[1]. »

Certes, dira-t-on, mais cela reste de la littérature : on demeure dans la fiction ; et Foucault, auquel a été souvent reproché de ne pas avoir su construire une pensée cohérente et unitaire, n'est ni Raymond Roussel, ni Jules Verne. En revanche, qu'advient-il si l'on cherche à appliquer à une construction théorique le même type d'hypothèse ? En bref, une philosophie ou une histoire peuvent-elles être discontinuistes au sens où l'entend Foucault ? C'est là qu'interviennent deux autres modèles. Le premier est fourni à Foucault par l'histoire des sciences, le second par une certaine historiographie française, et ce sont eux qui vont faire passer le thème de la discontinuité du statut d'« objet étrange » et fascinant à celui de véritable discours de méthode.

---

1. *Ibid.*, p. 507.

Foucault et Canguilhem

Il a probablement été trop peu dit à quel point les analyses de Foucault étaient redevables aux travaux de Georges Canguilhem. On a en effet l'habitude de limiter l'importance de l'influence de Canguilhem sur Foucault à quelques lignes biographiques – Canguilhem fut l'examinateur de Foucault aussi bien au concours de la rue d'Ulm qu'à l'oral de l'agrégation, et c'est à lui qu'Hyppolite envoya Foucault au moment de sa thèse –, à l'hommage explicitement rendu dans la préface de la première édition de l'*Histoire de la folie* ou dans le texte de *L'Ordre du discours*[1], à certaines des analyses de l'*Histoire de la folie* et parfois à celles de *Naissance de la clinique*, et plus généralement à un intérêt pour le discours médical qui, il est vrai, restera toujours très vif chez Foucault. Il existe cependant deux textes à la lumière desquels

---

1. « Si j'ai voulu appliquer une pareille méthode à de tout autres discours qu'à des récits légendaires ou mythiques, l'idée m'en est venue sans doute de ce que j'avais devant les yeux les travaux des historiens des sciences, et surtout de M. Canguilhem ; c'est à lui que je dois d'avoir compris que l'histoire de la science n'est pas prise forcément dans l'alternative : chronique des découvertes, ou description des idées et opinions qui bordent la science du côté de sa genèse indécise ou du côté de ses retombées extérieures ; mais qu'on pouvait, qu'on devait, faire l'histoire de la science comme d'un ensemble à la fois cohérent et transformable de modèles théoriques et d'instruments conceptuels » (M. Foucault, *L'Ordre du discours*, Paris, Gallimard, 1971, pp. 73-74).

on ne peut pas ne pas considérer cette influence à sa juste mesure. Deux textes que séparent presque dix ans : le premier est écrit en 1968 en réponse à un certain nombre de questions posées par le Cercle d'épistémologie[1], le second est la préface que Foucault rédige en 1978 pour l'édition américaine du *Normal et le Pathologique*[2].

Dans l'un comme dans l'autre, c'est encore une fois le thème de la discontinuité qui affleure. Voici ce qu'écrit Foucault : « Sous les grandes continuités de la pensée, sous les manifestations massives et homogènes de l'esprit, sous le devenir têtu d'une science s'acharnant à exister et à s'achever dès son commencement, on cherche maintenant à détecter l'incidence des interruptions. G. Bachelard a repéré des seuils épistémologiques qui rompent le cumul indéfini des connaissances ; M. Guéroult a décrit des systèmes clos, des architectures conceptuelles fermées qui scandent l'espace du discours philosophique ; G. Canguilhem a analysé les mutations, les déplacements, les transformations dans le champ de la validité et les règles d'usage des concepts[3]. » Et encore, dix ans plus tard : « [G. Canguilhem] a repris d'abord le thème de la "discontinuité". Vieux

---

1. M. Foucault, « Sur l'archéologie des sciences. Réponse au Cercle d'épistémologie », *op. cit.*
2. M. Foucault, « Préface », in G. Canguilhem, *On the Normal and the Pathological*, *op. cit.*
3. M. Foucault, « Sur l'archéologie des sciences… », in M. Foucault, *Dits et Écrits*, vol. I, *op. cit.*, pp. 697-698.

thème qui s'est dessiné très tôt, au point d'être contemporain, ou presque, de la naissance d'une histoire des sciences. […] Reprenant ce même thème élaboré par Koyré et Bachelard, Georges Canguilhem insiste sur le fait que le repérage des discontinuités n'est pour lui ni un postulat ni un résultat mais plutôt une "manière de faire", une procédure qui fait corps avec l'histoire des sciences parce qu'elle est appelée par l'objet même dont celle-ci doit traiter[1]. » Ni un postulat ni un résultat, mais une « manière de faire » : on a donc affaire à un véritable choix de méthode.

Or, chez Foucault, c'est une double partie qui se joue à l'occasion de ces références à la philosophie des sciences. D'une part, réaffirmer une sorte de « parenté imaginaire » établie dans le temps, puisque l'amitié avec Gaston Bachelard avait accompagné à la fois les premiers travaux de Foucault sur Binswanger[2] et le détachement progressif du discours phénoménologique qui avait eu lieu dans les années suivantes. C'est à travers Jacqueline Verdeaux, la traductrice française du texte de Binswanger, que Foucault avait rencontré Bachelard en 1952 ; et Bachelard est effectivement cité dans la « Préface » que Foucault donne au livre de Binswanger : non pas, cependant, le Bachelard philo-

---

1. M. Foucault, « Préface » à G. Canguilhem, in M. Foucault, *Dits et Écrits, op. cit.*, vol. III, pp. 434-435.
2. M. Foucault, « Introduction » à L. Binswanger, *Le Rêve et l'Existence, op. cit.*, repris in M. Foucault, *Dits et Écrits, op. cit.*, vol. I, texte n° 1.

sophe des sciences, mais, de manière plus cohérente avec l'objet du texte, l'auteur de *L'Air et les Songes*. Quel rapport, dira-t-on, avec le problème des ruptures et de la discontinuité, avec le Bachelard des seuils épistémologiques ?

Foucault cite *L'Air et les Songes*, certes, mais ce n'est pas n'importe quelle citation – et le commentaire qu'il en fait immédiatement est à cet égard extrêmement intéressant. « M. Bachelard a mille fois raison quand il montre l'imagination à l'ouvrage dans l'intimité de la perception et le travail secret qui transmue l'objet que l'on perçoit en objet que l'on contemple ; "on comprend les figures par leur transfiguration" ; et c'est alors que par-delà les normes de la vérité objective "s'impose le réalisme de l'irréalité". Mieux que personne, M. Bachelard a saisi le labeur dynamique de l'imagination, et le caractère toujours vectoriel de son mouvement[1]. » Si l'on fait abstraction de ce qui, dans l'analyse de Foucault, est encore clairement lié à un privilège de l'expérience onirique et à une reprise phénoménologique du thème des rapports entre la perception et l'imagination, on trouve trois formidables anticipations du travail que fera le philosophe quelques années plus tard, une fois affranchi de sa formation initiale. D'abord, l'allusion au déplacement nécessaire de « l'objet que l'on perçoit » à

---

1. *Ibid.*, p. 116. Les citations de Bachelard faites par Foucault sont tirées de *L'Air et les Songes. Essai sur l'imagination du mouvement*, Paris, José Corti, 1943, p. 13.

« l'objet que l'on regarde », qui n'est pas loin de pré-
figurer les analyses des *Mots et les Choses* ; ensuite,
l'allusion à quelque chose qui serait « par-delà les
normes de la vérité objective » et que Foucault pense
encore sur le modèle d'un « réalisme de l'irréalité »,
mais qui deviendra bientôt une interrogation sur les
différentes procédures d'objectivation du discours à
une époque donnée ; enfin, l'allusion à la « transfiguration », au caractère « dynamique » et « vectoriel » de
l'imagination : pour Foucault, en 1954, c'est en effet
l'imagination qui est le lieu du changement et du
mouvement ; mais, dix ans plus tard, c'est toute la
pensée qui deviendra le terrain d'une pluralité de
métamorphoses continues et dont il s'agira de dire les
modalités, les articulations internes et l'histoire. Ce
que Foucault appellera précisément une *archéologie*.

L'autre « partie » que Foucault joue explicitement
à l'occasion de ces références à la philosophie des
sciences, c'est, comme il l'expliquera longuement
dans le texte de 1978, la construction d'une opposition entre les « philosophies du sujet » et les « philosophies du concept », entre « Sartre et Merleau-Ponty »
d'une part, « Cavaillès, Bachelard et Canguilhem » de
l'autre. Une opposition qui permet à Foucault de
relire l'histoire de la pensée française comme « deux
trames qui sont restées profondément hétérogènes[1] »,

---

1. M. Foucault, « Préface » à G. Canguilhem, *op. cit.*, repris in
M. Foucault, *Dits et Écrits*, *op. cit.*, vol. III, p. 430.

et qui renforce très évidemment son propre travail de sape d'une figure du sujet généralement entendue comme autoréférentielle, solipsiste, anhistorique et psychologisée – ce sujet dont Foucault dit souvent que, de Descartes à Sartre, il a traversé la philosophie tout en la rendant stérile. Mais une opposition qui, du côté des « philosophies du concept », permet aussi de poser le problème du rapport entre l'histoire des sciences et l'épistémologie, c'est-à-dire à la fois du rapport au temps et du rapport à l'historicité des formes du « dire-vrai ».

En d'autres termes : « L'histoire des sciences, dit Canguilhem, citant Suzanne Bachelard, ne peut construire son objet que dans un "espace-temps" idéal. Et cet espace-temps, il ne lui est donné ni par le temps "réaliste" accumulé par l'érudition historienne ni par l'espace d'idéalité que découpe autoritairement la science d'aujourd'hui, mais par le point de vue de l'épistémologie. Celle-ci n'est pas la théorie générale de toute science ou de tout énoncé scientifique possible ; elle est la recherche de la normativité interne aux différentes activités scientifiques, telles qu'elles ont effectivement été mises en œuvre. Il s'agit donc d'une réflexion théorique indispensable qui permet à l'histoire des sciences de se constituer sur un autre mode que l'histoire en général ; et inversement, l'histoire des sciences ouvre le domaine d'analyse indispensable pour que l'épistémologie soit autre chose que la simple reproduction des schémas internes d'une science à un moment donné. Dans la méthode mise en œuvre par Georges Canguilhem, l'élaboration des analyses "discontinuistes" et l'élucidation du rapport histoire des sciences/épistémologie vont de pair[1]. »

Quelques remarques sur cette longue citation.

Ce que Foucault reprend à la « méthode » de Canguilhem, c'est-à-dire à « une philosophie de l'erreur, du concept et du vivant[2] », correspond en fait à un double enjeu. D'une part, il est nécessaire de distinguer le temps de l'histoire des sciences à la fois du temps abstrait des sciences elles-mêmes et de l'histoire érudite des historiens, parce que l'un comme l'autre – de manière différente, certes – affirment en réalité la nécessité d'un *continuum* absolu et ne peuvent pas ne pas considérer l'histoire comme un processus linéaire passible d'aucune rupture. Qu'il s'agisse d'un espace temporel « idéalisé » et totalement dégagé des conditions matérielles de son déroulement (celui de la science), ou au contraire d'un temps « réaliste » réduit à l'accumulation infinie et continue de ses différents moments, le discours ne change en fait pas, puisqu'on suppose dans un cas comme dans l'autre une linéarité sans faille de l'histoire – et l'impossibilité pour le regard historien d'en prendre les distances, de faire en quelque sorte l'histoire de cette histoire linéaire, l'épistémologie de la forme continue du temps lui-

---

1. *Ibid.*, p. 437.
2. *Ibid.*, p. 442.

même. Au rebours de cela, c'est précisément le point de vue de l'épistémologie qui va donc représenter pour l'histoire des sciences la possibilité d'une approche du temps qui permette de remettre en cause le présupposé continuiste. Mais, dans l'autre sens, le risque encouru par l'épistémologie est celui d'une reproduction des schémas scientifiques décrits au sein de la description elle-même, c'est-à-dire de l'impossibilité d'historiciser le discours scientifique et les grilles épistémiques qu'il met en œuvre à un moment donné. C'est en cela que l'histoire des sciences permet à l'épistémologie d'être autre chose qu'un méta-discours.

Ce qui frappe ici, c'est la proximité que ce double enjeu repéré dans les analyses « discontinuistes » de Canguilhem présente avec les travaux de Foucault des années 1960. *Les Mots et les Choses* sont-ils autre chose que la tentative de faire l'histoire de la manière dont le discours scientifique a constitué à un moment donné ses propres champs, ses propres objets, ses propres méthodes, la forme même de son savoir – et, bien entendu, la forme de son histoire ? Mais aussi : *Les Mots et les Choses* sont-ils autre chose que la tentative de réintroduire les schémas internes aux sciences à l'intérieur d'une histoire plus générale qui serait celle des différentes formes – des formes successives – du « dire-vrai » ?

Et c'est au nom de cette double historicisation qu'une critique des « philosophies du sujet » est en réalité possible. Parce que si, comme le rappelle justement Foucault, la philosophie cartésienne a représenté cette grande rupture de la modernité qui a posé pour la première fois le problème des rapports entre la vérité et le sujet, la philosophie des sciences oblige à reformuler totalement la question. Non seulement parce que le sujet cartésien n'a pas d'histoire au sens strict – il en fonde bien plutôt la possibilité –, ce qui bien entendu est au cœur des critiques contemporaines qui lui sont adressées ; mais parce qu'il faut également définir les conditions de possibilité d'une histoire de la vérité qui ne prenne pas la forme d'une métaphysique de la vérité, mais qui soit l'archéologie de la manière dont le vrai et le faux, la vérité et l'erreur, entrent en rapport et se définissent mutuellement à partir de normes et de limites qui sont en permanence redéfinies, réarticulées.

Historicisation et jeux de vérité : la « problématisation »

Ce deuxième aspect est essentiel dans la recherche de Foucault ; on le retrouve à l'œuvre sous des formulations différentes, depuis les premiers livres jusqu'aux derniers. Qu'on se rappelle seulement ces pages de *L'Ordre du discours* où Foucault fait allusion à la volonté de vérité[1] ; pensons également au thème de la

---

1. M. Foucault, *L'Ordre du discours*, *op. cit.*, p. 16 : « Certes, si on se place au niveau d'une proposition, à l'intérieur d'un discours, le partage entre le vrai et le faux n'est ni arbitraire, ni modifiable, ni institutionnel, ni violent. Mais si on se place à une autre échelle, si on se pose la question de savoir quelle a été, quelle est constamment, à

véridiction et des jeux de vérité, et au beau concept de problématisation qui est au centre des analyses des travaux des dernières années, pour comprendre à quel point la figure de Canguilhem a été présente par-delà toute référence spécifique à l'histoire du regard médical ou au savoir des médecins.

Par « problématisation », Foucault n'entend ni la représentation d'un objet préexistant ni la création par le discours d'un objet qui n'existe pas, mais « l'ensemble des pratiques discursives ou non discursives qui fait entrer quelque chose dans le jeu du vrai et du faux et le constitue comme objet pour la pensée (que ce soit sous la forme de la réflexion morale, de la connaissance scientifique, de l'analyse politique, etc.)[1] ». L'histoire

---

travers nos discours, cette volonté de vérité qui a traversé tant de siècles de notre histoire, ou quel est, dans sa forme très générale, le type de partage qui régit notre volonté de savoir, alors c'est peut-être quelque chose comme un système d'exclusion (système historique, modifiable, contraignant) qu'on voit se dessiner. » Et deux pages plus loin (p. 18) : « Ce partage historique a sans doute donné sa forme générale à notre volonté de savoir. Mais il n'a pas cessé pourtant de se déplacer : les grandes mutations scientifiques peuvent peut-être se lire parfois comme les conséquences d'une découverte, mais elles peuvent se lire aussi comme l'apparition de formes nouvelles dans la volonté de vérité. Il y a sans doute une volonté de vérité au XIXᵉ siècle qui ne coïncide ni par les formes qu'elle met en jeu, ni par les domaines d'objets auxquels elle s'adresse, ni par les techniques sur lesquelles elle s'appuie, avec la volonté de savoir qui caractérise la culture classique. »

1. M. Foucault, « Le souci de la vérité », *Magazine littéraire*, n° 207, mai 1984, repris in M. Foucault, *Dits et Écrits, op. cit.*, vol. IV, texte n° 350.

de la pensée s'intéresse donc à des objets, à des règles d'action ou à des modes de rapport à soi dans la mesure où elle les *problématise* : elle s'interroge sur leur forme historiquement singulière et sur la manière dont ils ont représenté à une époque donnée un certain type de réponse à un certain type de problème.

En réalité, Foucault recourt à la notion de problématisation pour distinguer radicalement l'histoire de la pensée à la fois de l'histoire des idées et de l'histoire des mentalités. Alors que pour Foucault l'histoire des idées s'intéresse à l'analyse des systèmes de représentation qui sous-tendent à la fois les discours et les comportements, et que l'histoire des mentalités s'intéresse à l'analyse des attitudes et des schémas de comportement, l'histoire de la pensée s'intéresse, elle, à la manière dont se constituent des problèmes pour la pensée, et aux stratégies qui sont développées pour y répondre : « À un même ensemble de difficultés, plusieurs réponses peuvent être données. Et, la plupart du temps, des réponses diverses sont effectivement données. Or ce qu'il faut comprendre, c'est ce qui les rend simultanément possibles : c'est le point où s'enracine leur simultanéité ; c'est le sol qui peut les nourrir les unes et les autres dans leur diversité et en dépit parfois de leurs contradictions[1]. » Le travail de

---

1. « Polemics, Politics and Problematizations », in P. Rabinow, *The Foucault Reader*, New York, Pantheon Books, 1984 ; trad. fr. « Polémique, politique et problématisations », in M. Foucault, *Dits et Écrits, op. cit.*, vol. IV, texte n° 342.

Foucault est ainsi reformulé dans les termes d'une enquête sur la forme générale de problématisation correspondant à une époque donnée : l'étude des modes de problématisation – c'est-à-dire « ce qui n'est ni constante anthropologique ni variation chronologique – est donc la façon d'analyser, dans leur forme historiquement singulière, des questions à portée générale[1] ».

Le terme de problématisation implique deux conséquences. D'une part, le véritable exercice critique de la pensée s'oppose à l'idée d'une recherche méthodique de la « solution » : la tâche de la philosophie n'est donc pas de résoudre – y compris en substituant une solution à une autre –, mais de « problématiser » ; non pas de réformer, mais d'instaurer une distance critique, de faire jouer la « déprise », de retrouver les problèmes. De l'autre, cet effort de problématisation n'est en aucun cas un antiréformisme ou un pessimisme relativiste : à la fois parce qu'il révèle un réel attachement au principe que l'homme est un être pensant – de fait, le terme de « problématisation » est particulièrement employé par Foucault dans un formidable commentaire du texte de Kant sur la question des Lumières, *Was ist Aufklärung ?* –, et parce que, comme il le précise lui-même, « ce que j'essaie de faire, c'est l'histoire des rapports que la pensée entretient avec la

---

1. M. Foucault, « What is Enlightenment ? », in P. Rabinow, *The Foucault Reader, op. cit.* ; trad. fr. « Qu'est-ce que les Lumières ? », in M. Foucault, *Dits et Écrits, op. cit.*, vol. IV, texte n° 339.

vérité ; l'histoire de la pensée en tant qu'elle est pensée de vérité. Tous ceux qui disent que pour moi la vérité n'existe pas sont des esprits simplistes[1] ».

Revenons alors à ce que Canguilhem a permis à Foucault de formuler. Revenons surtout à cette affirmation faite dans le texte de 1978 cité plus haut selon laquelle l'épistémologie rend possible « une réflexion théorique indispensable qui permet à l'histoire des sciences de se constituer sur un autre mode que l'histoire en général ». Pour comprendre totalement la manière dont Foucault construit lentement la possibilité d'une méthode discontinuiste, c'est à cette « autre histoire » qui n'est pas l'« histoire en général » qu'il faut à présent s'intéresser : après une préfiguration littéraire et une formulation épistémologique, nous en arrivons finalement au troisième aspect de cette élaboration, c'est-à-dire à la façon dont Foucault a travaillé le concept même d'histoire en se servant en partie des analyses d'une certaine historiographie française à laquelle il est de fait extrêmement redevable.

En mai 1968, la revue *Esprit* soumet à Foucault une question qui semble directement inspirée par le débat très vif qui a suivi la publication des *Mots et les Choses*, deux ans auparavant[2]. La question porte tout

---

1. M. Foucault, « Le souci de la vérité », *op. cit.*
2. M. Foucault, « Réponse à une question », *op. cit.* La question de la rédaction d'*Esprit* est ainsi formulée : « Une pensée qui introduit la contrainte du système et la discontinuité dans l'histoire de l'esprit n'ôte-t-elle pas tout fondement à une intervention politique progres-

à la fois sur l'apparente affirmation foucaldienne de la nécessité d'accepter la clôture du système épistémique correspondant à une époque donnée – c'est-à-dire l'impossibilité de s'en affranchir –, et sur le problème que continue à représenter le thème du passage d'une *épistémè* à une autre et auquel on finit par associer la fameuse « discontinuité » dont parle de plus en plus Foucault. Lequel éclaircit finalement sa position : « Vous le voyez : absolument pas question de substituer une catégorie, le "discontinu", à celle non moins abstraite et générale du "continu". Je m'efforce au contraire de montrer que la discontinuité n'est pas entre les événements un vide monotone et impensable, qu'il faudrait se hâter de remplir (deux solutions parfaitement symétriques) par la plénitude morne de la cause ou par l'agile ludion de l'esprit ; mais qu'elle est un jeu de transformations spécifiques, différentes les unes des autres (avec, chacune, ses conditions, ses règles, son niveau) et liées entre elles selon les schémas de dépendance. L'histoire, c'est l'analyse descriptive et la théorie de ces transformations[1]. »

Le danger d'une pensée de la discontinuité, c'est donc qu'elle soit imaginée à partir de ce dont elle sape le règne – la continuité –, qu'elle en représente en

---

siste ? N'aboutit-elle pas au dilemme suivant : – ou bien l'acceptation du système, – ou bien l'appel à l'événement sauvage, à l'irruption d'une violence extérieure, seule capable de bousculer le système ? » (in M. Foucault, *Dits et Écrits*, *op. cit.*, vol. I, p. 673).

1. *Ibid.*, p. 680.

quelque sorte l'envers, c'est-à-dire encore malgré tout la figure souveraine. Se représenter la discontinuité comme un « vide », c'est assigner à la continuité la garantie de la plénitude ; c'est faire de la discontinuité un manque, une absence, bref, une figure de la négation. Or c'est d'une tout autre discontinuité que veut parler Foucault : celle qui est introduite par les transformations et les mutations, et qui fait de la continuité l'autre nom d'un processus de métamorphose dont la discontinuité est le moteur. On a déjà eu l'occasion de le remarquer, il ne s'agit pas tant pour Foucault d'opposer la continuité à la discontinuité que de définir une autre conception possible de la continuité qui se donnerait pour tâche « l'analyse descriptive et la théorie de ces transformations ».

La question devient alors la suivante : qu'est-ce que Foucault entend exactement par « histoire » ? Et encore : quel type de continuité historique est ici critiqué au profit d'une continuité de la pluralité des transformations ? Le texte que nous avons à peine cité semble faire allusion de manière assez ironique à une approche causale de l'histoire (« la plénitude morne de la cause »), ou à son pendant hégélien (« l'agile ludion de l'esprit ») : est-ce contre cela qu'il s'agit de définir au contraire un « faisceau polymorphe de corrélations[1] » ?

---

1. *Ibid.*

Histoire, archéologie, archive

Le rapport de Foucault à l'histoire est complexe, et il est probablement au cœur du problème de la discontinuité. Il implique que l'on comprenne à la fois la manière dont Foucault a construit ses propres concepts d'archéologie et d'archive, les relations qu'il a tissées avec certains historiens et les collaborations auxquelles elles ont parfois donné lieu, mais aussi les modèles qu'il a refusés. Et, effectivement, les thèmes de la causalité et de la linéarité y sont omniprésents. En 1967, Foucault accorde à Raymond Bellour un entretien qui demeure à cet égard un texte essentiel : il est intitulé « Sur les façons d'écrire l'histoire[1] ». C'est de ce texte que nous aimerions repartir à présent.

En réalité, déjà un an auparavant, Foucault avait accepté une première fois de répondre aux questions de Raymond Bellour, au moment de la publication des *Mots et les Choses*[2]. Ce qui frappe dans ce premier entretien, c'est la totale absence du thème de l'histoire (de fait, le terme n'apparaît que très peu). Le problème semble alors bien davantage de comprendre le

---

1. M. Foucault, « Sur les façons d'écrire l'histoire » (entretien avec R. Bellour), *Les Lettres françaises*, n° 1187, 15-21 juin 1967, repris in M. Foucault, *Dits et Écrits*, *op. cit.*, vol. I, texte n° 48.
2. M. Foucault, « Les mots et les choses » (entretien avec R. Bellour), *Les Lettres françaises*, n° 1125, 31 mars-6 avril 1966, repris in M. Foucault, *Dits et Écrits*, *op. cit.*, vol. I, texte n° 34.

rapport entre les analyses de l'*Histoire de la folie* et celles des *Mots et les Choses*, ou d'expliquer à travers le recours à la notion d'archéologie la manière dont a été possible l'élaboration d'une sorte de domaine homogène d'enquête. Ce domaine homogène, qui est celui de l'*épistémè* d'une époque et qui traverse toutes les frontières disciplinaires afin de constituer l'épaisseur même de l'espace où se répartissent les différents savoirs, est pourtant indissociable d'un découpage historique qui en définit les limites. Et si l'on se rappelle bien entendu la fin des *Mots et les Choses* et l'hypothèse de l'effacement « comme à la limite de la mer un visage sur le sable[1] » de la configuration épistémique apparue à la fin du XVIIIe siècle et qui avait permis l'émergence des sciences humaines, rien ne permet en revanche de saisir réellement ce qui a provoqué en amont l'effacement de la pensée classique. En somme, si le thème du passage est envisagé « en avant » et projeté comme une possibilité d'avenir, il demeure pour une bonne part non élucidé « en arrière », c'est-à-dire dans la réalité concrète d'une histoire qui s'est déjà produite.

Ajoutons encore, pour en finir avec ce premier entretien, que si Foucault précise malgré tout à la fin du texte qu'il a essayé « de faire, dans un style évidemment un peu particulier, l'histoire non pas tant de la pensée en général que de tout ce qui "contient

---

1. M. Foucault, *Les Mots et les Choses*, *op. cit.*, p. 398.

de la pensée" dans une culture, de tout ce en quoi il y a de la pensée[1] », il présente sa recherche comme l'archéologie d'une homogénéité, d'une distribution et d'une répartition dans un espace unifié : « L'*Histoire de la folie* était en gros l'histoire du partage, l'histoire surtout d'une certaine coupure que toute société se trouve obligée d'instaurer. J'ai voulu par contre faire dans ce livre l'histoire de l'ordre, dire la manière dont une société réfléchit la ressemblance des choses entre elles et la manière dont les différences entre les choses peuvent se maîtriser, s'organiser en réseaux, se dessiner selon des schémas rationnels. L'*Histoire de la folie* est l'histoire de la différence, *Les Mots et les Choses*, l'histoire de la ressemblance, du même, de l'identité. » Faut-il en croire que, dans un premier temps, ce sont davantage les jeux d'organisation, de hiérarchisation et de répartition qui intéressent Foucault ? La taxinomisation des objets de connaissance n'est possible que sur le fond d'un espace de savoir homogène, et tout se passe comme si l'unité de ce fond n'était pas encore mise en discussion, comme si elle n'était pas clairement reconnue comme une construction de l'*épistémè* au même titre que les régimes de distribution des classes d'objets, des champs disciplinaires et des théorisations, mais au contraire comme sa condition de

---

1. M. Foucault, « Les mots et les choses », in *Dits et Écrits, op. cit.*, vol. I, pp. 503-504.

possibilité. En somme, de deux choses l'une : ou c'est la périodisation qui assure par avance l'idée d'une homogénéité, ou c'est au contraire le repérage des isomorphismes qui fonde la possibilité de la périodisation. Dans les deux cas, Foucault est sommé de répondre à une question qu'il semble pourtant vouloir éviter, celle de la légitimité du découpage historique dont l'*épistémè* est – selon les options de lecture – le fondement ou le produit. Certes, Foucault fait allusion à la manière dont « les différences entre les choses peuvent se maîtriser », ce qui paraît suggérer un danger des différences laissées à elles-mêmes, une certaine sauvagerie de leur éparpillement, et peut-être l'idée que, de ce point de vue, leur maîtrise – la constitution d'une homogénéité des discours – n'est pas tant le fond de l'organisation des différences que le résultat de leur habile agencement, et que ce résultat est difficile. Il n'en reste pas moins que, à bien des égards, la position de Foucault reste ambiguë.

Pour la première fois, un problème crucial semble donc se poser à Foucault – mais il se pose sans doute à une bonne partie des penseurs français après 1950 –, celui du rapport entre l'identité et les différences. Est-ce la composition des différences qui fait naître l'unité épistémique à partir de laquelle une périodisation historique est envisageable, ou bien est-ce au contraire l'identité – la donation *a priori* d'une périodisation qui assigne à une certaine époque des traits singuliers et homogènes – qui est nécessaire au repérage des différences ?

En d'autres termes, et pour revenir au cas qui nous occupe, l'*épistémè* d'une époque est-elle ce qui permet la différenciation homogène des savoirs, ou bien au contraire est-ce la nécessité de résorber et de maîtriser les différences qui exige la constitution de quelque chose comme une *épistémè* ? Le problème est de taille, et l'on verra qu'il est au centre de la réflexion de Foucault, en particulier dans les années 1970 : c'est en effet lui qui assure le passage d'une problématisation de la discontinuité à la tentative de formuler une véritable pensée de la différence. Mais laissons pour l'instant cette question : elle mérite à elle seule une analyse attentive, et nous y reviendrons.

Venons-en à présent au second entretien avec Bellour, un an après la publication des *Mots et les Choses*. Le ton en est absolument différent, et le problème du rapport de Foucault à l'histoire et aux historiens y est immédiatement posé, en particulier parce que, comme le rappelle Bellour dès sa première question, l'accueil réservé au livre a été à la fois « enthousiaste et réticent ». Les réponses de Foucault sont extrêmement précises, et elles s'articulent à partir d'une argumentation qui repose entièrement sur les positions suivantes : 1° les « historiens de métier » ont reconnu le livre comme un livre d'histoire ; 2° une très profonde mutation du savoir historique est à l'œuvre depuis vingt ans, mais une nouvelle génération d'historiens (Foucault cite alors les noms de Fernand Braudel, François Furet, Denis Richet, Emmanuel Le Roy Ladurie, tout comme l'école historique de Cambridge et l'école soviétique) entreprend aujourd'hui « une aventure nouvelle » ; 3° l'histoire a longtemps été le dernier refuge de l'ordre dialectique, le lieu sacré où se jouaient les rapports entre les individus et la totalité ; elle a souvent été réduite à l'universelle relation de causalité ; 4° contre cette histoire totalisante et intouchable, il s'agit à présent de formuler « le très difficile problème de la périodisation » et, en même temps, une véritable « logique de la mutation », et c'est à cette double tâche que Foucault s'est essayé.

Reprenons ces arguments dans l'ordre.

L'identification que Foucault semble rechercher avec les historiens est en partie explicable par une volonté paradoxale de créer une certaine distance avec le structuralisme, auquel la publication des *Mots et les Choses* a immédiatement voué Foucault. En réalité, cette identification est bien antérieure au livre : elle se construit lentement dès le début des années 1960, en particulier à l'occasion des textes de critique littéraire qu'écrit alors Foucault (il suffit par exemple de penser à la proximité avec *Tel Quel* et ses auteurs pour comprendre à quel point le Nouveau Roman, l'analyse structurale de Barthes ou les travaux de Lévi-Strauss finissent par être associés à ceux du philosophe). Foucault en est lui-même le premier responsable : à l'époque, on ne compte pas les allusions directes au structuralisme, quand il ne s'agit pas de souscriptions explicites, bien que souvent empreintes d'une certaine ironie[1].

En ce sens, les deux conférences que Foucault donne en Tunisie, sur la linguistique d'une part[2], sur les rapports du structuralisme et de la littérature de l'autre[3], si elles ressemblent davantage à un descriptif minutieux d'un certain paysage intellectuel de l'après-guerre qu'à une réelle prise de position personnelle, sont assez précieuses. C'est en effet à la mise en avant de la valeur du modèle linguistique, et à la pertinence de son application à des domaines hétérogènes entre eux, que Foucault s'attache tout particulièrement. Dans l'une comme dans l'autre, on trouve le souci permanent, à partir d'un questionne-

---

1. Foucault écrit par exemple : « Je suis tout au plus l'enfant de chœur du structuralisme. Disons que j'ai secoué la sonnette, que les fidèles se sont agenouillés, que les incroyants ont poussé des cris. Mais l'office avait commencé depuis longtemps » (M. Foucault, « La philosophie structuraliste permet de diagnostiquer ce qu'est "aujourd'hui" » (entretien avec G. Fellous), *La Presse de Tunisie*, 12 avril 1967, repris in M. Foucault, *Dits et Écrits*, *op. cit.*, vol. I, texte n° 47, p. 580.

2. M. Foucault, « Linguistique et sciences sociales », *Revue tunisienne de sciences sociales*, 6ᵉ année, n° 19, décembre 1969, repris in M. Foucault, *Dits et Écrits*, *op. cit.*, vol. I, texte n° 70.

3. M. Foucault, « Structuralisme et littérature », extrait d'une conférence inédite donnée au Club Tahar Haddad le 4 février 1967, reproduite dans *La Presse*, 10 avril 1987 ; un second extrait a également été publié sous le titre « Structuralisme et analyse littéraire », dans *Mission culturelle française*, 10 avril-10 mai 1987.

ment en apparence très élémentaire (« qu'est-ce que le structuralisme » dans la première ; « quel est l'apport de la linguistique moderne » dans la seconde), de préciser qu'il ne s'agit pas tant de se prononcer en général sur les résultats des recherches structurales dans les domaines singuliers dont elles s'occupent que de montrer la valeur d'une méthode d'analyse. Comme le rappelle Foucault à plusieurs reprises, il n'y a pas de pensée globalisante qui réunisse tout à la fois les travaux de Dumézil, le matérialisme de Lévi-Strauss, l'idéalisme de Guéroult et le marxisme d'Althusser. Pourtant, toutes ces démarches sont liées par une certaine communauté de préoccupations : « Le structuralisme, c'est actuellement l'ensemble des tentatives par lesquelles on essaie d'analyser ce qu'on pourrait appeler la masse documentaire [...]. Bien entendu, ce sont toutes les traces proprement verbales, toutes les traces écrites ; c'est bien entendu la littérature, mais c'est d'une façon plus générale toutes les autres choses qui ont pu être écrites, imprimées, diffusées[1]... » Or, ce qui fournit la méthode, c'est l'analyse linguistique (et l'on comprend alors la raison du caractère central du champ discursif dans les premiers travaux de Foucault) : donnant aux sciences sociales des possibilités épistémologiques que celles-ci n'offraient pas jusqu'alors, elle intéresse Foucault moins dans sa valeur scientifique

---

1. M. Foucault, « Structuralisme et littérature », *op. cit.*

intrinsèque que dans le jeu infini des possibilités qu'elle ouvre pour la pensée en général.

Littérature, discours, langage

De tout cela, Foucault tire deux conséquences. La première est le parti pris de ne pas distinguer entre les textes littéraires et les textes d'une autre nature, tous ne formant en effet qu'une seule et même masse d'énoncés. Il s'agit de trouver dans un cas comme dans l'autre le système de détermination du document en tant que tel, c'est-à-dire de faire porter l'analyse non sur des éléments séparés et individualisables, mais sur des ensembles systématiques de relations entre ces différents éléments : « L'analyse du langage, au lieu d'être rapportée à une théorie de la représentation ou à une analyse psychologique de la mentalité des sujets, se trouve maintenant mise de plain-pied avec toutes les autres analyses qui peuvent étudier les émetteurs et les récepteurs, le codage et le décodage, la structure des codes et le déroulement du message[1]. » Or, nulle part ailleurs que dans l'analyse littéraire, la recherche d'une unité entre le sujet et son texte n'avait été plus forte. On peut même avancer que le privilège de la littérature tenait précisément à ceci que, contrairement à un texte scientifique ou administratif, on lui demandait de dévoiler une cer-

1. M. Foucault, « Linguistique et sciences sociales », *op. cit.*

taine vérité secrète, celle de la pensée même de son auteur, de sa personnalité, de sa biographie, de son intimité. Une fois ce lien défait, le texte littéraire n'est plus que ce que sont aussi tous les autres textes : un ensemble de signes dont la mise en rapport seule fait sens (Saussure ne parlait-il pas déjà de la dimension « diacritique » du sens[1] ?), et qui ne dit rien de plus que ce qui lui permet d'exister comme texte. « Puisque, comme l'écrit encore Foucault, les œuvres littéraires, les mythes, les récits populaires sont faits avec du langage, puisque c'est bien la langue qui sert de matériau à tout cela, ne peut-on pas retrouver dans toutes ces œuvres des structures qui soient similaires, analogues, ou en tout cas qui soient descriptibles à partir des structures que l'on a pu trouver dans le matériau lui-même, c'est-à-dire dans le langage[2] ? »

La seconde conséquence concerne à la fois le rapport spécifique à la littérature et, plus généralement, toute l'analyse des discours. Dans la mesure où c'est en s'appuyant sur l'idée d'une analyse des relations et des contraintes internes aux textes que Foucault réduit toute approche de la littérature à une analyse déixologique et refuse de pratiquer la lecture « absolue » de la vieille critique littéraire, ces relations elles-

---

1. Il faudrait un jour montrer l'importance essentielle de Saussure pour les problématisations contemporaines du concept de différence : non seulement chez Foucault, mais aussi chez Maurice Merleau-Ponty, Gilles Deleuze ou Jacques Derrida.
2. *Ibid*.

mêmes sont rendues autonomes par rapport à la nature des textes auxquels elles appartiennent. Cela signifie donc, comme le précise Foucault, qu'elles sont indépendantes en elles-mêmes, c'est-à-dire dans leur forme, des éléments sur lesquels elles portent ; et que, « dans cette mesure, elles sont généralisables, sans métaphore aucune, et peuvent éventuellement se transposer à tout autre chose que les éléments qui seraient de nature linguistique [...]. Il se pourrait que l'on trouve le même type de relation entre des phonèmes, les éléments d'un récit, et des individus qui coexistent dans une société[1] ».

On le voit, cette seconde conséquence, qui pose le problème de l'insertion de la logique au cœur même du réel, aboutit à l'établissement par Foucault d'une analogie de fonctionnement entre le système de la langue tel que le décrit la linguistique moderne et le système des savoirs et des pouvoirs qui caractérise un dispositif social et culturel à une époque donnée. Et c'est justement cette analogie qui fait problème : à la fois parce que l'homogénéité de l'*épistémè* semble malgré tout fondée sur la présence d'éléments invariants – la référence à un modèle d'invariance linguistique de type chomskyen est de ce point de vue presque transparente –, et parce que ce qui distingue en réalité les analyses strictement linguistiques de cette archéologie des traces discursives projetée par

---

1. *Ibid.*

Foucault, c'est précisément la prise en compte de l'histoire. Qu'on en juge plutôt : quand Foucault écrit qu'« on ne fait *a priori* entre les traces aucune différence, et [que] le problème est de trouver entre ces traces d'ordre différent suffisamment de traits communs pour constituer ce que les logiciens appellent des classes, les esthéticiens, des formes, les gens des sciences humaines, des structures, et qui sont l'invariant commun à un certain nombre de traces », il est évident que l'équivalence établie de fait entre les traits communs, les formes, les structures et les invariants expulse en réalité du découpage épistémique la seule chose qui pourrait pourtant lui permettre de revendiquer une réelle consistance, c'est-à-dire le statut d'une véritable périodisation. Cette chose, c'est l'histoire.

La question devient donc la suivante : s'il s'agit de faire une « archéologie » des sciences humaines, comment réintroduire l'historicité des discours tout en maintenant la possibilité de rendre compte de leur homogénéité ? C'est probablement sur ce point qu'advient, entre 1966 et 1968, l'abandon progressif de la référence au structuralisme – précisément parce que la notion de structure, censée défaire tout à la fois l'illusion d'une pleine autonomie du sujet et celle d'un déterminisme absolu nécessairement réducteur, demeure en elle-même anhistorique. Pour le dire brutalement, là où toute la métaphysique classique avait construit patiemment le privilège absolu du sujet, c'est désormais la structure qui semble s'être installée avec les mêmes privilèges. C'est la structure qui devient le fond de toute réalité matérielle, l'instance de détermination à partir de laquelle doit être pensée l'histoire, et qui pourtant est le point aveugle de cette histoire, son extériorité absolue : en somme, une instance de détermination qui échappe à son propre pouvoir.

De ce point de vue, les attaques portées contre *Les Mots et les Choses* ont sans doute constitué pour Foucault un tournant essentiel. Certes, les analyses de type linguistique demeurent extrêmement présentes dans la seconde moitié des années 1960 – on pense par exemple au formidable exercice que représente la longue introduction à la *Grammaire générale et raisonnée* d'Arnauld et Lancelot, en 1969[1] –, mais il s'agit désormais d'en interroger les conditions historiques de formation, c'est-à-dire en réalité de questionner les conditions de possibilité et de pensabilité d'un « espace commun », d'un isomorphisme restitué à l'histoire de ses propres transformations. Par ailleurs, l'effacement progressif de la distinction entre discursif et non-discursif atténue énormément la tentation de rechercher des invariants structurels sur le modèle des invariants linguistiques : dans le second entretien avec Bellour, Foucault précise ainsi qu'« il n'y a d'intérêt à

---

1. M. Foucault, « Introduction », in A. Arnauld et C. Lancelot, *Grammaire générale et raisonnée*, Paris, Republications Paulet, 1969, repris in M. Foucault, *Dits et Écrits*, *op. cit.*, vol. I, texte n° 60.

décrire cette couche autonome des discours que dans la mesure où on peut la mettre en rapport avec d'autres couches, de pratiques, d'institutions, de rapports sociaux, politiques, etc.[1] », et que, dans tous les cas, « démontrer que les discours scientifiques d'une époque relèvent d'un modèle théorique commun ne veut pas dire qu'ils échappent à l'histoire et flottent en l'air comme désincarnés et solitaires, mais qu'on ne pourra faire l'histoire, l'analyse du fonctionnement, du rôle de ce savoir, des conditions qui lui sont faites, de la manière dont il s'enracine dans la société, sans tenir compte de la force et de la consistance de ces isomorphismes[2] ».

On comprend alors la virulence étrange qui caractérise rétrospectivement les allusions de Foucault au structuralisme auquel il avait été le premier à s'associer[3], y compris – et surtout – dans le texte qui représente à la fois la plus précise des analyses du fonctionnement de l'économie des discours et le point de retournement au-delà duquel Foucault cessera totalement de considérer le champ discursif comme autonome, c'est-à-dire *L'Ordre du discours*. « Une chose au moins doit être soulignée : l'analyse du discours ainsi entendue ne dévoile pas l'universa-

---

1. M. Foucault, « Sur les façons d'écrire l'histoire », in *Dits et Écrits*, *op. cit.*, vol. I, p. 590.
2. *Ibid.*, p. 591.
3. Voir par exemple M. Foucault, « La philosophie structuraliste permet de diagnostiquer ce qu'est "aujourd'hui" », *op. cit.*

lité d'un sens [...]. Et maintenant, que ceux qui ont des lacunes de vocabulaire disent – si ça leur chante mieux que ça ne leur parle – que c'est du structuralisme[1] », conclut-il alors non sans une certaine ironie.

Revenons à présent à l'argumentation que développe Foucault face aux questions de Bellour dans l'entretien de 1967 dont nous sommes partis. La distinction entre une histoire « sacrée », prenant la forme d'un grand récit linéaire et totalisant, et une « nouvelle histoire » liée particulièrement aux travaux de l'école des *Annales* (puisque tels sont les noms cités par Foucault) tourne encore une fois autour de l'idée de périodisation et de discontinuité. L'histoire « traditionnelle » est en effet perçue avant tout comme le lieu de prédilection de la dialectique, c'est-à-dire comme ce grand « tout » qui permet de sauver le règne de la contradiction rationnelle tout en conservant le principe d'une causalité absolue : c'est à ce prix que l'on peut maintenir la linéarité sans défaut du processus historique et que l'on évite en fait de devoir se poser le problème d'une périodisation qui impliquerait, au contraire, l'introduction de scansions, de niveaux, et de principes de distinction. En réalité, il semble que Foucault ait à l'esprit essentiellement une lecture de l'histoire de type marxiste ou, comme il le précise avec prudence, « une certaine façon de comprendre le marxisme » : « habitude de

---

1. M. Foucault, *L'Ordre du discours, op. cit.*, p. 72.

croire que l'histoire doit être un long récit linéaire parfois noué de crises ; habitude de croire que la découverte de la causalité est le *nec plus ultra* de l'analyse historique ; habitude de croire qu'il existe une hiérarchie de déterminations allant de la causalité matérielle la plus stricte jusqu'à la lueur plus ou moins vacillante de la liberté humaine[1] » ; et encore, plus durement : « Ce serait attaquer la grande cause de la révolution que de refuser pareille forme de dire historique[2]. »

A contrario, l'archéologie foucaldienne cherche à faire émerger d'autres relations, d'autres modalités du changement, en faisant jouer les rapports d'implication, d'opposition, d'exclusion, de manière non seulement verticale (c'est-à-dire chronologiquement), mais aussi horizontale (d'un type de discours à l'autre, d'un savoir à l'autre, d'une pratique à l'autre). Si l'analyse verticale implique une périodisation qui fixe l'espace temporel dans lequel construire un ou plusieurs isomorphismes, c'est-à-dire l'*épistémè* d'une époque donnée, à partir de la rupture instaurée avec l'*épistémè* précédente (c'est par exemple le cas de la césure introduite dans *Les Mots et les Choses* entre la pensée classique et le tournant que représente la fin du XVIIIᵉ siècle), l'analyse horizontale, elle, établit ces iso-

---

1. M. Foucault, « La philosophie structuraliste permet de diagnostiquer ce qu'est "aujourd'hui" », in *Dits et Écrits*, *op. cit.*, vol. I, p. 583.
2. M. Foucault, « Sur les façons d'écrire l'histoire », in *Dits et Écrits*, *op. cit.*, vol. I, p. 586.

morphismes de manière transversale et contribue en cela à en définir les limites temporelles, c'est-à-dire la périodisation : « Chaque périodisation découpe dans l'histoire un certain niveau d'événements et, inversement, chaque couche d'événements appelle sa propre périodisation[1]. » On se trouve donc devant une analyse qui, si elle n'aboutit pas forcément à une tautologie, y ressemble beaucoup ; ou qui, du moins, implique un double rapport de détermination qui fait dépendre la périodisation de la constitution d'une nappe épistémologique homogène, mais qui ne rend repérable cette nappe homogène qu'à partir d'une périodisation préalable.

---

1. *Ibid.*

III

De l'archéologie à la généalogie

Archéologie ou structure ?

Et alors, qu'entend réellement Foucault par
« archéologie » ? On le sait, le terme d'archéologie
apparaît trois fois dans des titres d'ouvrages de
Foucault – *Naissance de la clinique. Une archéologie du
regard médical* (1963), *Les Mots et les Choses. Une
archéologie des sciences humaines* (1966) et *L'Archéologie du savoir* (1969) – et caractérise jusqu'au début
des années 1970 la méthode de recherche du philosophe : il est en quelque sorte tout à la fois la structure
portante et la pierre d'achoppement. Or l'archéologie
n'est pas une « histoire » au sens strict dans la mesure
où, s'il s'agit bien de reconstituer un champ historique, Foucault fait en réalité jouer différentes dimensions (philosophique, économique, scientifique,
politique, etc.) afin d'obtenir les conditions d'émergence des discours de savoir en général à une époque
donnée. Au lieu d'étudier l'histoire des idées dans leur

évolution, il se concentre par conséquent sur des découpages historiques précis – en particulier l'âge classique et le début du XIXe siècle –, dont on a vu combien il était difficile d'établir la légitimité *a priori*, avant même l'enquête archéologique. Ces découpages sont censés permettre de décrire non seulement comment les différents savoirs locaux se déterminent à partir de la constitution de nouveaux objets qui ont émergé à un certain moment, mais aussi comment ils se répondent entre eux et dessinent de manière horizontale une configuration épistémique cohérente.

Et si, encore une fois, le terme d'archéologie a sans doute nourri l'identification de Foucault au courant structuraliste – dans la mesure où il semblait mettre au jour une véritable structure dont les différents savoirs n'auraient été que des variantes –, son interprétation foucaldienne est en réalité bien autre. Comme le rappelle le sous-titre des *Mots et les Choses*, il ne s'agit pas de faire l'*archéologie générale*, mais *une* archéologie des sciences humaines : plus que d'une description paradigmatique, il s'agit donc d'une coupe horizontale des mécanismes qui articulent différents événements discursifs – les savoirs locaux – au pouvoir. Cette articulation est, bien entendu, entièrement historique : elle possède une date de naissance – et tout son enjeu consiste à envisager également la possibilité de sa disparition. Il n'en reste pas moins que Foucault ne parle que très peu de cette « naissance[1] », et que c'est l'impossibilité complète de sortir d'une impasse méthodologique dans laquelle il s'était enfermé qui le poussera sans doute à reformuler son rapport à l'histoire sous la forme d'une généalogie – mais nous reviendrons bientôt sur la question.

Dans l'« archéologie », on trouve certes l'idée de l'*archè*, c'est-à-dire du commencement, du principe, de l'émergence des objets de connaissance, et l'on a vu combien la question était épineuse ; mais on trouve aussi l'idée de l'*archive*, l'enregistrement de ces objets. Et comme le précise Foucault : « J'appellerai *archive* non pas la totalité des textes qui ont été conservés par une civilisation, ni l'ensemble des traces qu'on a pu sauver de son désastre, mais le jeu des règles qui déterminent dans une culture l'apparition et la disparition des énoncés, leur rémanence et leur effacement, leur existence paradoxale d'*événements* et de *choses*. Analyser les faits de discours dans l'élément général de l'archive, c'est les considérer non point comme *documents* (d'une signification cachée, ou d'une règle de construction), mais comme *monuments* ; c'est – en dehors de toute métaphore géologique, sans aucune assignation d'origine, sans le moindre geste vers le commencement d'une *archè* – faire ce que l'on pourrait appeler, selon les droits

_____

1. Il suffit de relire le début des *Mots et les Choses* (en particulier les chapitres « La prose du monde » et « Représenter ») pour s'apercevoir à quel point l'analyse véritable du passage d'une *épistémè* à une autre demeure lacunaire.

ludiques de l'étymologie, quelque chose comme une *archéologie*[1]. » De l'*Histoire de la folie* à *L'Archéologie du savoir*, l'archive représente donc l'ensemble des discours effectivement prononcés à une époque donnée et qui continuent à exister à travers l'histoire. Faire l'archéologie de cette masse documentaire, c'est chercher à en comprendre les règles, les pratiques, les conditions et le fonctionnement. Pour Foucault, cela implique avant tout un travail de récollection de l'*archive générale* de l'époque choisie, c'est-à-dire de toutes les traces discursives susceptibles de permettre la reconstitution de l'ensemble des règles qui, à un moment donné, définissent à la fois les limites et les formes de la dicibilité, de la conservation, de la mémoire, de la réactivation et de l'appropriation.

On comprend mieux à présent pourquoi c'est précisément l'archive, au sein de l'approche archéologique, qui permet à Foucault de se distinguer le mieux des structuralistes, puisqu'il s'agit de travailler sur des discours considérés comme des *événements* et non pas sur le système de la langue en général. En revanche, le fait que l'archive permette à Foucault de se distinguer aussi des historiens traditionnels repose sur un argument qui, de fait, préfigure ce qui deviendra bientôt la lecture généalogique de l'histoire : Foucault affirme en effet que si ces « événements » dont

---

1. M. Foucault, « Sur l'archéologie des sciences. Réponse au Cercle d'épistémologie », in *Dits et Écrits*, *op. cit.*, vol. I, p. 708.

les archives sont la trace ne font pas, à la lettre, partie de notre présent, « ils subsistent et exercent, dans cette subsistance même à l'intérieur de l'histoire, un certain nombre de fonctions manifestes ou secrètes ».

Or, à partir du début des années 1970, il semble bien que l'archive change de statut chez Foucault. À la faveur d'un travail direct avec les historiens (pour *Pierre Rivière*, en 1973 ; pour *L'Impossible Prison*, sous la direction de Michelle Perrot, en 1978 ; ou avec Arlette Farge, pour *Le Désordre des familles*, en 1982), le philosophe revendique alors de plus en plus la dimension subjective de son travail. Comme il le note à propos d'archives recueillies sur ce qu'il appellera les « hommes infâmes », ces anonymes brutalement mis en lumière par leur rencontre avec le pouvoir, dans le texte magnifique annonçant une collection éditoriale qui ne verra jamais le jour : « Ce n'est point un livre d'histoire. Le choix qu'on y trouvera n'a pas eu de règle plus importante que mon goût, mon plaisir, une émotion[1]. » Il se livre alors à une lecture souvent très littéraire de ce qu'il appelle

---

1. M. Foucault, « La vie des hommes infâmes », *Les Cahiers du chemin*, n° 29, 1977, repris in M. Foucault, *Dits et Écrits, op. cit.*, vol. III, texte n° 198, p. 237. Sur l'inachèvement du projet des « hommes infâmes » et la possibilité de le réactualiser aujourd'hui, me permets de renvoyer à l'ouvrage édité par le Collectif Maurice Florence (Ph. Artières, M. Potte-Bonneville, P. Michon, J.-F. Bert et J. Revel), *Archives de l'infamie. Michel Foucault, une collection imaginaire*, Paris, Les Prairies Ordinaires, 2009 (catalogue de l'exposition du même nom, Bibliothèque municipale de Lyon-Part-Dieu, 2009).

parfois d'« étranges poèmes ». L'archive vaut désormais davantage comme trace d'existence que comme production discursive : sans doute parce que Foucault réintroduit au même moment la notion de subjectivité dans sa réflexion. Le paradoxe d'une utilisation non historienne des sources historiques lui a souvent été ouvertement reproché, et ce reproche s'amplifiera au fur et à mesure que l'intérêt de Foucault se déplacera vers une analytique du pouvoir indissociable d'une histoire des subjectivités dans leur affrontement avec le pouvoir[1].

Or, de la même manière que l'archive n'est pas la trace morte du passé et se transformera progressivement en « traces d'existence », le concept d'archéologie, dès les années 1960, subit une tension très forte entre une lecture au moins partiellement structurale (malgré tous les démentis avancés par Foucault et que nous avons déjà évoqués), d'une part, et une analyse qui cherche en réalité à problématiser les conditions

---

1. Dans le beau texte sur les « infâmes », Foucault note : « Des vies qui sont comme si elles n'avaient pas existé, des vies qui ne survivent que du heurt avec un pouvoir qui n'a voulu que les anéantir ou du moins les effacer, des vies qui ne nous reviennent que par l'effet de multiples hasards, voilà les infamies dont j'ai voulu rassembler ici quelques restes » (*ibid.*, p. 243). Et encore : « J'ai voulu qu'il s'agisse toujours d'existences réelles ; qu'on puisse leur donner un lieu et une date ; que derrière ces noms qui ne disent plus rien, derrière ces mots rapides et qui peuvent bien la plupart du temps avoir été faux, mensongers, injustes, outranciers, il y ait eu des hommes qui ont vécu et qui sont morts, des souffrances, des méchancetés, des jalousies, des vociférations » (*ibid.*, p. 239).

d'énonciation et les déterminations épistémologiques qui sont les nôtres aujourd'hui, de l'autre. Sur ce second point, Foucault ne fait que reprendre une interrogation contemporaine qui traverse toutes les sciences, et qui vise à intégrer aux paramètres de l'enquête la position de l'enquêteur lui-même. Et quand on demande à Foucault quelle est sa propre position, il répond effectivement : « Si le style d'analyse que j'ai essayé d'y [dans *Les Mots et les Choses*] formuler est recevable, on devrait pouvoir définir le modèle théorique auquel appartient non seulement mon livre, mais ceux qui appartiennent à la même configuration de savoir. […] Si bien que l'auteur, en cela, et en cela seulement, est constitutif de ce dont il parle[1]. » C'est cette nécessité qui pousse sans doute progressivement vers l'élaboration d'un modèle nouveau capable de prolonger les recherches archéologiques en direction du présent, avec l'avantage notable d'évacuer l'impasse du problème de la périodisation, et de se concentrer non pas sur la naissance d'une *épistémè*, mais sur son actualité – ce qui signifie aussi, on aura l'occasion de le voir plus avant, sur l'éventualité de sa critique. « Si je fais cela, c'est dans le but de savoir ce que nous sommes aujourd'hui[2] », écrit alors

---

1. M. Foucault, « Sur les façons d'écrire l'histoire », in *Dits et Écrits*, *op. cit.*, vol. I, p. 591.
2. M. Foucault, « Dialogue on Power », in S. Wade, *Chez Foucault*, Los Angeles, Circabook, 1978 ; trad. fr. « Dialogue sur le pouvoir », in M. Foucault, *Dits et Écrits*, *op. cit.*, vol. III, texte n° 221.

Foucault, parce que poser la question de l'historicité des objets du savoir, c'est, de fait, problématiser notre propre appartenance à la fois à un régime de discursivité donné et à une configuration du pouvoir. Ce modèle nouveau, c'est celui de la *généalogie*.

Foucault, lecteur de Nietzsche

Dès le second entretien avec Raymond Bellour, en 1967, Foucault fait une remarque d'importance : « Si j'avais à recommencer ce livre achevé il y a deux ans, j'essaierais de ne pas donner à Nietzsche ce statut ambigu, absolument privilégié, méta-historique, que j'ai eu la faiblesse de lui donner. Il est dû au fait, sans doute, que mon archéologie doit plus à la généalogie nietzschéenne qu'au structuralisme proprement dit. » Comment comprendre cette apparente réserve ? Comme un doute explicite, comme un déni, ou comme la peur d'affronter la référence qui, précisément, réorientera toute la recherche de Foucault vers une « ontologie critique de l'actualité » à laquelle, de fait, le concept d'archive n'avait de cesse de le pousser ?

Avant de reprendre le fil de notre enquête sur la possibilité de constituer un modèle discontinuiste de la pensée – c'est-à-dire à la fois une pensée discontinue et une pensée du discontinu –, il convient d'examiner ce que Foucault doit effectivement à Nietzsche, et de quelle manière la construction d'une « autre histoire », une histoire des discontinuités, a puisé dans les thèmes nietzschéens afin de trouver, par-delà les insuffisances et les cercles vicieux de l'archéologie, sa propre formulation.

Un constat tout d'abord. Plus que d'une référence, c'est d'une utilisation qu'il s'agit de retracer ici le développement, c'est-à-dire d'une réappropriation qui ne se limite ni à l'exégèse tranquille ni au choix d'une *position* philosophique, mais qui entend affirmer à la fois une parenté problématique, des emprunts de méthode ou de vocabulaire, et jusqu'à une certaine pratique commune de la pensée. On pourra bien objecter qu'il y a là le risque de dissoudre le lien Foucault/Nietzsche dans un éparpillement de ressemblances et d'échos sans consistance véritable, mais c'est peut-être parce qu'il s'agit de jouer, contre l'histoire de la philosophie et ses exigences de fidélité ou d'orthodoxie, la carte de la trahison instrumentale et du détournement ; parce qu'il s'agit également de dire que la philosophie s'affirme toujours davantage dans ce qui est repris, mais seulement dans la mesure où c'est aussi, et essentiellement, d'une déprise ou d'un abandon qu'il s'agit, c'est-à-dire de la violence d'une interruption – en somme, une manière très nietzschéenne de lire Nietzsche.

De fait, Foucault a relativement peu écrit sur Nietzsche ; en revanche, il commente à de nombreuses reprises sa propre utilisation du philosophe, souvent de façon rétrospective et toujours avec le souci d'en accentuer la portée instrumentale, tout en refusant d'être associé à la tardive redécouverte de Nietzsche qu'il y aura effectivement dans le paysage intellectuel des années 1970, tout particulièrement en France. En effet, l'enjeu semble bien plus avoir été pour lui de rompre, dans les années 1950, avec les carences du discours phénoménologique, puis, dans les années 1960, de lui permettre d'affiner son rapport complexe à l'histoire, que de trouver en Nietzsche cet homme providentiel susceptible de libérer le débat philosophique des impasses dans lesquelles l'avaient plongé les polémiques entre le marxisme, le structuralisme et la psychanalyse après 1968.

De ce point de vue, il est sans doute significatif que Foucault ait lui-même indiqué le pivot de la seule véritable rupture intellectuelle qu'il se reconnaissait dans la lecture de Nietzsche, en 1953[1] : non pas tant parce que la référence générale à Nietzsche vaut en soi comme une indication suffisante, mais parce qu'effectivement, dans les années suivantes, Foucault ne cessera de revenir sur un aspect spécifique de la pensée de Nietzsche qui est précisément

---

1. Voir à ce sujet D. Eribon, *Michel Foucault*, Paris, Flammarion, 1991 : « Maurice Pinguet a raconté cette découverte de Nietzsche par Foucault sur les plages italiennes, au cours des vacances de l'été 1953 […] : "Je revois Michel Foucault, lisant au soleil, sur la plage de Civitavecchia, les *Considérations intempestives*" » (p. 72).

le thème de la discontinuité auquel nous nous intéressons[1].

Une discontinuité qui joue avant tout par rapport au discours philosophique lui-même. Le nietzschéisme de Foucault est en effet à chercher en premier lieu dans le refus d'un certain discours qui domine la scène philosophique française dans l'immédiat après-guerre, c'est-à-dire dans la dénonciation de l'hégélianisme d'une part (Foucault fut, ne l'oublions pas, l'élève d'Hyppolite), et dans celle d'un discours phénoménologique « à la française » incarné par Sartre ou par Merleau-Ponty de l'autre. Dans le premier cas, comme l'explique lui-même Foucault, « c'était un hégélianisme fortement pénétré de phénoménologie et d'existentialisme, centré sur le thème de la "conscience malheureuse". Et c'était, au fond, ce que l'université pouvait offrir de mieux comme forme de

---

1. Cf. les deux grands textes que Foucault consacre exclusivement à Nietzsche : « Nietzsche, Marx, Freud », *Cahiers de Royaumont*, t. VI, Paris, Éd. de Minuit, 1967 : *Nietzsche*, pp. 183-200 (Colloque de Royaumont, juillet 1964), repris in M. Foucault, *Dits et Écrits, op. cit.*, vol. I, texte n° 46, pp. 564-579 ; « Nietzsche, la généalogie, l'histoire », in *Hommage à Jean Hyppolite*, Paris, PUF, coll. « Épiméthée », 1971, pp. 145-172, repris in M. Foucault, *Dits et Écrits, op. cit.*, vol. II, texte n° 84, pp. 136-156. Il faut mentionner également un texte plus tardif où Foucault s'explique sur sa lecture de Nietzsche en insistant précisément sur l'idée de discontinuité : « Colloquio con Michel Foucault » (entretien avec Duccio Trombadori, Paris, fin 1978), *Il Contributo*, 4ᵉ année, n° 1, janvier-mars 1980, trad. fr. « Entretien avec M. Foucault », in M. Foucault, *Dits et Écrits, op. cit.*, vol. IV, texte n° 281.

compréhension, la plus vaste possible, du monde contemporain, à peine sorti de la tragédie de la Seconde Guerre mondiale[1] » ; et il ajoute : « L'expérience de la guerre nous avait démontré la nécessité et l'urgence d'une société radicalement différente de celle dans laquelle nous vivions : cette société qui avait permis le nazisme [...]. Aussi bien, l'hégélianisme qui nous était proposé à l'université, avec son modèle d'intelligibilité continue, n'était pas en mesure de nous satisfaire[2]. »

C'est peut-être ici que s'opère la jonction pour Foucault avec l'autre versant de sa critique, c'est-à-dire avec la remise en cause du statut trans-historique ou méta-historique du sujet de la phénoménologie. Cette critique se donne, en effet, un double objectif : d'une part, s'attaquer aux « philosophies du sujet » ; de l'autre, s'attaquer aux « philosophies de l'histoire ». Dans le premier cas, il s'agit de refuser la donation d'une théorie préalable du sujet, et qu'à partir de cette autodonation théorique on en vienne à poser le problème de telle ou telle forme de connaissance. Cela consiste donc en une critique du sujet lui-même au sens qu'en donnent toutes les philosophies solipsistes issues du cogito cartésien : pour Foucault, comme nous l'avons déjà souligné, il va donc falloir tenter de penser le sujet non pas comme une entité indépen-

---

1. M. Foucault, « Colloquio con Michel Foucault », *op. cit.*
2. *Ibid.*

dante, isolée, pré-constituée, et qui n'entrerait en relation avec le monde extérieur que sur la base du solipsisme qui l'autoconstitue – vaste mythe d'une intériorité, ou d'une profondeur de la conscience dont Nietzsche disait qu'elle était l'invention des philosophes –, mais comme un Moi décomposé après que l'on a fait « pulluler aux lieux et places de sa synthèse vide mille événements maintenant perdus[1] », une figure de l'hétéroclite et du divers.

Par ailleurs, c'est à partir de sa lecture de *La Généalogie de la morale*, des *Considérations intempestives* ou d'*Humain, trop humain* que Foucault bâtit la critique du point de vue supra-historique, ou d'une histoire qui serait l'unité close et rassurante où enfermer enfin le foisonnement infini du temps et qui nous permettrait de nous reconnaître partout, puisque la conscience est en tous lieux identique à elle-même. Le discontinu nietzschéen, donc, c'est aussi et avant tout le registre où s'affirme la singularité des événements contre la monumentalité de l'Histoire, contre le règne des significations idéales et des téléologies indéfinies : c'est le récit des accidents, des déviations et des bifurcations, des retournements, des hasards et des erreurs, qui « maintient ce qui s'est passé dans la dispersion qui lui est propre[2] ». Le Nietzsche qui intéresse Foucault, c'est d'emblée celui qui critique le projet

---

1. M. Foucault, « Nietzsche, la généalogie, l'histoire », in M. Foucault, *Dits et Écrits*, *op. cit.*, vol. II, p. 136.
2. *Ibid.*, p. 141.

d'une histoire ayant pour fonction de « recueillir, dans une totalité bien refermée sur soi, la diversité enfin réduite du temps[1] », c'est-à-dire d'annuler les multiples figures du disparate et de l'écart, du saut et du changement, en un mot, du devenir ou de la linéarité rompue. Revenir à l'aléa singulier de l'événement, c'est au contraire, comme Nietzsche nous le rappelle dans *Aurore*[2], jouer le « cornet du hasard » contre la mystification de l'unité dont est porteuse l'« histoire antiquaire », et c'est ce cornet qui fascine Foucault.

Histoire des discontinuités, histoire des « événements »

Or, ce qui est intéressant, c'est qu'il ne faut pas attendre le début des années 1970 et le passage explicite au concept de généalogie pour pouvoir lire chez Foucault l'écho de cette influence nietzschéenne. Avant d'être « généalogique », la pensée foucaldienne est déjà discontinue ; ou, plus exactement, c'est la recherche d'un modèle de discontinuité qui rendra inévitable l'assomption de la dimension généalogique : si l'histoire généalogiquement dirigée « entreprend de faire apparaître toutes les discontinuités qui nous traversent », elle est déjà présente chez Foucault dans les années 1960 sous la forme d'une attention

---

1. *Ibid.*, p. 146.
2. Nietzsche, *Aurore*, § 130.

extrême aux événements, c'est-à-dire aux cassures temporelles, qu'elles se manifestent sous la forme de faits isolés ou à travers l'émergence de convergences épistémiques générales qui se donnent toujours sur fond de rupture – qu'on pense aux analyses de l'*Histoire de la folie* (l'événement que représente l'émergence du binôme raison/déraison à l'âge classique) et des *Mots et les Choses* (l'émergence d'un réseau discursif cohérent qui caractérise les sciences humaines), ou plus tardivement à celles de *Pierre Rivière* (l'émergence d'un cas de singularité absolue) ou du *Désordre des familles* (l'émergence de traces d'existences singulières).

Et l'utilisation de la notion d'événement est à son tour le témoignage de la cohérence extrême de Foucault, en même temps que de sa nécessité de plier les concepts et l'usage qu'il en fait à une exigence essentielle : la constitution de ce modèle de lecture discontinuiste dont nous cherchons depuis le début la formulation. Or, par événement, Foucault entend en réalité plusieurs choses. L'événement, c'est, de manière tout d'abord négative, un fait dont certaines analyses historiques se contentent de fournir la pure description. C'est donc contre cette « petite » histoire descriptive en forme de chronique linéaire des faits que la méthode archéologique foucaldienne cherche au contraire à reconstituer derrière un fait donné tout un réseau de discours, de pouvoirs, de stratégies et de pratiques. C'est par exemple le cas du travail réalisé en 1973 sur le dossier *Pierre Rivière* : « En reconstituant ce crime de l'extérieur [...], comme si c'était un événement, et rien d'autre qu'un événement criminel, je crois qu'on manque l'essentiel[1]. »

Cependant, dans un deuxième temps, la notion d'événement commence à apparaître progressivement chez Foucault, de manière positive, comme une cristallisation de déterminations historiques complexes qu'il oppose à l'idée de structure : « On admet que le structuralisme a été l'effort le plus systématique pour évacuer non seulement de l'ethnologie, mais de toute une série d'autres sciences, et même à la limite de l'histoire, le concept d'événement. Je ne vois pas qui peut être plus antistructuraliste que moi. Mais ce qui est important, c'est de ne pas faire pour l'événement ce qu'on a fait pour la structure. Il ne s'agit pas de mettre tout sur un certain plan qui serait celui de l'événement, mais de bien considérer qu'il existe tout un étagement de types d'événements différents qui n'ont ni la même portée, ni la même ampleur chronologique, ni la même "capacité de produire des effets"[2]. »

---

1. M. Foucault, « Entretien avec Michel Foucault » (entretien avec P. Kané), *Cahiers du cinéma*, n° 271, novembre 1976, repris in M. Foucault, *Dits et Écrits, op. cit.*, vol. III, texte n° 180, p. 99.

2. M. Foucault, « Colloquio con Michel Foucault » (entretien réalisé par A. Fontana et P. Pasquino en juin 1976), in A. Fontana et P. Pasquino, *Microfisica del potere : interventi politici*, Turin, Einaudi, 1977, repris in *Dits et Écrits, op. cit.*, vol. III, texte n° 192, pp. 144-145.

Le programme de Foucault devient donc l'analyse des différents réseaux et niveaux auxquels certains événements appartiennent. C'est par exemple le cas quand il lui arrive de définir le discours comme une série d'événements, et qu'il se pose plus généralement le problème du rapport entre des « événements discursifs » et des événements d'une autre nature (économiques, sociaux, politiques, institutionnels). Et c'est précisément à partir de cette position de l'événement au centre de ses analyses que Foucault, après avoir enregistré l'impasse que représentait pour lui le problème de la périodisation, revendique à nouveau le statut d'historien – peut-être aussi parce quc, comme il le remarque lui-même, l'événement n'a guère été une catégorie philosophique, sauf peut-être chez les stoïciens : « Le fait que je considère le discours comme une série d'événements nous place automatiquement dans la dimension de l'histoire [...]. Je ne suis pas un historien au sens strict du terme, mais les historiens et moi avons en commun un intérêt pour l'événement [...]. Ni la logique du sens, ni la logique de la structure ne sont pertinentes pour ce type de recherche[1]. » C'est en particulier lors d'une discussion avec des historiens[2] que

---

1. M. Foucault, « Dialogue sur le pouvoir », in *Dits et Écrits*, *op. cit.*, vol. III, p. 467.
2. À ce propos, voir par exemple « La poussière et le nuage », in M. Perrot (éd.), *L'Impossible Prison*, Paris, Seuil, 1980, repris in *Dits et Écrits*, *op. cit.*, vol. IV, texte n° 277.

Foucault donne la définition de l'« événementialisa-tion » qu'il a fini par construire, et qui ne cessera plus de le guider : non pas une histoire événemen-tielle, mais la prise de conscience des ruptures d'évi-dence induites par certains faits. Ce qu'il s'agit alors de montrer, c'est l'irruption d'une « singularité » non nécessaire – l'événement que représente l'enfer-mement, l'événement de l'apparition de la catégorie de « malades mentaux », etc. –, à la fois parce qu'il aurait pu en être autrement, et parce que l'événe-ment ne se réduit pas à la seule dimension de la cau-salité. Ou plus exactement : l'événement est le produit de causalités multiples et complexes qui s'entrecroisent (et parfois se contredisent, ou se dres-sent les unes contre les autres), mais il implique tout autant l'aléatoire (la part d'impondérable) que l'action des hommes (comme élément d'inaugura-tion, comme agent causal plus que comme effet cau-sal). De la sorte, il est pour Foucault absurde de penser l'événement dans les seuls cadres d'un déter-minisme causal (puisque celui-ci a pour élément dis-tinctif de briser la relation linéaire cause/effet et d'y introduire une discontinuité), mais, à l'inverse, il est exclu de penser l'événement comme dehors, ou comme excédence radicale par rapport à toute causa-lité (pour s'en convaincre, il suffit de rappeler que Foucault ne veut pas accepter de « dehors » de l'his-toire : on ne sort pas de son propre temps ; ou, plus exactement, on ne sort pas du temps tout court : on est toujours, à un titre ou à un autre, plongé dans l'histoire).

La généalogie empruntée à Nietzsche présente par conséquent pour Foucault un quadruple avantage : la possibilité de penser l'interruption, la rupture, le saut autrement que sur fond de continuité – ce que de fait continuait à faire la notion de périodisation, et qui posait de réels problèmes de légitimation historique –, ou, pour le dire en d'autres termes, la possibilité de penser l'émergence d'événements sans avoir à se poser la question de leur origine ; la possibilité de redoubler le lent travail de dissolution de la figure du sujet qu'il avait déjà commencé à mettre en œuvre par un mécanisme inverse de pullulement et de dissémination de la subjectivité ; la possibilité de tenir ensemble la dimension de l'*épistémè* (c'est-à-dire, concrètement, une moyenne ou une longue durée) et celle des événements, et de rendre compte de ceux-ci à la fois comme points de cristallisation de l'émergence d'une discontinuité et comme traces d'existences ; la possibilité que l'histoire généalogique soit aussi – et surtout – une problématisation de notre propre actualité, ou ce que Foucault appellera bien plus tard une « ontologie critique de nous-mêmes ».

En aucun cas l'analyse archéologique, à partir du moment où elle reconnaît et revendique sa nécessaire nature généalogique, n'est donc concevable sans une événementialisation extrême de l'histoire ; et si l'on comprend mieux la progressive perplexité de Foucault devant son assimilation au structuralisme dans les années 1960, il faut enregistrer pour le même motif, dix ans plus tard, sa volonté de prendre ses distances avec une histoire sociale sérielle qui perd peut-être ce que Foucault considérait au contraire comme la chair de l'histoire, c'est-à-dire le poids d'existence qui est pour lui la matière même de l'archive. De là vient sans doute le souci très souvent réaffirmé – et parfois perçu comme un peu paradoxal – de trouver dans le rapport à l'archive la possibilité d'une histoire sans sujets qui donne pourtant à voir l'émouvante discontinuité de vies minuscules. Voilà aussi pourquoi, du point de vue généalogique, sommer Foucault de rendre compte du passage d'une *épistémè* à une autre n'a en réalité pas de sens : la rupture est en elle-même un élément signifiant parce qu'elle marque l'histoire de sa brisure interne, tout comme elle élève à la dignité du sens le non-linéaire, le désordonné, le disparate, c'est-à-dire ce qui, de l'intérieur même de l'histoire, émerge à un moment donné comme absolument singulier.

L'histoire généalogique ainsi entendue s'inscrit enfin parfaitement, et bien que cela puisse paraître étrange, dans la lignée de cette histoire des sciences dont nous avons déjà parlé et qui cherchait à formuler le projet d'une histoire de la rationalité qui poserait le problème de sa propre rationalité, c'est-à-dire du régime de vérité sur lequel elle se fondait. Et, plutôt que de chercher cette vérité au fondement de toute entreprise scientifique, l'hypothèse commune voulait que la vérité soit le résultat de procédures du discours, et du rapport qu'un certain état du savoir entretient avec lui-même. Or Foucault peut exactement y reconnaître les éléments nouveaux qui lui ont été fournis par la lecture de Nietzsche, c'est-à-dire l'idée d'une historicité des jeux de vérité et d'une détermination elle-même historique de la figure du sujet comme forme éclatée et toujours vouée à devenir autre. « C'est une considération extrêmement importante chez Canguilhem qui se reconnaît, je crois, une parenté avec Nietzsche. Et voilà comment, malgré le paradoxe, et essentiellement autour de Nietzsche, on retrouve une parenté, une sorte de point de rencontre entre le discours sur les "expériences-limites", où il s'agissait pour le sujet de se transformer lui-même, et le discours sur la transformation du sujet lui-même par la constitution d'un savoir[1] », écrira par la suite Foucault. Cela signifie que la tentative de retracer cette histoire de la constitution réciproque des objets du savoir et des sujets connaissants sera encore, à sa manière, une expérience « à la Nietzsche » – une expérience de l'historicité du dire-vrai et des productions de subjectivité, qui ne sera que le point de départ d'une véritable « ontologie historique de nous-mêmes ».

---

1. M. Foucault, « Entretien avec Michel Foucault » (interview avec D. Trombadori), in M. Foucault, *Dits et Écrits*, *op. cit.*

En somme, la généalogie se constitue progressivement chez Foucault, et de l'intérieur même de l'archéologie. C'est une enquête historique qui s'oppose au « déploiement métahistorique des significations idéales et des indéfinies téléologies[1] », qui s'oppose également à l'unicité du récit historique et à la quête de l'origine, et qui recherche au contraire la « singularité des événements hors de toute finalité monotone[2] ». La généalogie travaille donc à partir de la diversité et de la dispersion, du hasard des commencements et des accidents : en aucun cas elle ne prétend remonter le temps pour rétablir la continuité de l'histoire ; à l'inverse, elle s'applique à restituer les événements dans leur singularité. Qu'on ne s'y trompe pas, l'approche généalogique n'est cependant pas un simple empirisme, une sorte de réduction au désordre des faits rendue nécessaire par la renonciation à toute perspective de continuité linéaire ; et, comme le précise par ailleurs Foucault, « ce n'est pas non plus un positivisme au sens ordinaire du terme : il s'agit en fait de faire jouer des savoirs locaux, discontinus, disqualifiés, non légitimés, contre l'instance théorique unitaire qui prétendrait les filtrer, les hiérarchiser, les ordonner au nom d'une connaissance vraie [...]. Les généalogies ne sont donc pas des recours positivistes à une forme de science plus atten-

---

1. M. Foucault, « Nietzsche, la généalogie, l'histoire », in *Dits et Écrits*, *op. cit.*, vol. II, texte n° 84, p. 141.
2. *Ibid.*

tive ou plus exacte ; les généalogies, ce sont très exactement des *antisciences*[1] ». La méthode généalogique est en réalité une tentative de désassujettir les savoirs historiques, c'est-à-dire de les rendre aussi capables d'opposition et de lutte contre l'« ordre du discours » qui est aussi un ordre du savoir.

Et si la généalogie, retrouvant en cela sa vocation à tracer le prolongement des analyses proprement historiques en direction d'une « ontologie critique de nous-mêmes », ou d'une « ontologie de l'actualité », implique aussi la recherche de ce moment de désassujettissement au présent, cela signifie qu'elle ne recherche pas seulement dans le passé la trace d'événements singuliers, mais qu'elle se pose immédiatement la question de la possibilité des événements aujourd'hui. En cela, la généalogie part à la recherche de ce que Foucault appellera – si tant est que cela soit réalisable – une instauration de *différence* : elle cherchera à vérifier la possibilité d'un écart, c'est-à-dire qu'elle « dégagera de la contingence qui nous a fait être ce que nous sommes la possibilité de ne plus être, faire ou penser ce que nous sommes, faisons ou pensons[2] ».

---

1. M. Foucault, « Cours du 7 janvier 1976 », in A. Fontana et P. Pasquino, *Microfisica del potere : interventi politici*, Turin, Einaudi, 1977, repris in M. Foucault, *Dits et Écrits, op. cit.*, vol. III, texte n° 193, p. 166.
2. M. Foucault, « What is Enlightenment ? », in *Dits et Écrits, op. cit.*, vol. IV.

Il faut donc remarquer que la différence se présente chez Foucault comme la conséquence directe d'une pensée de la discontinuité : la discontinuité et la différence ont en quelque sorte un rapport d'implication qui en scelle le lien – et nous verrons plus tard que ce rapport d'implication ne fonctionne pas seulement dans un seul sens, mais joue au contraire comme double lien. L'un des horizons possibles de la discontinuité est celui de la différence, tout comme la possibilité de créer un accroc dans la trame du présent qui est le nôtre rend tangible et effective une discontinuité dont on a parfois l'impression qu'elle se réduit à une abstraction théorique. La différence est appelée par la discontinuité, mais elle en représente aussi, à l'inverse, la vérification effective.

Foucault indique pour finir qu'il y a trois domaines de généalogie possibles : une ontologie historique de nous-mêmes dans nos rapports à la vérité, qui nous permet de nous constituer comme sujets de connaissance ; dans nos rapports à un champ de pouvoir, qui nous permet de nous constituer comme sujets agissants sur les autres ; et dans nos rapports à la morale, qui nous permet de nous constituer comme agents éthiques. « Tous les trois étaient présents, même d'une manière un peu confuse, dans l'*Histoire de la folie*. J'ai étudié l'axe de la vérité dans la *Naissance de la clinique* et dans *L'Archéologie du savoir*. J'ai développé l'axe du pouvoir dans *Surveiller et punir* et l'axe moral dans l'*Histoire de la sexualité*[1]. » C'est par conséquent l'enquête généalogique, c'est-à-dire précisément la seule façon de rendre compte des singularités et des ruptures, et de constituer une histoire des événements en forme de triple enquête (sur les savoirs, sur les pouvoirs, sur le rapport à soi et l'éthique), qui permet de tenir ensemble les différentes étapes de la recherche. Et ce n'est pas un mince paradoxe que d'assigner à une problématisation de la discontinuité la tâche de restituer sinon la continuité, du moins la cohérence d'une pensée comme celle de Foucault. Nous reviendrons également plus avant sur cette sorte de « tripartition » que Foucault introduit rétrospectivement dans son parcours, en cherchant en particulier à comprendre la manière dont se sont produits les passages d'un type d'enquête à l'autre, à moins qu'il ne s'agisse, ici encore, de mettre en jeu l'idée même du passage.

Qu'est-ce qu'écrire ?

Revenons à Nietzsche et à Foucault, ou plus exactement à Foucault lecteur de Nietzsche. Le thème du discontinu joue enfin – dernière variation d'un motif récurrent – dans l'écriture même de Nietzsche. C'est un aspect qui fascine énormément Foucault : non

---

1. M. Foucault, « On the Genealogy of Ethics : An Overview of Work in Progress » (entretien avec H. Dreyfus et P. Rabinow), trad. fr. « À propos de la généalogie de l'éthique : un aperçu du travail en cours », in M. Foucault, *Dits et Écrits, op. cit.*, vol. IV, texte n° 344.

seulement dans la mesure où il s'agit d'expérimenter une fragmentation de la narration philosophique, mais aussi parce qu'« il faut rappeler que Nietzsche esquissait en même temps plusieurs plans divers ; qu'il variait les projets de son grand livre ; [...] qu'il concevait la suite de son œuvre selon des "techniques"» qu'on ne peut sans absurdité prétendre reconstituer et fixer[1] ». Et Foucault d'ajouter, en un commentaire que nous pourrions fort bien appliquer à notre tour à l'œuvre foucaldienne : « Nous souhaitons que les notes qu'il a pu laisser, avec leurs plans multiples, dégagent aux yeux du lecteur toutes ces possibilités de combinaison, de permutation, qui contiennent maintenant pour toujours, en matière nietzschéenne, l'état inachevé du "livre à venir"[2]. »

Deux remarques sur ce point. La première porte sur les « plans multiples », c'est-à-dire sur l'identification chez Foucault de différents niveaux d'écriture. Gilles Deleuze a proposé dans le même sens une lecture de l'*Éthique* de Spinoza[3] qui tienne compte du différent mouvement des propositions et des scolies : « Il y a donc comme deux *Éthiques* coexistantes, l'une constituée par

---

1. M. Foucault et G. Deleuze, « Introduction générale » aux *Œuvres philosophiques complètes* de F. Nietzsche, Paris, Gallimard, 1967, t. V : *Le Gai Savoir. Fragments posthumes (1881-1882)*, hors-texte, pp. I-IV, repris in M. Foucault, *Dits et Écrits, op. cit.*, vol. I, texte n° 45, pp. 561-562.

2. *Ibid.*, p. 564.

3. G. Deleuze, *Spinoza et le problème de l'expression*, Paris, Éd. de Minuit, 1968. Le dernier appendice du livre est consacré à « l'étude

la ligne ou le flot continus des propositions, démonstrations et corollaires, l'autre, discontinue, constituée par la ligne brisée ou la chaîne volcanique des scolies[1]. » Sans doute pourrions-nous discerner chez Foucault un phénomène analogue, dans la mesure où les grands livres et les textes « périphériques » qui leur sont contemporains et qui sont aujourd'hui repris dans l'édition des *Dits et Écrits* – qu'il s'agisse d'articles, de préfaces ou d'introductions aux œuvres des autres, de conférences, de textes journalistiques ou d'entretiens – entretiennent un rapport à la fois évident et contradictoire. Tout se passe en effet comme si les textes périphériques étaient à la fois le laboratoire des livres – là où les thèmes de recherche se dessinent, où les concepts se forgent et où les emprunts apparaissent de manière explicite – et, après leur publication, le lieu de leur critique radicale. On trouve ce rapport de genèse/déprise pour toutes les œuvres de Foucault, et le croisement de deux régimes d'écriture

---

formelle du plan de l'*Éthique* et [au] rôle des scolies dans la réalisation de ce plan : les deux *Éthiques* » (pp. 313-322). Deleuze y note : « Bref, les scolies sont en général positifs, ostensifs et agressifs. En vertu de leur indépendance à l'égard des propositions qu'ils doublent, on dirait que l'*Éthique* a simultanément été écrite deux fois, sur deux tons, sur un double registre. *En effet, il y a une manière discontinue* dont les scolies sautent des uns aux autres, se font écho, se retrouvent dans la préface de tel livre ou dans la conclusion de tel autre, formant une ligne brisée qui traverse toute l'œuvre en profondeur, mais qui n'affleure qu'en tel ou tel point (les points de brisure) » (p. 317, c'est moi qui souligne).

1. *Ibid.*, p. 318.

qui se conditionnent et se minent réciproquement empêche en réalité la fixation de quelque chose qui viendrait produire l'unité de la recherche conçue comme un « motif » ou comme un monogramme de la pensée foucaldienne. La contradiction qui peut exister entre les deux plans ne mine en rien la cohérence du projet. Mieux : elle la fait avancer dans un jeu de relance permanente tout à la fois des concepts et des thèmes de la recherche, parce que c'est le discontinu qui est le gage de la mobilité de la pensée et de son exigence.

Les exemples en sont infinis. Qu'on se souvienne seulement de cet étrange rapport qui s'instaure, dans les années 1960, entre une description archéologique des discours sur la folie, sur la clinique, dans la constitution des sciences de l'homme et de la nature, qui n'admet aucune extériorité (puisque le propre de l'organisation des savoirs à partir de l'âge classique est précisément l'inclusion de l'altérité : la raison comme inclusion de la déraison, la taxinomie comme prévision de l'exception, etc.), d'une part, et ce curieux recours à un « dehors[1] » de matrice blanchotienne qui hante au contraire les textes « périphériques » de la

---

1. Voir par exemple M. Foucault, « La pensée du dehors », *Critique*, n° 229, juin 1966, pp. 523-546, repris in M. Foucault, *Dits et Écrits*, *op. cit.*, vol. I, texte n° 38, pp. 518-539, et plus généralement tous les textes consacrés à la littérature dans les années 1960, y compris le *Raymond Roussel* (1963) – seul livre qui fasse exception à la « loi des livres » et fonctionne, comme les textes périphériques, en contrepoint des autres ouvrages publiés.

même époque, de l'autre. Pour être juste, il faudrait même souligner la grande richesse des figures de ce « dehors », tour à tour caractérisées par des réminiscences phénoménologiques (« expérience cruciale »), par l'influence de Bataille (« passage à la limite », « transgression ») ou par celle des surréalistes (« ésotérisme structural »), comme s'il s'agissait de lancer contre son propre discours – inévitablement porteur d'ordre – une parole de désordre qui en mine l'assise et la complétude, c'est-à-dire la clôture. Ou qu'on se souvienne encore, dix ans plus tard, du même jeu qui s'instaure, autour de la publication de *Surveiller et punir*, entre la notion de discipline (au cœur du livre) et celle de contrôle (dans les textes immédiatement successifs), la seconde apparaissant à la fois comme le prolongement et le dépassement de la première.

On abordera bientôt plus en détail la nature de ces « passages » et l'enjeu qui s'y niche en creux. Il n'en reste pas moins que s'interroger sur la cohérence de la pensée de Foucault implique de poser le problème à un double niveau : d'une part, en tentant de problématiser et de repenser la chronologie interne de l'œuvre, avec la conscience aiguë de ce que le concept même de « chronologie » peut véhiculer de réminiscences ou d'échos de linéarité ; de l'autre, en cherchant à comprendre comment l'épaisseur du travail de Foucault a pu receler en soi des discontinuités d'un type différent, sous la forme de régimes de discours apparemment contradictoires (mais le sont-ils réellement ?) et pourtant simultanés, appelant des théorisations et des instruments conceptuels à leur tour contradictoires et simultanés. Comme si l'œuvre de Foucault était – l'image est grossière, mais elle est efficace – un long millefeuille dont la forme, la consistance et l'apparence changeraient d'une extrémité à l'autre du gâteau, et dont la nature de feuilletage rendrait également nécessaire une étude des différentes couches qui le composent.

La deuxième remarque porte en revanche sur « l'état inachevé du "livre à venir" ». La dimension ouverte de l'œuvre ne se lit pas seulement dans la tentative d'empêcher la fixation de la recherche ou son embaumement en une position de savoir – qui, faut-il le préciser, est immédiatement associée à l'exercice d'un pouvoir. C'est l'idée d'œuvre elle-même qu'il faut détruire, dans la mesure où, pour qu'il y ait œuvre, il faut que rien ne soit plus « à venir ». De la critique de la notion d'auteur[1] (qui impose un autre type de clôture et entraîne la formation du couple auteur/œuvre) aux dispositions testamentaires de Foucault (« pas d'œuvres posthumes »), c'est le même souci qui semble de ce point de vue sous-tendre la

---

1. M. Foucault, « Qu'est-ce qu'un auteur ? », *Bulletin de la Société française de philosophie*, 63ᵉ année, n° 3, juillet-septembre 1969, pp. 73-104 (conférence faite le 22 février 1969), repris in M. Foucault, *Dits et Écrits, op. cit.*, vol. I, texte n° 69, pp. 789-821. Foucault y revient encore sur Nietzsche : « Quand on entreprend de publier, par exemple les œuvres de Nietzsche, où faut-il s'arrêter ? » (p. 794).

position de Foucault : empêcher la formation d'un corpus, c'est-à-dire d'une somme unitaire, d'une configuration homogène. Au contraire, affirmer : « Qu'importe qui parle », comme le répète à de nombreuses reprises Foucault dans la conférence de 1969 qu'il consacre à la notion d'auteur, cela signifie que le nom de l'auteur, le rapport d'appropriation qui le lie à sa production écrite, et le rapport inverse d'attribution qu'établit le commentaire critique entre l'œuvre et l'auteur, sont désormais voués à disparaître pour permettre l'apparition d'un nouveau mode de discours débarrassé de tout processus d'individualisation ou de psychologisation – cette littérature de la modernité qui esquisse quelque chose comme une sorte d'intermédiaire entre l'anonyme et le collectif, et que le philosophe fait remonter parfois à Mallarmé, parfois encore à Sade. Or il faut bien voir ici qu'il n'y a pas de disparition de la notion d'auteur sans la disparition contemporaine de la notion même d'œuvre, parce que celle-ci exige tout à la fois une délimitation précise et un sujet auquel être imputée. Ou, plus exactement, c'est au nom du sujet auquel elle est imputable qu'on lui attribue des limites, un développement, une identification, bref, qu'on peut l'objectiver, littéralement la transformer en objet. Que serait en effet une œuvre privée d'auteur ? Écoutons à ce propos Foucault : « Supposons qu'on ait affaire à un auteur : est-ce que tout ce qu'il a dit ou écrit, tout ce qu'il a laissé derrière lui fait partie de son œuvre ?

[...] Parmi les millions de traces laissées par quelqu'un après sa mort, comment peut-on définir une œuvre ? La théorie de l'œuvre n'existe pas, et ceux qui ingénument entreprennent d'éditer des œuvres manquent d'une telle théorie, et le travail empirique s'en trouve bien vite paralysé[1]. »

Que l'interdiction des œuvres posthumes ait eu une valeur avant tout performative, et qu'elle n'ait eu de valeur que par sa profération (et non pas par son effectivité pratique), c'est ce que nous montre à l'évidence le choix récent de publier l'une après l'autre les transcriptions inédites des *Cours au Collège de France*. Il n'en reste pas moins que le projet de maintenir le « livre à venir » dans l'inachèvement impose, par-delà l'impossibilité matérielle qu'un nouveau livre de Foucault soit un jour publié[2], une déontologie qui en respecte l'exigence.

À moins que tout cela ne soit plus léger qu'il n'y paraît. Comme l'écrit Foucault à propos de Nietzsche : « Il est impossible, encore une fois, de préjuger les résultats du travail de récollection. Notre tâche consiste à construire un terrain de jeux[3]. » Et c'est à ce

---

1. *Ibid.*, p. 794.
2. De ce point de vue, la non-publication du quatrième volume de l'*Histoire de la sexualité*, *Les Aveux de la chair*, sur décision commune de la famille Foucault, de l'éditeur (Gallimard), du Centre Foucault et de l'exécuteur testamentaire, n'est pas indifférente : le livre manquant, c'est précisément – et pour toujours – le « livre à venir ».
3. M. Foucault, « Michel Foucault et Gilles Deleuze veulent rendre à Nietzsche son vrai visage » (entretien avec C. Janoud), *Le Figaro*

terrain de jeux foucaldien que nous aimerions maintenant nous arrêter plus longuement.

Permettons-nous cependant une dernière parenthèse avant de « jouer » la recherche foucaldienne à sa propre lumière.

Une pensée de la différence

Comme nous l'avons vu, chez Foucault, la différence est une notion qui est appelée par celle de discontinuité. Il existe quatre niveaux d'analyse possibles du thème. Le premier consiste à examiner les ruptures, les écarts et les accrocs, les retournements et l'apparente distance qui séparent parfois tel ou tel moment de la recherche de celui qui le précède ou de celui qui le suit. Dans ce cas, la « différence » peut être due à de multiples causes et jouer de plusieurs façons : il peut en effet s'agir d'une différence de méthode (comme dans le cas du passage d'une archéologie à une généalogie), d'une différence de champ d'enquête (comme quand Foucault passe de la folie à la clinique, ou du pouvoir à la sexualité), ou d'une différence d'objet (comme quand Foucault s'intéresse à la gestion globale des « populations » après s'être intéressé à celle des « individus »)[1] ; et, à

---

littéraire, n° 1065, 15 septembre 1966, p. 7, repris in M. Foucault, *Dits et Écrits, op. cit.*, vol. I, texte n° 41, pp. 549-552.

1. Nous rendrons bientôt compte de ces termes et du sens qu'ils possèdent chez Foucault.

chaque fois, on se trouve devant un changement plus ou moins net. Mais, en réalité, toutes ces variations se réduisent à deux grands cas de figure : une différence qui joue sur la manière dont on observe la réalité et qui implique le regard – c'est-à-dire, bien moins métaphoriquement qu'il n'y paraît, les présupposés épistémologiques et les déterminations historiques qui ont fait de ce regard ce qu'il est ; et une différence qui joue au niveau de l'histoire que l'on décrit, et qui met en évidence l'apparition d'éléments nouveaux, l'émergence de singularités, le passage à une autre phase de l'histoire dont il s'agit de comprendre la constitution – c'est-à-dire, en fait, la restitution à la discontinuité d'un véritable statut historique.

Le deuxième niveau d'analyse possible concerne en revanche l'épaisseur même du discours de Foucault, et non pas son déroulement. On l'a vu, il y a chez Foucault toute une variété de régimes de discours qui existent simultanément, et dont la cohabitation ou la superposition ne sont pas sans poser problème : c'est le cas du régime des livres et de celui des écrits « périphériques » qui leur sont contemporains – dont on a rappelé qu'ils instaurent deux dynamiques différentes à l'intérieur du processus de recherche –, et c'est le cas plus générale-ment de toutes les grandes formes d'intervention dont se sert Foucault, qui ne fonctionnent pas de la même manière, ne visent pas le même but et n'obéissent pas aux mêmes règles, ce qui se traduit souvent par une impression d'éparpillement, voire d'incohérence interne.

Cette deuxième différence exige donc de la part des commentateurs un travail de coupe verticale dans l'épaisseur des écrits, ce qui n'est pas sans intérêt. On s'aperçoit par exemple que, à chaque étape du parcours foucaldien, l'une de ces formes est appelée de façon privilégiée à dialoguer ou, au contraire, à instaurer un rapport de contradiction avec le discours unitaire des livres de la même période. C'est le cas des articles de critique – en particulier sur la littérature et le langage – dans les années 1960, face à l'*Histoire de la folie*, aux *Mots et les Choses* ou à *L'Archéologie du savoir* ; c'est le cas des cours « savants » (notamment au Collège de France) d'une part, et des articles journalistiques de l'autre, dans les années 1970, face à *Moi, Pierre Rivière…*, à *Surveiller et punir* ou à *La Volonté de savoir* ; c'est le cas enfin des grands entretiens et des conférences à l'étranger dans les années 1980, face aux deux derniers volumes de l'*Histoire de la sexualité*. Cette différence-là – celle qui passe entre les « propositions » et les « scolies » de Foucault, pour reprendre la comparaison avec l'*Éthique* de Spinoza que nous avons déjà faite – est sans doute celle qui suscite le plus la perplexité des lecteurs, parce qu'elle semble parfois refléter une incohérence profonde du travail foucaldien. Mais si nous parvenons à montrer qu'elle en scelle au contraire la complexité articulée, nous pourrons également vérifier comment fonctionnent « localement » des régimes d'expression qui déclinent l'ordre du discours en autant de variations et qui, quelquefois, réussissent peut-être même à imposer *contre l'ordre du discours* (*contre* : et pourtant en son sein) une autre économie de la parole. Comme le note très justement Foucault, le discours « est constitué par la différence entre ce qu'on pourrait dire correctement à une époque (selon les règles de la grammaire et celles de la logique) et ce qui est dit effectivement. Le champ discursif, c'est, à un moment déterminé, la loi de cette différence. Il définit ainsi un certain nombre d'opérations qui ne sont pas de l'ordre de la construction linguistique ou de la déduction formelle. Il déploie un domaine "neutre" où la parole et l'écriture peuvent faire varier le système de leur opposition et la différence de leur fonctionnement[1] ». Le désordre de la parole contre l'ordre du discours ? On cherchera donc à comprendre ce que cela recouvre d'enjeux complexes dans le processus d'écriture de Foucault lui-même.

Le troisième niveau d'analyse concerne la consistance philosophique du concept de différence. La différence, ce n'est pas seulement une modalité de développement ou d'articulation du discours foucaldien qui est appelée par un certain nombre de réflexions sur la discontinuité, c'est aussi un concept qu'il s'agit de construire et de formuler. De la même manière que l'approche du thème de la discontinuité se traduisait à la fois en une écriture discontinue et en une théorisation de la notion de dis-

---

1. M. Foucault, « Réponse à une question », in *Dits et Écrits, op. cit.*, vol. I, p. 685.

continuité – ou, pour le dire autrement, à la fois en une *pensée discontinue* et en une *pensée du discontinu* –, la différence donne lieu à la fois à une écriture « différentielle » (c'est-à-dire qui introduit la différence au cœur de son mouvement) et à une tentative de formulation du statut philosophique du concept de différence lui-même. Il n'y a donc aucune distinction possible entre l'objet et la forme de la réflexion, ce qui est, bien sûr, parfaitement cohérent avec les analyses foucaldiennes sur la constitution des objets de la connaissance dans le champ des sciences humaines ; et cela renforce également notre parti pris d'appliquer aux textes foucaldiens une analyse foucaldienne.

Mais l'approche théorique du concept de différence doit immédiatement se mesurer avec un certain nombre d'autres pensées : celles qui tournent autour de la notion d'altérité, ou bien encore celles qui font de la différence une césure ontologique fondamentale. Qu'appelle-t-on différence ? Est-ce génériquement la figure du différent, de ce que je ne reconnais pas comme identique à moi-même, c'est-à-dire celle de l'Autre ? Ou implique-t-elle un écart de nature diverse ? En somme, et sans vouloir jouer avec les mots, en quoi la différence est-elle différente des autres figures de l'altérité ? Par rapport à quoi la différence diffère-t-elle ? Sur quel plan joue-t-elle ?

Enfin, un quatrième niveau d'analyse, partiellement lié au précédent, exige que l'on pose le problème de la différence de Foucault lui-même dans le paysage de la pensée française de l'après-guerre. Comment articuler ensemble un certain nombre de déterminations – historiques, théoriques, etc. – communes à toute la génération de jeunes intellectuels qui commencent à publier après 1945 avec l'idée d'une singularité extrême qui s'exprime en chacun d'entre eux et qui impose sa spécificité ? C'est-à-dire, dans le cas qui nous occupe : comment tenir ensemble une analyse très foucaldienne des conditions de production de la pensée en France dans les cinquante dernières années et une analyse de l'extraordinaire innovation de la pensée foucaldienne elle-même ? En somme, comment entrecroiser l'analyse du commun et celle de la singularité ? Là encore, les problèmes de forme et les problèmes de contenu sont indissociables. On verra en effet plus avant que la tentative de penser simultanément l'identité et la différence, ou le singulier et le commun, est exactement au cœur des problématisations foucaldiennes depuis les années 1960 ; et que c'est précisément à travers cette articulation que le concept de différence, dans le prolongement des analyses sur le discontinu, appelle à son tour un certain nombre d'autres concepts qui sont aujourd'hui au cœur de la réflexion philosophique et qui, s'ils ne sont pas tous clairement de dérivation foucaldienne, appartiennent au même type de problématisation : la « multitude » (qui n'est pas une simple forme du collectif ou de la multiplicité), la singularité (qui n'est pas simplement l'« individualité »), le « commun » (qui n'est pas simplement la communauté).

IV

Du littéraire au politique

On l'a vu, les deux grandes césures qui marquent en apparence le parcours de Foucault – et dont Foucault lui-même semble parfois reconnaître la présence – correspondent en gros au passage d'une décennie à l'autre : entre les années 1960 et les années 1970 (autour de la publication de *L'Ordre du discours*), et entre les années 1970 et les années 1980 (autour des cours au Collège de France de la période 1978-1981). Avec la première, on passe d'un intérêt principalement centré sur le champ discursif (c'est-à-dire dans le double registre du littéraire et du linguistique) et articulé à partir d'une enquête archéologique à une perspective généalogique qui ne distingue plus le discursif du non-discursif et s'interroge bien davantage sur les pratiques et les stratégies, les dispositifs et les rapports de pouvoir, bref, qui s'ouvre sur le champ du politique. Avec la seconde, au contraire, on semble passer d'une analytique du pouvoir conçue encore essentiellement comme une *gouvernementalité des autres* à une analyse du rapport à soi, des formes de production de la subjectivité, et à une problématisation plus générale de l'articulation du triple rapport à soi, aux autres et au monde qui introduit à une dimension proprement éthique.

Questions ouvertes

Il nous faut donc avant tout repartir du début des années 1960 et de la publication de l'*Histoire de la folie* pour tenter de cerner quels ont été, dix ans plus tard, les raisons et l'enjeu de la première rupture interne – s'il s'agit réellement d'une rupture.

Au-delà du contenu proprement historique des analyses de Foucault, qu'il ne nous appartient pas de juger ici, l'*Histoire de la folie* se distingue par la manière dont elle redéfinit entièrement le rapport entre la raison et la folie à partir du XVIIe siècle. C'est en effet de l'histoire d'un geste de partage constitutif qu'il s'agit puisque, dès les premières pages de sa préface, Foucault pose l'élément à partir duquel tout son discours va pouvoir se construire : « *Est originaire* la césure qui établit la distance entre la raison et la non-raison ; quant à la prise que la raison exerce sur la non-raison pour lui arracher sa vérité de folie, de faute ou de maladie, elle en dérive, et de loin[1]. »

---

1. M. Foucault, « Préface », in *Folie et Déraison. Histoire de la folie à l'âge classique*, Paris, Plon, 1961. On s'en souviendra : cette préface

Ce point de départ soulève d'emblée un certain nombre de problèmes. Le premier tient à l'évidence de ce « geste constitutif » : la formulation du partage est sans nul doute utile afin d'appréhender dans un second temps la manière dont le XVIIe siècle le déclinera à plusieurs niveaux – en redéfinissant le statut du discours scientifique, en refondant explicitement le vieux *Logos* grec en une *Ratio* moderne, en inventant un certain nombre de procédés de division et de gestion de l'espace, en créant de nouvelles institutions, etc. –, mais il reste cependant assez difficile de comprendre pourquoi ce partage-là (et non un autre) s'est donné à un tel moment. On ne reviendra pas ici sur les difficultés soulevées par la périodisation historique utilisée par Foucault, nous les avons déjà longuement évoquées. Si ce n'est encore une fois pour remarquer que, quand Foucault caractérise le partage entre la raison et la non-raison, il parle de fait d'un « geste constitutif[1] », comme s'il s'agissait de raconter quelque chose comme un commencement véritable, une origine absolue, une naissance[2]. Et si l'on trouve bien

---

ne figure dans son intégralité que dans l'édition originale, et disparaît complètement à partir de 1972, tout comme le titre du livre deviendra simplement *Histoire de la folie*. Le texte de la préface est à présent repris in M. Foucault, *Dits et Écrits, op. cit.*, vol. I, texte n° 4. La citation se trouve à la p. 159. C'est moi qui souligne.

1. *Ibid.*, p. 159.
2. De fait, on retrouvera le terme de « naissance » dans le titre de l'ouvrage *Naissance de la clinique. Une archéologie du regard médical,*

évidemment des références à ce qui a précédé le partage (à travers des analyses détaillées du monde grec, du Moyen Âge ou de la Renaissance), c'est en général sous la forme d'une simple juxtaposition, d'un simple « vis-à-vis » : « D'un côté, Bosch, Bruegel, Thierry Bouts, Dürer, et tout le silence des images. [...] de l'autre, avec Brant, avec Érasme, avec toute la tradition humaniste, la folie est prise dans l'univers du discours[1]. »

Nous ne cherchons pas à dire que Foucault n'a pas le droit de traiter – philosophiquement, historiquement – l'émergence de quelque chose d'absolument nouveau, ce qui reviendrait à lui nier toute possibilité de poursuivre la recherche à partir des deux termes que nous avons choisis comme guides ; car on ne voit pas comment parler de la discontinuité et de la différence sans en passer par le repérage de cette « nouveauté » sur laquelle insiste tant l'*Histoire de la folie* (ce que Foucault appelle parfois, on l'a déjà vu, un « événement »). Mais une chose est de rendre compte

---

Paris, PUF, coll. « Histoire et philosophie de la biologie et de la médecine », 1963.

1. M. Foucault, *Histoire de la folie, op. cit.*, rééd. coll. « Tel », p. 39. Tout le premier chapitre du livre (« Stultifera navis ») est, de ce point de vue, la construction de cette opposition sans réel passage entre l'âge classique et ce qui le précède. Cela a pour effet de présenter l'âge classique comme une sorte de commencement absolu : le partage raison/non-raison fonctionne donc en réalité comme une véritable origine.

de la *constitution* de l'un de ces « événements » ; une autre est de le caractériser lui-même comme *constitutif*, c'est-à-dire de le traiter exclusivement comme une instance constituante. Certes, dans l'*Histoire de la folie*, Foucault dote ses analyses d'un impressionnant appareil de références, de notes et d'explications historiques, mais le travail de compréhension et d'explication de l'apparition du partage raison/non-raison semble déplacé au deuxième chapitre du livre (« Le grand renfermement »), c'est-à-dire sur le point spécifique que représente la pratique de l'internement.

Les procédures d'internement – et les lieux qui leur sont liés de manière indissociable – émergent pour toute une série de raisons historiques que Foucault rappelle parfois assez longuement (« La pratique de l'internement désigne une nouvelle réaction à la misère, un nouveau pathétique – plus largement un autre rapport à l'homme, à ce qu'il peut y avoir d'inhumain dans sa propre existence[1] » ; ou encore : « Dans toute l'Europe, l'internement a le même sens, si on le prend, du moins, à son origine. Il forme l'une des réponses données par le XVIIe siècle à une crise économique qui affecte le monde occidental dans son entier : baisse des salaires, chômage, raréfaction de la monnaie, cet ensemble de faits étant dû probablement à une crise de l'économie espagnole[2] »). Mais

---

1. *Ibid.*, p. 69.
2. *Ibid.*, p. 77. Voir plus généralement l'analyse que l'on trouve, par exemple, aux pp. 77-85.

ces procédures ne sont que la conséquence du partage initial. En somme, ce qu'on pourrait objecter à Foucault, ce n'est pas tant de parler d'un phénomène d'émergence que de traiter celle-ci comme une pure origine constituante.

C'est paradoxalement cette difficulté – dont Foucault semble conscient, puisqu'il sera par la suite beaucoup plus attentif à restituer le contexte historique des « émergences » décrites[1] – qui explique sans doute le premier élément du « virage » de la fin des années 1960 et, en particulier, le passage à une recherche généalogique. On a vu ce que le concept de généalogie doit à Nietzsche ; et c'est précisément dans un texte consacré à Nietzsche et à la généalogie que Foucault formule en 1971 un point important : la

---

1. C'est par exemple dans une large mesure le cas des analyses des *Mots et les Choses*, même si l'on ne peut s'empêcher de remarquer que la construction du début du livre, comme pour l'*Histoire de la folie*, procède par opposition simple : d'un côté « La prose du monde », de l'autre « Représenter », « Parler », « Classer ». La structure du livre établit entre le chapitre premier et les suivants un rapport de nette opposition, et il est difficile d'y trouver autre chose qu'une sorte de « vis-à-vis » immobile entre deux mondes. De fait, Foucault écrit : « Le statut des discontinuités n'est pas facile à établir pour l'histoire en général. Moins encore sans doute pour l'histoire de la pensée. Veut-on tracer un partage ? Toute limite n'est peut-être qu'une coupure arbitraire dans un ensemble indéfiniment mobile. Veut-on découper une période ? Mais a-t-on le droit d'établir, en deux points du temps, des ruptures symétriques, pour faire apparaître entre elles un système continu et unitaire ? D'où viendrait alors qu'il se constitue, d'où viendrait ensuite qu'il s'efface et bascule ? » (*Les Mots et les Choses, op. cit.*, p. 64).

généalogie « s'oppose à la recherche de l'"origine"[1] » qui semble de fait flotter encore ici et là dans les textes foucaldiens du début des années 1960. Suivent plusieurs pages d'analyses minutieuses de cette recherche d'*Ursprung* à laquelle Nietzsche s'oppose, d'où il ressort les éléments suivants.

En premier lieu, il faut, dans le sillage nietzschéen, s'opposer à rechercher l'origine si c'est au nom de l'illusion d'une vérité, d'une essence, d'une identité qu'il s'agirait de dévoiler[2]. Deuxièmement, à l'*Ursprung* il faut préférer les termes d'*Entstehung* (l'émergence) ou de *Herkunft* (la souche, la provenance) : le premier fait simplement allusion à un point de surgissement, le second s'enracine profondément dans les corps – qui sont la « surface d'inscription des événements[3] ». Or ce qui est intéressant, c'est que Foucault utilise alors deux autres figures éminemment nietzschéennes afin de justifier ces concepts et de construire l'opposition à une « mauvaise » origine métaphysique :

---

1. M. Foucault, « Nietzsche, la généalogie, l'histoire », in *Dits et Écrits, op. cit.*, vol. II, p. 137.

2. *Ibid.* : « Or, si le généalogiste prend soin d'écouter l'histoire, qu'apprend-il ? Que derrière les choses il y a "tout autre chose" : non point leur secret essentiel et sans date, mais le secret qu'elles sont sans essence, ou que leur essence fut construite pièce à pièce à partir de figures qui lui étaient étrangères » ; et encore : « Ce qu'on trouve, au commencement historique des choses, ce n'est pas l'identité encore préservée de leur origine – c'est la discorde des autres choses, c'est le disparate » (p. 138).

3. *Ibid.*, p. 143.

les « forces » et le « hasard » ; et que c'est probablement là que la critique de l'origine tourne court – ou, du moins, devient difficilement applicable à un travail historique *stricto sensu*.

Les forces pourraient être en réalité réintroduites sans grande difficulté dans une enquête historique de type classique. L'analyse des états ou des rapports de force telle que Foucault semble l'envisager (et que l'on retrouvera dans les années 1970 – second prolongement de ce discours sur l'origine – sous la forme d'une véritable analytique du pouvoir) est en effet parfaitement envisageable, même si le discours foucaldien paraît à l'évidence bien plus redevable à Nietzsche qu'à Marx, et si les termes choisis frôlent parfois une autre métaphysique, ou tout au moins une caractérisation plus littéraire qu'historiographique un peu difficile à concilier avec l'analyse des processus historiques. Foucault écrit alors : « En ce sens, la pièce jouée sur ce théâtre sans lieu est toujours la même : c'est celle que répètent indéfiniment les dominateurs et les dominés. Que des hommes dominent d'autres hommes, et c'est ainsi que naît la différenciation des valeurs ; que des classes dominent d'autres classes, et c'est ainsi que naît l'idée de liberté ; que des hommes s'emparent des choses dont ils ont besoin pour vivre, qu'ils leur imposent une durée qu'elles n'ont pas, ou qu'ils les assimilent de force, et c'est la naissance de la logique[1]. »

---

1. *Ibid.*, p. 145.

On verra bientôt à quel point la lecture des rapports de pouvoir à laquelle se livrera Foucault quelques années plus tard – en particulier à partir de la publication de *Surveiller et punir*, en 1975, et par la suite dans les cours du Collège de France – est éloignée de cette « envolée » nietzschéenne. Ce que Foucault semble en effet oublier ici, c'est précisément ce dont il cherche à faire l'archéologie, c'est-à-dire l'émergence dans l'histoire d'un certain isomorphisme qui implique des existences réelles, des dispositifs tangibles, des lois, des pratiques, la constitution de discours de savoir qui, chacun à leur manière, « pèsent » sur la vie concrète et suscitent autant d'effets réels. Le pouvoir – ou, comme Foucault préfère encore dire, les « forces » – n'est pas une abstraction : il possède une épaisseur, il investit et structure la réalité, il génère des effets : c'est tout cela que la lecture de l'archive (ou le déchiffrage archéologique des événements) doit affronter.

La figure du hasard est encore plus clairement en porte à faux par rapport à un regard qui se voudrait historien. Non pas qu'il s'agisse de réaffirmer ici la nécessité d'un déterminisme absolu ou d'une causalité linéaire dont on a vu qu'ils étaient précisément au centre des critiques foucaldiennes et qu'ils motivaient de fait le choix d'un modèle discontinuiste ; mais parce que parler de hasard, cela ne signifie pas obligatoirement céder à une rhétorique du coup de dés dont on sait à quel point elle fascine Foucault. De fait, quand Foucault écrit : « À l'inverse du monde chrétien, universellement tissé par l'araignée divine, à la différence du monde grec partagé entre le règne de la volonté et celui de la grande bêtise cosmique, le monde de l'histoire effective ne connaît qu'un seul royaume, où il n'y a ni providence ni cause finale, mais seulement "la main de fer de la nécessité qui secoue le cornet du hasard"[1] », on ne peut pas ne pas être d'accord pour le suivre dans la double critique de la providence et de la cause finale. Mais ce n'est pas en retournant le déterminisme absolu de la téléologie en un déterminisme symétrique et inverse (encore une fois, selon la citation de l'*Aurore* de Nietzsche : « la main de fer de la nécessité qui secoue le cornet du hasard », c'est-à-dire en excluant d'une part que l'action humaine, les conditions sociales, économiques, politiques, démographiques ou climatiques puissent par exemple induire des effets, créer de multiples réseaux de causalité, et en affirmant d'autre part la nécessité absolue de l'aléatoire) que l'on construit le modèle d'une histoire discontinue. Il y a une évidence, une matérialité et parfois une violence des événements qui semblent là totalement oubliées au profit d'une quasi-métaphysique de la contingence, si ce n'est pour construire immédiatement le hasard comme détermination plus forte encore que celle des vieux récits téléologiques.

---

1. *Ibid.*, p. 148.

Ce balancement entre une dénonciation de l'histoire linéaire, déterminée et téléologiquement orientée, et la construction d'un modèle qui ne cesse de recréer – à l'envers – un autre ordre de nécessité (la nécessité paradoxale de l'absence de nécessité) est omniprésent tant que Foucault ne pense pas clairement ce qui, de fait, deviendra l'objet central de ses analyses à partir de 1972-1973 : le pouvoir. Nous verrons bientôt comment le revirement s'est effectué, et à quel point l'expérience de participation directe au Groupe d'information sur les prisons (GIP) a été de ce point de vue essentielle. Il suffit pour l'instant de noter que si le problème de l'émergence d'un nouveau paradigme comme celui de raison/non-raison rend nécessaire une critique radicale du concept d'origine (auquel elle pourrait être tentée de recourir), la généalogie ne suffit pas complètement à en éviter le risque.

Deux remarques encore, avant de passer au fonctionnement du partage raison/non-raison. La première concerne, malgré toutes les réserves précédentes, le déplacement original que la généalogie instaure par rapport à l'archéologie. Tant que le projet foucaldien se borne à une archéologie, il effectue la lecture transversale d'une période de l'histoire qui est en quelque sorte « limitée » à ses deux extrémités par les deux événements que constituent l'émergence et la disparition de l'isomorphisme qui la fonde. En ce sens, l'*Histoire de la folie* donne à voir l'émergence d'un paradigme épistémique – celui de l'âge classique – dont les analyses des *Mots et les Choses* supposent la disparition. Cette tenaille émergence/disparition rend inévitable la discussion des fondements de la périodisation ; et l'on a vu que si Foucault s'en défend en recourant à la notion de discontinuité, c'est pour retomber au moins partiellement dans une pensée de l'origine absolue : l'émergence du partage, c'est un geste constituant qui fonctionne comme une nouvelle origine, c'est-à-dire qui est exempt de déterminations autres que celles qu'il crée.

Mais l'archéologie ne se contente pas de restituer l'origine, elle déplace également le barycentre des analyses foucaldiennes vers le problème de la disparition du paradigme décrit : c'est le cas, on l'a vu, des dernières lignes des *Mots et les Choses* – même si l'allusion est encore soumise au conditionnel (« …on peut bien parier que l'homme s'effacerait[1]… ») –, et c'est plus généralement le cas des descriptions postérieures au livre. Comme l'explique lui-même Foucault : « Je peux, en effet, définir l'âge classique dans sa configuration propre par la double différence qui l'oppose au XVIᵉ siècle, d'une part, au XIXᵉ siècle, de l'autre. En revanche, je ne peux définir l'âge moderne dans sa singularité qu'en l'opposant au XVIIᵉ siècle, d'une part, et à nous, d'autre part ; il faut donc, pour pouvoir opérer sans cesse le partage, faire surgir sous cha-

---

1. M. Foucault, *Les Mots et les Choses, op. cit.*, p. 398.

cune de nos phrases la différence qui nous en sépare. De cet âge moderne qui commence vers 1790-1810 et va jusque vers 1950, il s'agit de se déprendre alors qu'il ne s'agit, pour l'âge classique, que de le décrire[1]. » Cela signifie que Foucault passe d'une description du passé à une autre forme d'investigation qui renvoie cette fois-ci à notre présent.

On l'a vu plus haut, le thème du présent était déjà à l'œuvre dans le concept d'archive – quand l'archive fait valoir *au présent* la trace d'une existence passée. Ici, le présent s'impose à nouveau, et sous une forme différente : l'enquête généalogique, c'est le prolongement de l'analyse descriptive du passé à travers une problématisation de notre propre présent ; plus encore, c'est l'idée que toute démarche généalogique implique nécessairement un essai de « déprise » (« …faire surgir sous chacune de nos phrases la différence qui nous en sépare… »), c'est-à-dire la tentative d'instaurer quelque chose comme une différence radicale par rapport à ce que nous sommes. Le thème est essentiel : il court d'un bout à l'autre du parcours foucaldien et prendra tout au long de ces trente ans de recherche plusieurs formulations successives. Avant de l'évoquer plus avant, il faut cependant revenir à la deuxième remarque que nous voulions faire, puis au partage raison/non-raison.

---

1. M. Foucault, « Sur les façons d'écrire l'histoire », in *Dits et Écrits*, *op. cit.*, vol. I, pp. 598-599.

« Dehors »

Cette seconde remarque concerne un terme qui apparaît en même temps dans *Les Mots et les Choses* et dans un certain nombre de textes qui se meuvent entre la critique littéraire et la philosophie : le terme de *dehors*.

En 1966, Foucault consacre en effet un long texte à Maurice Blanchot et l'intitule « La pensée du dehors[1] ». Il y définit l'*expérience du dehors* comme une dissociation du « je pense » et du « je parle » : le langage doit affronter la disparition du sujet qui parle et enregistrer son lieu vide comme source de son propre épanchement indéfini. Le langage échappe alors « au mode d'être du discours, c'est-à-dire à la dynastie de la représentation, et la parole littéraire se développe à partir d'elle-même, formant un réseau dont chaque point, distinct des autres, à distance même des plus voisins, est situé par rapport à tous dans un espace qui à la fois les loge et les sépare[2] ». Ce « passage au dehors » comme disparition du sujet qui parle et, simultanément, comme apparition de l'être même du langage caractérise pour Foucault une pensée dont « il faudra bien un jour essayer de définir les formes et les catégories fondamentales », dont il repère une sorte de lignage dans les marges de la culture occidentale.

---

1. M. Foucault, « La pensée du dehors », *Critique*, n° 229, juin 1966, repris in M. Foucault, *Dits et Écrits, op. cit.*, vol. I, texte n° 38.
2. *Ibid.*, p. 520.

De Sade à Hölderlin, de Nietzsche à Mallarmé, d'Artaud à Bataille et à Klossowski, il s'agit en effet toujours de dire ce passage au dehors, c'est-à-dire à la fois l'éclatement de l'expérience de l'intériorité et le décentrement du langage vers sa propre limite : en ce sens, selon Foucault, Blanchot semble avoir réussi à déloger du langage la réflexivité de la conscience et transformé la fiction en une dissolution de la narration faisant valoir l'« interstice des images ». Le paradoxe de cette parole sans racine et sans socle, qui se révèle comme suintement et comme murmure, comme écart et comme dispersion, c'est qu'elle représente une avancée vers ce qui n'a jamais reçu de langage – le langage lui-même, qui n'est ni réflexion ni fiction, mais ruissellement infini –, c'est-à-dire l'oscillation indéfinie entre l'origine et la mort.

Quel rapport avec le discontinu et la différence ? demandera-t-on avec raison. Il existe bien un lien, et il est étroit : car c'est précisément cette même notion de « dehors » qui apparaît aussi dans l'argumentation – bien moins littéraire, cette fois-ci – de Foucault lorsqu'il s'agit de justifier le passage d'une *épistémè* à une autre, c'est-à-dire encore une fois à propos du thème de l'émergence. « Le discontinu – le fait qu'en quelques années parfois une culture cesse de penser comme elle l'avait fait jusque-là, et se met à penser autre chose et autrement – ouvre sans doute sur *une érosion du dehors*, sur cet espace qui est, pour la pensée, *de l'autre côté*, mais où pourtant *elle n'a cessé de penser dès l'origine*[1] », note-t-il par exemple. Tout se passe donc comme si Foucault assignait à cette notion de « dehors » le rôle d'un catalyseur ou d'un agent de la rupture épistémique ; comme si, de la même manière que le « dehors de la pensée » de matrice blanchotienne mettait à l'épreuve le langage lui-même en l'exposant à sa propre nudité, le dehors de l'*épistémè* d'une époque donnée ne cessait de presser contre les limites qui lui étaient fixées ; en somme, comme si tout isomorphisme était susceptible de basculer brutalement et de laisser la place à un autre sous les coups de boutoir d'une extériorité qui en exhiberait la précarité, l'historicité et la relative fragilité.

Pourtant, cela ne va pas de soi. Il est assez évident que si le texte consacré à Blanchot peut se satisfaire de certaines formulations elliptiques dont la beauté littéraire se suffit à elle-même, mais dont l'effectivité est plus problématique[2], l'analyse des modalités selon les-

---

1. M. Foucault, *Les Mots et les Choses, op. cit.*, p. 64. C'est moi qui souligne.
2. Foucault écrit par exemple : « Il faudra bien un jour essayer de définir les formes et les catégories fondamentales de cette "pensée du dehors". Il faudra aussi s'efforcer de retrouver son cheminement, chercher d'où elle nous vient et dans quelle direction elle va. [...] si, dans une telle expérience, il s'agit bien de passer "hors de soi", c'est pour se retrouver finalement, s'envelopper et se recueillir dans l'intériorité éblouissante d'une pensée qui est de plein droit Être et Parole. Discours donc, même si elle est, au-delà de tout langage, silence, au-delà de tout être, néant » (« La pensée du dehors », in M. Foucault, *Dits et Écrits, op. cit.*, p. 521).

quelles on passe – fût-ce de façon parfaitement discontinue – d'une *épistémè* à une autre impose un autre niveau d'interrogation. D'autant plus que l'idée même d'extériorité semble totalement contradictoire avec la constitution du binôme raison/non-raison : c'est donc maintenant à l'analyse détaillée de ce binôme qu'il faut revenir.

Dans l'*Histoire de la folie*, « non-raison », « déraison » et « folie » sont des termes équivalents – comme le laisse entendre le titre original du livre (*Folie et Déraison. Histoire de la folie à l'âge classique*), qui fonctionne en lui-même comme une déclaration de principe. L'analyse de Foucault cherche en effet à montrer la manière dont la folie cesse d'être une puissance sourde et menaçante pour se transformer : déplacée et redéfinie, « investie par la raison, elle est comme accueillie et plantée en elle[1] ». L'expérience de la folie qui apparaît au XVIIᵉ siècle, c'est une expérience qui est à la fois celle d'une non-raison ou d'une dé-raison (selon que l'on fait jouer ouvertement la figure de contradiction absolue ou du simple écart : la *non*-raison est la négation de la raison, la *dé*raison est une tension que l'on fait jouer à ses limites, un peu comme un train qui *dé*raille sort tout à coup du parcours assigné), et celle de la raison elle-même ; car rien ne permet de désigner l'extériorité ou la négation de la raison, si ce n'est la raison elle-même. La raison

---

1. M. Foucault, *Histoire de la folie*, *op. cit.*, p. 46.

est le mètre à l'aune duquel on mesure toutes les figures de l'écart, de la différence ou de la contradiction. En ce sens, comme le note clairement Foucault, c'est que « maintenant la vérité de la folie ne fait plus qu'une seule et même chose avec la victoire de la raison, et sa définitive maîtrise : car la vérité de la folie, c'est d'être intérieure à la raison, d'en être une figure, une force et comme un besoin momentané pour mieux s'assurer d'elle-même[1] ».

Une remarque à ce propos.

On se souvient de la manière dont Foucault définissait dans la préface à la première édition de l'*Histoire de la folie* le partage raison/non-raison comme un geste constitutif, et les effets de pouvoir induits par ce partage comme secondaires. En réalité, la victoire de la raison n'est en rien secondaire, elle représente même la condition de possibilité du partage. Que ce qui est différent de la raison ou étranger à elle ne puisse être défini autrement qu'à travers un usage génitif (l'autre *de la raison*) ou un rapport de dérivation – de l'écart partiel à la négation totale – signifie que la raison et la non-raison sont articulées ensemble au sein d'un rapport dialectique qui fait de l'une le symétrique inverse de l'autre, c'est-à-dire encore son double renversé. Pourtant, s'il ne s'agissait que de cela, nous pourrions dire que la raison est une non-folie ou une dé-folie exactement comme nous disons

---

1. *Ibid.*, p. 47.

que la folie est une non-raison ou une dé-raison. Or ce n'est pas possible. Le rapport de dérivation ne fonctionne qu'en un seul sens : la folie n'est pas seulement l'autre de la raison, elle en est également l'objet. Il y a par conséquent une dissymétrie qui vient biaiser le rapport d'implication réciproque qui lie, à l'âge classique, la raison à son autre. Cette dissymétrie, c'est celle du pouvoir de la raison sur ce qu'elle désigne comme ne lui appartenant pas.

Dissymétrie

C'est au nom de cette dissymétrie que la raison classique va développer des stratégies, inventer des lieux, formuler des discours qui concernent tous cet « autre » qu'il s'agit de maîtriser. Parce que la maîtrise, c'est précisément la possibilité de nommer ce qui se présente comme différent et d'en faire mon « autre » (l'autre *du même*, le même *en négatif*), de le circonscrire, et de le contraindre dans un espace d'enfermement et d'exclusion qui fonctionne paradoxalement comme procédé d'intégration radicale. L'altérité n'est rien d'autre que la confirmation de l'identité absolue dont elle diffère : le fou renvoie paradoxalement au raisonnable parce que ce n'est qu'à partir de lui qu'il peut être qualifié de fou. Et inversement, si toute figure de la déviance ou de l'extériorité aux critères de la raison ne peut être définie qu'à partir de la raison elle-même, alors il n'y a pas d'extériorité réelle à la raison qui soit possible. Comme l'écrit par conséquent Foucault, « la folie existe *par rapport* à la raison, ou du moins par rapport aux "autres" qui, dans leur généralité anonyme, sont chargés de la représenter et de lui donner valeur d'exigence ; d'autre part, elle existe *pour* la raison, dans la mesure où elle apparaît au regard d'une conscience idéale qui la perçoit comme différence avec les autres. La folie a une double façon d'être *en face de* la raison ; elle est à la fois *de l'autre côté*, et *sous son regard* [...]. Ce qui caractérise la folie [...], c'est une permanence d'un double rapport à la raison, cette implication, dans l'expérience de la folie, d'une raison prise comme norme, et d'une raison définie comme sujet de connaissance[1] ».

En ce sens, les analyses sur les structures d'enfermement[2] auxquelles se livre Foucault ne concernent pas seulement des stratégies ponctuelles et historiquement déterminées par un certain nombre de facteurs. Elles sont également la métaphore même d'un paradigme général lié aux privilèges de la raison moderne pour lequel aucune extériorité n'est possible. L'exclusion, la non-appartenance, la déviance, la différence sont – à des niveaux différents – autant de figures de la raison elle-même, dans les marges et les lieux du

---

1. *Ibid.*, p. 200.
2. À ce propos, voir en particulier les chapitres II et III de l'*Histoire de la folie* : « Le grand renfermement » et « Le monde correctionnaire ».

ban que celle-ci invente à son propre usage pour mieux assurer sa domination.

Les Mots et les Choses, bien que la périodisation et le champ d'enquête y changent légèrement, ne sont de ce point de vue que le prolongement de l'*Histoire de la folie*, puisqu'il s'agit là encore de décrire un monde sans extériorité, un espace total des discours où toute parole pourrait être reconnue, nommée et insérée. Plus encore, il est frappant de voir comment les procédés taxinomiques décrits par Foucault, loin de se limiter à la classification et à la hiérarchisation des objets de connaissance, ménagent par avance des espaces vides pour tout ce qui pourra un jour se présenter sous le regard de la raison. Non seulement aucun objet *présent* ne peut échapper à l'identification et à l'intégration dans la grille du savoir rationnel, mais tout élément sera nécessairement objectivé par les catégories qui en ont préventivement désamorcé et réduit la nouveauté, l'étrangeté, la singularité. Que l'on pense au grand tableau des éléments qui orne en général le mur de toutes les salles de cours des écoles primaires françaises, et aux cases blanches qui y sont ménagées, et l'on aura une idée de ce pouvoir d'anticipation de la raison, mais aussi de son enjeu : conjurer la différence et la transformer en altérité, c'est-à-dire en objet du discours rationnel, voilà ce à quoi revient le privilège exorbitant de la raison, voilà ce qui scelle le rapport du pouvoir aux savoirs.

Et Foucault de conclure : « C'est une illusion de croire que la folie – ou la délinquance, ou le crime – nous parle à partir d'une extériorité absolue. Rien n'est plus intérieur à notre société, rien n'est plus intérieur aux effets de son pouvoir que le malheur d'un fou ou la violence d'un criminel. Autrement dit, on est toujours à l'intérieur. La marge est un mythe. La parole du dehors est un rêve qu'on ne cesse de reconduire. On place les "fous" dans le dehors de la créativité ou de la monstruosité. Et, pourtant, ils sont pris dans le réseau, ils se forment et fonctionnent dans les dispositifs du pouvoir[1]. » *La parole du dehors est un rêve*, écrit Foucault – mais le texte que nous avons à peine cité est de 1978, il faudra donc bien des années avant que Foucault lui-même se rende à l'évidence.

En effet, pendant toutes les années 1960, et au rebours du discours des livres, Foucault continue malgré tout à travailler dans tous les textes « périphériques », c'est-à-dire dans les « scolies » de sa recherche, sur la possibilité d'un *dehors* en lequel il place indistinctement un espoir de libération, l'idée d'une expérience-limite qui aurait à nous donner l'accès à une autre vérité – souvent identifiée comme celle de l'origine –, et plus généralement la réouverture d'un horizon dont les analyses de l'*Histoire de la folie*, des

---

1. M. Foucault, « L'extension sociale de la norme », *Politique Hebdo*, n° 212, mars 1976, repris in M. Foucault, *Dits et Écrits, op. cit.*, vol. III, texte n° 173, p. 77.

Mots et les Choses ou de *L'Archéologie du savoir* avaient considérablement restreint les perspectives. Ce dehors prend de multiples visages et se traduit par différents concepts, en fonction de l'influence qu'ils trahissent ; mais que ce soit à travers l'« expérience cruciale » à la manière de la phénoménologie, la « transgression » à la manière de Bataille, ou le « dehors » à la manière de Blanchot, il s'agit dans tous les cas de décrire une sortie de cet enfermement à l'intérieur duquel nous a plongés la dialectique raison/non-raison, c'est-à-dire la réabsorption de toutes les possibilités de différence. Un enfermement qui fait donc en sorte que la différence ne soit pas possible, puisque celle-ci se voit contrainte à être réduite à l'altérité : non pas le différent, donc, mais l'autre du même ; non pas l'inassignable, mais le reconnaissable ; non pas la singularité, mais la dérivation.

Nous ne nous occuperons pas ici de la notion d'expérience cruciale : si l'on peut en effet la rencontrer de manière évidente dans la préface que Foucault écrit en 1954 pour *Le Rêve et l'Existence* de Binswanger ou dans le petit livre publié la même année sous le titre *Maladie mentale et personnalité*[1], il s'agit malgré

---

1. Nous avons déjà cité *Maladie mentale et psychologie*. *Maladie mentale et personnalité* (Paris, PUF, 1954) est la première version du texte, publiée en 1954, et encore fortement empreinte de phénoménologie, ce qui explique non seulement le changement de titre, huit ans plus tard, dans l'édition de 1962, mais un certain nombre de corrections de fond apportées au texte, en particulier dans la seconde partie, presque totalement réécrite.

tout d'une analyse encore fortement pénétrée de phénoménologie – de fait, nous sommes plusieurs années avant l'*Histoire de la folie*, en un moment où Foucault n'a pas encore totalement élaboré sa propre pensée. Plus étonnante, sans doute, est cependant la permanence, dans les textes des années 1960, de l'idée selon laquelle l'expérience de la folie peut envers et contre tout représenter l'accès privilégié à une vérité du sujet ou à une dimension originaire. Tant qu'il ne s'agissait que de commenter Binswanger, le statut de l'expérience onirique pouvait bien être élargi à celui de la folie ; et de même que Foucault écrit : « Le rêve, c'est le monde à l'aube de son premier éclatement quand il est encore l'existence elle-même et qu'il n'est pas déjà univers de l'objectivité. Rêver n'est pas une autre façon de faire l'expérience d'un autre monde, c'est pour le sujet qui rêve la manière radicale de faire l'expérience de son monde, et si cette manière est à ce point radicale, c'est que l'existence ne s'y annonce pas comme étant le monde. Le rêve se situe à ce moment ultime où l'existence est encore son monde, aussitôt au-delà, dès l'aurore de l'éveil, déjà elle ne l'est plus[1] », il peut aussi affirmer : « Il faudra un jour ten-

---

1. M. Foucault, « Préface » à L. Binswanger, in M. Foucault, *Dits et Écrits*, *op. cit.*, pp. 100-101. Peu avant, Foucault avait cité aussi bien la *Traumdeutung* freudienne que les *Recherches logiques* de Husserl. Sa propre définition de l'expérience onirique – et, plus largement, de toute expérience cruciale – emprunte tant à l'un qu'à l'autre : au premier, malgré les critiques qu'il lui adresse, l'idée que le monde

ter de faire une étude de la folie comme structure globale – de la folie libérée et désaliénée, restituée en
quelque sorte à son langage d'origine[1]. »

Ce qui est plus étonnant, c'est que, même une fois
affranchi de la phénoménologie, Foucault continue à
soutenir l'idée d'une sorte d'expérience cruciale au
moment même où il commence à analyser le grand
partage raison/non-raison et la nécessaire et paradoxale inclusion de la folie (en tant que dé-raison) au
sein de ce qui l'exclut. Le concept utilisé change :
Foucault parle désormais de « passage à la limite », ou
de « transgression », parfois de résistance ; mais la
contradiction n'en est pas moindre.

---

imaginaire a ses lois propres ; au second, l'idée que « l'acte significatif
même le plus élémentaire, le plus fruste, le plus inséré encore dans
un contenu perceptif, s'ouvre sur un horizon nouveau. Même
lorsque je dis "cette tache est rouge", ou même dans l'exclamation
"cette tache", même enfin lorsque les mots nous manquent et que
du doigt je désigne ce qu'il y a devant moi, il se constitue un acte
de visée qui rompt avec l'horizon immédiat de la perception et
découvre l'essence significative du vécu perceptif : c'est *Der Akt des
Dies-meinens* » (*ibid.*, p. 76). Et Foucault de conclure alors : « Si le
rêve est porteur des significations humaines les plus profondes, ce
n'est pas dans la mesure où il en dénonce les mécanismes cachés et
qu'il en montre les rouages inhumains, c'est au contraire dans la
mesure où il met au jour la liberté la plus originaire de l'homme. Et
quand, avec d'inlassables répétitions, il dit le destin, c'est qu'il pleure
la liberté qui s'est elle-même perdue, le passé ineffaçable, et l'existence tombée de son propre mouvement dans une détermination
définitive » (*ibid.*, p. 93).

1. M. Foucault, *Maladie mentale et psychologie, op. cit.*, p. 90.

Alors que l'expérience phénoménologique cherchait à « ressaisir la signification de l'expérience quotidienne pour retrouver en quoi le sujet que je suis est bien effectivement fondateur, dans ses fonctions transcendantales, de cette expérience et de ces significations[1] », la référence à Nietzsche, à Bataille et à Blanchot permet en effet à Foucault, au début des années 1960, de définir à présent plutôt l'idée d'une expérience-limite qui arrache le sujet à lui-même et lui impose son éclatement ou sa dissolution. C'est pour cette raison que Foucault, s'il reconnaît par exemple à Breton d'avoir tenté de parcourir un certain nombre d'expériences-limites, reproche pourtant en général aux surréalistes d'avoir maintenu celles-ci dans un espace de la psyché, et que la référence à Bataille devient du même coup essentielle. C'est également parce qu'il est construit à partir de l'effacement du sujet que le discours de l'expérience comme passage à la limite n'est en réalité pas si totalement éloigné des autres analyses de Foucault dans les années 1960. En fait, il rend actuel l'horizon dessiné par la fin des *Mots et les Choses*, c'est-à-dire la possible disparition de l'homme à la fois comme conscience autonome et comme objet de connaissance privilégié dans la mesure où, comme y insiste le philosophe, « une expérience est en train de naître où il y va de notre pensée ; son imminence, déjà visible mais vide

---

1. *Ibid.*

absolument, ne peut être encore nommée[1] ». Il n'en reste pas moins que ce passage à la limite – fût-il celui de la dissolution du sujet – demeure une *expérience*, et c'est probablement en cela que réside l'étrangeté de la position de Foucault.

Différence versus *altérité*

Nous parlions d'une véritable *résistance* à l'ordre rationnel qui, pendant les années 1960, passe encore par une expérience de transgression des limites que les livres semblent pourtant exclure. En réalité, le terme de « résistance » n'est pas employé immédiatement par Foucault, puisque la formulation politique du problème d'un éventuel « dehors » sera bien plus tardive. Il faudra en effet attendre les analyses développées au sein de l'analytique du pouvoir, dans les années 1970, pour en voir l'emploi généralisé.

En revanche, les termes de « transgression » (que Foucault emprunte effectivement à Bataille) et de « dehors » (qu'il emprunte, on l'a vu, à Blanchot) sont présents dès le début des années 1960. Du « dehors » blanchotien, nous avons déjà parlé – et dit les problèmes qu'il soulève. La transgression, elle,

---

1. M. Foucault, « La folie, l'absence d'œuvre », *La Table Ronde*, n° 196 : *Situation de la psychiatrie*, 1964, repris in M. Foucault, *Dits et Écrits, op. cit.*, vol. I, texte n° 25, p. 420.

apparaît essentiellement dans un étonnant texte consacré à Bataille[1], en 1963. Dans un cas comme dans l'autre, et plus généralement dans tous les textes « littéraires » que Foucault écrit à l'époque[2], il s'agit de décrire la manière dont un individu singulier, à travers un procédé qui est le plus souvent d'écriture (d'où l'intérêt de Foucault pour la production de Raymond Roussel, pour celle de Jean-Pierre Brisset[3] ou pour celle de Pierre Rivière), réussit de façon volontaire ou fortuite à tenir en échec les dispositifs d'identification, de classification et de normalisation du discours. Dans la mesure où il n'y a pas de savoir possible sur des objets impossibles, ces cas littéraires « ésotériques », par la mise en œuvre d'un certain nombre de procédés linguistiques, représentent dans un premier temps pour Foucault l'impossibilité de l'objectivation normative.

---

1. M. Foucault, « Préface à la transgression », *Critique*, n° 195-196 : *Hommage à Georges Bataille*, 1963, repris in M. Foucault, *Dits et Écrits*, *op. cit.*, vol. I, texte n° 13.

2. On se reportera au vol. I des *Dits et Écrits*, *op. cit.* : de Hölderlin à Nerval, de Flaubert à Mallarmé, de Sade à Lautréamont, de Kafka à Artaud, de Breton à Robbe-Grillet, etc., Foucault y effectue de très nombreuses variations sur le thème de la transgression, du dehors, de l'expérience du passage de la limite.

3. Nous avons déjà cité le travail de Foucault sur Roussel et sur Rivière. Pour ce qui est de J.-P. Brisset, on se référera à un texte magnifique et difficile, « Sept propos sur le septième ange », in J.-P. Brisset, *La Grammaire logique*, Paris, Tchou, 1970, pp. 9-57, repris in M. Foucault, *Dits et Écrits*, *op. cit.*, vol. II, texte n° 73.

Et c'est de la même manière – ce n'est pas le moindre des paradoxes – que Foucault choisit également d'ouvrir le texte apparemment le plus lointain de ce type d'analyse, *Les Mots et les Choses*, par une référence à un texte de Borges qui met en scène une étrange « Encyclopédie chinoise[1] ». Et Foucault de commenter, immédiatement après avoir rapporté la nomenclature des catégories qui la composent et souligné combien elle fait vaciller « pour longtemps notre pratique millénaire du Même et de l'Autre[2] » : « Dans l'émerveillement de cette taxinomie, ce qu'on rejoint d'un bond, ce qui, à la faveur de l'apologue, nous est indiqué comme le charme exotique d'une autre pensée, c'est la limite de la nôtre : l'impossibilité nue de penser *cela*[3]. » En somme, la transgression des limites du discours est ici une variante du concept de transgression tel que Foucault l'emploie, trois ans avant cette citation borgésienne, dans le texte de 1963 sur Bataille, puisqu'il choisit d'y lire un geste qui passe précisément la limite, qui fait l'expérience d'un fran-

---

1. Le texte de Borges cité par Foucault évoque l'existence d'une encyclopédie chinoise pour laquelle « les animaux se divisent en *a)* appartenant à l'Empereur, *b)* embaumés, *c)* apprivoisés, *d)* cochons de lait, *e)* sirènes, *f)* fabuleux, *g)* chiens en liberté, *h)* inclus dans la présente classification, *i)* qui s'agitent comme des fous, *j)* innombrables, *k)* dessinés avec un pinceau très fin en poils de chameau, *l) et caetera*, *m)* qui viennent de casser la cruche, *n)* qui de loin semblent des mouches » (M. Foucault, *Les Mots et les Choses*, *op. cit.*, p. 7).
2. *Ibid.*
3. *Ibid.*

chissement possible, qui remet en cause l'architecture complexe et totalisante de la raison moderne occidentale.

Pourtant, Foucault est parfaitement conscient des problèmes à l'encontre desquels il va, peut-être de manière plus claire encore que pour ce qui est de la catégorie de « dehors ». Non seulement parce qu'il devient difficile de concilier une « archéologie des sciences humaines » qui vise à décrire l'*épistémè* moderne, c'est-à-dire l'ensemble des conditions de possibilité communes des discours de savoir à une époque donnée, avec la permanence de « zones franches » qui y échapperaient et demeureraient dans une extériorité dont rien ne nous dit ce qu'elle est, mais aussi parce que le concept de transgression est en lui-même problématique.

En effet, l'ambiguïté du franchissement des limites, c'est qu'il n'y a pas de limite qui n'appelle la possibilité de son franchissement, tout comme il n'y a pas de franchissement qui ne soit la confirmation de l'existence de la limite : « La transgression n'est donc pas à la limite comme le noir est au blanc, le défendu au permis, l'extérieur à l'intérieur, l'exclu à l'espace protégé de la demeure. Elle lui est liée plutôt selon un rapport en vrille dont aucune effraction simple ne peut venir à bout[1]. » En d'autres termes, la transgres-

---

1. M. Foucault, « Préface à la transgression », in *Dits et Écrits, op. cit.*, vol. I, p. 237.

sion n'est pas le contraire de la limite, elle est à la fois sa négation et son effet, son double inversé, à tel point que la transgression, confirmant la limite, s'efface elle-même, tout comme la limite, une fois transgressée, tend à disparaître. Chacun des termes est par conséquent à la fois annulé et confirmé dans cette vrille dont Foucault a beau jeu de dire qu'elle n'est pas dialectique[1], puisque c'est en réalité exactement sous cette forme qu'elle se présente. Et c'est précisément en ces termes que le texte consacré à Blanchot, trois ans plus tard, définit encore une fois le « dehors » dans son rapport à la loi : « Comment pourrait-on connaître la loi et l'éprouver vraiment, comment pourrait-on la contraindre à se rendre visible, à exercer clairement ses pouvoirs, à parler, si on ne la provoquait, si on ne la forçait dans ses retranchements, si on n'allait pas résolument toujours plus loin vers le dehors où elle est toujours plus retirée ? […] C'est pourquoi la transgression peut bien entreprendre de franchir l'interdit en attirant la loi jusqu'à soi ; […] elle s'avance obstinément dans l'ouverture d'une invisibilité dont jamais elle ne triomphe[2]… »

En somme, nous nous trouvons devant un double obstacle : l'écart qui se creuse progressivement entre

---

1. *Ibid.*, p. 239 : « Nul mouvement dialectique […] ne peut apporter de secours pour penser une telle expérience. »
2. M. Foucault, « La pensée du dehors », in *Dits et Écrits*, *op. cit.*, vol. I, p. 529.

le discours des livres et celui des textes « périphériques » – et spécifiquement tous les textes sur la littérature –, et le piège que recèle en elle-même la notion de transgression, puisque celle-ci ne fait en définitive que redoubler la structure dialectique que Foucault avait si bien décrite à partir du partage raison/non-raison, et qu'elle s'enferme en réalité dans un cercle vicieux où elle se lie indissolublement avec ce qu'elle cherche à nier.

L'abandon tout à la fois de la littérature comme champ privilégié et de la notion même de transgression correspond donc, à partir des années 1967-1968, à l'exigence de poser le problème autrement : non plus en imaginant que la seule manière de remettre en cause la clôture du système épistémique ou discursif soit un hypothétique « dehors », une extériorité obtenue par le franchissement de la limite, mais en imaginant un modèle qui se défasse de l'opposition dedans/dehors, même/autre, loi/transgression. Foucault se rend par ailleurs de plus en plus compte que ce à quoi il a affaire n'est pas une spécificité du champ discursif en tant que tel, mais la variante d'un nœud bien plus conséquent qui est celui du pouvoir.

Enfin, l'analyse des cas de transgression auxquels il s'est intéressé laisse en suspens une question de taille, celle de la part de hasard qui existe dans des tentatives de déconstruction de l'ordre comme celles de Roussel ou de Brisset. Roussel ou Brisset ont-ils vraiment conçu un projet de résistance à l'ordre du discours, ou

bien leurs « procédés », leur écriture en forme de
« machine de guerre », leur « ésotérisme structural »
– comme aime à le dire Foucault – n'est-il que le fruit
du hasard ? Il n'y a que si l'on se trouve devant un
authentique *projet* qu'une dimension de résistance est
réellement envisageable. Et alors : cette résistance est-
elle une décision ? Peut-elle ne pas être seulement
individuelle ? Peut-elle concerner plusieurs personnes
et s'ouvrir à l'action collective ? En un mot : peut-elle
devenir véritablement politique ?

De la transgression littéraire à la résistance politique

C'est alors, au tout début des années 1970,
qu'apparaît finalement le terme de « résistance ».
Celui-ci survient cependant à l'intérieur d'un nouveau paradigme qui se donne pour point de départ
l'abandon explicite de la structure tautologique
dedans/dehors et qui adopte un nouveau repère : la
résistance advient nécessairement là où il y a du pouvoir, parce qu'elle est inséparable des relations de
pouvoir. Il arrive qu'elle fonde les relations de pouvoir tout comme elle en est parfois le résultat, car,
dans la mesure où les relations de pouvoir sont partout, la résistance est la possibilité de creuser des
espaces de lutte et de ménager des possibilités de
transformation partout, c'est-à-dire à l'intérieur du
pouvoir lui-même. L'analyse des rapports entre les

relations de pouvoir et les foyers de résistance est donc faite par Foucault en termes de stratégie et de tactique : chaque mouvement de l'un sert de point d'appui pour une contre-offensive de l'autre.

Le rapport entre les relations de pouvoir et les stratégies de résistance n'est plus simplement réductible à un schéma dialectique (comme cela était le cas pour le couple limite/passage à la limite, qui fondait en réalité la notion de transgression), parce que la description du pouvoir s'est entre-temps complexifiée. Foucault insiste en effet sur trois points. Premièrement, la résistance n'est pas « antérieure au pouvoir qu'elle contre. Elle lui est coextensive et absolument contemporaine[1] ». Cela signifie qu'il n'y a pas d'antériorité logique ou chronologique de la résistance – le couple résistance/pouvoir n'est pas le couple liberté/ domination –, et que la résistance doit présenter les mêmes caractéristiques que le pouvoir : « aussi inventive, aussi mobile, aussi productive que lui. [...] Comme lui, elle s'organise, se coagule et se cimente. [...] comme lui, elle vient d'en bas et se distribue stratégiquement[2] ». La résistance ne vient donc pas de l'extérieur du pouvoir, elle lui ressemble même, parce qu'elle en assume les caractéristiques, ce qui ne signifie pas qu'elle ne soit pas possible. En effet, la résis-

---

1. M. Foucault, « Non au sexe roi », *Le Nouvel Observateur*, n° 644, mars 1977, repris in M. Foucault, *Dits et Écrits, op. cit.*, vol. III, texte n° 200, p. 267.
2. *Ibid.*

tance peut à son tour fonder de nouvelles relations de pouvoir, tout comme de nouvelles relations de pouvoir peuvent, inversement, susciter l'invention de nouvelles formes de résistance : « Elles constituent l'une pour l'autre une sorte de limite permanente, de point de renversement possible [...]. En fait, entre relations de pouvoir et stratégies de lutte, il y a appel réciproque, enchaînement indéfini et renversement perpétuel[1]. » La description foucaldienne de cette « réciprocité » indissoluble n'est pas réductible à un modèle simpliste où le pouvoir serait entièrement considéré comme négatif, et où les luttes seraient au contraire considérées comme des tentatives de libération : non seulement le pouvoir, en tant qu'il produit des effets de vérité, est positif, mais les relations de pouvoir ne sont partout que parce que partout les individus sont libres. Ce n'est donc pas fondamentalement contre le pouvoir que naissent les luttes, mais contre certains effets de pouvoir, contre certains états de domination, dans un espace qui a été paradoxalement ouvert par les rapports de pouvoir. Et inversement : s'il n'y avait pas de résistance, il n'y aurait pas d'effets de pouvoir, mais simplement des problèmes d'obéissance. Est-ce à dire que nous sommes retom-

---

1. M. Foucault, « The Subject and Power », in H. Dreyfus et P. Rabinow, *Michel Foucault : Beyond Structuralism and Hermeneutics*, Chicago, The University of Chicago Press, 1982, trad. fr. « Le sujet et le pouvoir », in M. Foucault, *Dits et Écrits, op. cit.*, vol. IV, texte n° 306.

bés dans le vieux schéma des figures opposées et complémentaires, dans ce cercle vicieux qui, malgré l'invention permanente, d'un côté comme de l'autre, de nouvelles formes d'intégration et/ou de tentatives toujours recommencées de rendre possible quelque chose comme une différence, scelle la détermination réciproque du pouvoir et de la résistance, de la même manière qu'il scellait celle de la raison et de la non-raison ? Pour répondre à cette question, il nous faut aborder la seconde grande césure de l'œuvre, celle qui passe apparemment entre les analyses politiques des années 1970 et l'étrange retour à l'éthique qui semble caractériser le travail de Foucault dans les années 1980.

V

Penser, agir

Faisons un instant un bref bilan. Les questions en
suspens sont certes nombreuses, mais, on l'a vu, le
passage au politique ne s'effectue pas chez Foucault
à partir d'un abandon de thèmes ou d'une méthodologie qu'il renierait. Bien au contraire, c'est
l'extrême tentative de penser jusqu'au bout et avec le
plus haut degré d'exigence les problèmes qu'il s'était
posés qui pousse Foucault à reformuler, à déplacer,
à élargir ses analyses. Il ne s'agit donc pas d'une
logique de l'abandon, mais d'une logique de la
« relance » : une relance qui implique, certes, de
revenir lourdement sur certains concepts et de formuler à cet égard des critiques importantes, mais qui
jamais ne sort de la cohérence d'une problématisation que la recherche foucaldienne ne cesse de tisser.
En ce sens, le passage au champ politique et au projet d'une analytique du pouvoir est à concevoir
comme l'exact prolongement de l'analyse du champ
discursif et du projet archéologique : parce que,

nous le savons à présent, la généalogie s'ancre dans l'archéologie et la prolonge en direction du présent bien plus qu'elle ne la « remplace » ; et que le choix de travailler sur le champ non discursif n'est pas une disqualification du champ discursif en tant que tel, mais l'élargissement des analyses faites à propos du discours à un terrain d'enquête plus vaste qui intègre à la fois les discours, les savoirs, les corps, les pratiques et les stratégies.

Reste le double écueil que nous avons repéré.

Du côté des livres : l'impossibilité de sortir du cercle vicieux induit par un certain nombre de « binômes » de termes opposés dont le fonctionnement est absolument dialectique, puisque chacun des termes est le symétrique inverse de l'autre (raison/non-raison, ou encore normal/pathologique, raisonnable/fou, légal/déviant, etc.) ; mais aussi l'évidente dissymétrie de ces binômes, puisque seul l'un des termes représente la norme et peut dicter à l'autre ce qu'il est, les espaces qu'il occupe et les limites qui lui sont assignées ; en somme, les livres donnent à voir la double figure d'une structure épistémique « totalisante » parce que dialectique – encore une fois : pas d'extériorité possible –, et d'une structure dont l'un des deux termes est essentiellement caractérisé par les rapports de pouvoir qu'il instaure et à partir desquels il organise à la fois le monde et les savoirs sur le monde. D'où un doute légitime : s'il n'y a pas d'extériorité possible, comment sortir de ces rapports de pouvoir, les modifier et peut-être même les renverser ? Y a-t-il encore un sens à soutenir l'idée d'une discontinuité de l'histoire et de la pensée, l'idée d'une différence possible, là où ce qui nous est concédé semble tout au plus l'espace restreint de l'altérité comme variante du même ?

Du côté des textes « périphériques », à présent. Certes, certaines figures intriguent Foucault : ce sont pour une grande part ces « cas » littéraires dont nous avons déjà parlé, et qui semblent aller au rebours de tout ce qui précède. Mais le problème n'est pas simple.

En premier lieu, la notion de « cas[1] » est extrêmement ambiguë. Elle désigne traditionnellement, dans le vocabulaire courant comme dans son usage scientifique, un fait certes isolé, mais que l'on cherche à faire rentrer sous le coup d'une règle générale ou d'une loi : c'est en ce sens que l'on parle aussi bien d'un cas juridique ou d'un cas psychiatrique que d'un cas d'école. L'usage foucaldien du terme est totalement différent, puisqu'il semble au contraire en renverser le fonctionnement. Le cas, c'est alors précisément ce qui paraît ne pas vouloir rentrer dans les mailles de notre grille interprétative, c'est-à-dire, pour le dire avec

---

1. Sur la notion de cas et sur la variation de son usage en sciences humaines, on se référera au très passionnant volume collectif dirigé par Jean-Claude Passeron et Jacques Revel, *Penser par cas*, Paris, Éditions de l'École des hautes études en sciences sociales, coll. « Enquête », 2005.

Foucault, ce qui s'impose dans une singularité absolue, ce qui échappe à l'ordre et affirme, au rebours des
processus d'identification et de classification discursifs, l'extraordinaire, le dehors de l'ordre, la rupture,
l'interruption – ce que, bien plus tard, Deleuze et
Guattari, puis Foucault lui-même, choisiront d'appeler un *événement*[1].

Il suffit d'écouter Foucault parler de Raymond
Roussel : « L'autre face de l'œuvre de Raymond
Roussel découvre une forme d'imagination qui n'était
guère connue. Les jeux des *Impressions d'Afrique*, les
morts de *Locus solus* n'appartiennent ni au rêve ni au
fantastique. Ils sont plus proches de l'"extraordinaire"
[...] ; mais c'est un extraordinaire minuscule, artifi-
ciel et immobile : des merveilles de la nature hors de
toute nature [...]. Mais le disparate roussélien n'est
point bizarrerie de l'imagination : c'est le hasard du
langage instauré dans sa toute-puissance à l'intérieur
de ce qu'il dit[2]. » On retrouve là, outre les thèmes du
hasard et du disparate que nous avons déjà évoqués à
maintes reprises, le refus de la fantaisie pure au profit
d'une dimension bien plus complexe : un cas est tou-

---

1. Sur la notion d'événement comme interruption, voir en particulier F. Zourabichvili, *Deleuze. Une philosophie de l'événement*, Paris,
PUF, coll. « Philosophies », 1994.
2. M. Foucault, « Pourquoi réédite-t-on l'œuvre de Raymond Roussel ? Un précurseur de notre littérature moderne », *Le Monde*,
n° 6097, 22 août 1964, p. 9, repris in M. Foucault, *Dits et Écrits*,
vol. I, *op. cit.*, pp. 421-424.

jours fondamentalement *réel* (au contraire du « rêve »,
du « fantastique » et des « bizarreries de l'imagination »), mais c'est un réel qui déborde, excède, désor-
donne, sort de la « nature »[1]. Roussel représente donc
de ce point de vue, comme nous l'avons déjà souligné, une sorte d'anticipation de la figure du Borges de
l'encyclopédie chinoise : le point aveugle des *Mots et
les Choses*, c'est-à-dire ce qui se refuse à la double classification moderne des sciences de l'homme et des
sciences de la nature ; tout comme s'y refusent, égre-
nés dans les écrits de Foucault tout au long des années
1960, Sade, Hölderlin, Nerval, Flaubert, Mallarmé,
Joyce, Kafka, Bataille, Artaud… Et comme s'y refuse-
ront à leur tour, en une existence qui n'est plus seulement réduite à la production d'une parole extraordinaire (à la lettre : hors de l'ordre du discours),
mais qui s'élargit à des pratiques et à des stratégies
d'existence, Pierre Rivière, Herculine Barbin et tous

---

1. Ce que Foucault décrit tout à la fois comme réel et comme
dés-ordonné ou extra-ordinaire ressemble dès les années 1960 à ce
que Deleuze repérera plus tard chez Spinoza comme un « plan
d'immanence » : « Au contraire, un plan d'immanence ne dispose
pas d'une dimension supplémentaire : le processus de composition
doit être saisi pour lui-même, à travers ce qu'il donne, dans ce
qu'il donne. C'est un plan de composition, non pas d'organisation
ni de développement » (G. Deleuze, *Spinoza. Philosophie pratique*,
Paris, PUF, 1970, édition augmentée et modifiée : Paris, Éd. de
Minuit, 1981, p. 172). Chez Foucault comme chez Deleuze, c'est
la composition qui attaque l'ordre en s'y refusant, et qui produit
le « cas ».

les « hommes infâmes[1] » qui hantent dans la décennie suivante les archives que Foucault dépouille méticuleusement.

Revenons alors au problème que pose le rapport du discontinu et de l'unité. Ce qui motive sans doute l'abandon, à la fin des années 1960, du terrain d'enquête philosophique que constitue pour Foucault la littérature, c'est l'impossibilité de recomposer à partir de la discontinuité extrême des « cas » quelque chose qui, au-delà de leur dimension ponctuelle, ressemblerait à une unité : une cohérence transversale, l'unité d'un projet, une parenté tangible. Chacun des écrivains dont s'occupe Foucault représente en lui-même un monde ; pourtant, c'est un monde qui non seulement ne déclare à aucun moment la conscience qu'il a de lui-même (Roussel est-il Roussel *par hasard*, ou *joue-t-il consciemment le hasard* de la rencontre des mots contre l'ordre discursif établi ?), mais encore élimine toute possibilité de définir un quelconque

---

1. Cf. M. Foucault, « La vie des hommes infâmes », *Les Cahiers du chemin*, n° 29, 15 janvier 1977, pp. 12-29, repris in M. Foucault, *Dits et Écrits*, vol. III, *op. cit.*, texte n° 198, pp. 237-253. Foucault y note : « Vies brèves, rencontrées au hasard des livres et des documents. Des *exempla*, mais – à la différence de ceux que les sages recueillaient au cours de leurs lectures – ce sont des exemples qui portent moins de leçons à méditer que de brefs effets dont la force s'éteint presque aussitôt » (p. 237) – comme si les « cas » consistaient précisément en cette dimension paradoxale d'*exempla* non exemplaires, c'est-à-dire de singularités absolues et pourtant réelles (« J'ai voulu qu'il s'agisse toujours d'existences réelles », *ibid.*, p. 239).

espace d'intersubjectivité – en un mot, une communauté, fût-elle réduite à sa plus simple expression. Les « cas » littéraires sont certes des événements *singuliers*, c'est-à-dire extra-ordinaires ; mais ce sont aussi, plus banalement – et sans doute plus tragiquement –, des « cas » *individuels* sans recomposition possible, c'est-à-dire des fragments de solitude. Cette impossibilité de sortir de la dimension individuelle est d'autant plus visible que Foucault finit par s'occuper, à la toute fin des années 1960, de « cas » qui croisent la littérature avec la schizophrénie[1]. Or, dans le domaine de l'écriture psychotique, l'impossibilité de « l'unité à l'extérieur » (c'est-à-dire la possibilité d'une invention de communauté) est redoublée par une impossibilité plus profonde encore, qui est celle que provoque la désagrégation interne du Moi parlant. À la solitude de la parole fait écho la scission intime du sujet : la discontinuité et la dispersion ont atteint le pathologique[2].

---

1. Cf., par exemple, le très beau texte déjà cité que Foucault consacre à Jean-Pierre Brisset.

2. Sur le problème du pathologique comme limite de la volonté de rupture des cadres contraignants de l'ordre du discours, voir G. Deleuze, « Louis Wolfson ou le procédé », in *Critique et Clinique*, Paris, Éd. de Minuit, 1993. Le texte est en réalité la reprise en partie modifiée de la préface au livre de L. Wolfson, *Le Schizo et les Langues*, Paris, Gallimard, coll. « Bibliothèque de l'inconscient », 1970, que Deleuze avait intitulée « Essai de schizologie ». Les modifications portent essentiellement sur la reconnaissance, à près de vingt ans de distance, d'une alternative fondamentale : soit la critique (c'est-à-dire

On se trouve donc dans une impasse. Pourtant, deux éléments vont intervenir entre la fin des années 1960 et le début des années 1970, relançant du même coup de manière extraordinaire l'analyse foucaldienne. Le premier est purement théorique : c'est la publication presque simultanée, en 1968 et 1969, de *Logique du sens* et de *Différence et répétition* de Gilles Deleuze[1], auxquels Foucault consacre un formidable article dans *Critique*[2]. On n'entrera pas ici dans le détail de l'influence de Deleuze sur le parcours foucaldien, ni dans celui des formulations deleuziennes elles-mêmes – ce serait là l'objet d'une autre recherche

----

la possibilité de recomposition et d'articulation de la subjectivité parlante dans un ensemble qui « fasse communauté »), soit la clinique (c'est-à-dire la désagrégation pathologique du Moi parlant). La prise de conscience de Deleuze est plus tardive que celle de Foucault. Alors que les deux volumes de *Capitalisme et Schizophrénie* écrits en collaboration avec Félix Guattari (*L'Anti-Œdipe*, en 1972 ; et *Mille Plateaux*, en 1980) jouent encore sur la schizophrénie comme forme éminente de désordre et de discontinuité – ce que Deleuze et Guattari appellent des « machines de guerre » –, Foucault abandonne ce type d'hypothèse dès le début des années 1970. Sur *Critique et Clinique*, et plus particulièrement sur les liens qui existent entre les figures de Wolfson, de Roussel et de Brisset, je me permets de renvoyer à mon article « Deleuze lecteur de Wolfson : petites machines de guerre à l'usage des tribus à venir », *Futur antérieur*, n° 25-26, Paris, L'Harmattan, 1995.

1. G. Deleuze, *Logique du sens*, Paris, Éd. de Minuit, coll. « Critique », 1968 ; *Différence et répétition*, Paris, PUF, 1969.
2. M. Foucault, « Theatrum philosophicum », *Critique*, n° 282, novembre 1970, pp. 885-908, repris in M. Foucault, *Dits et Écrits*, *op. cit.*, vol. II, pp. 75-99.

qui mériterait à elle seule tout un livre. Mais ce que
l'on peut malgré tout remarquer, c'est que ce qui y
frappe à l'évidence Foucault, c'est la tentative de définir un statut de la *différence* qui, en tant qu'articulation de la discontinuité et de l'unité, de la singularité
et de la dimension du « commun », s'oppose à la fois
aux figures de l'altérité comme variante du même (la
déraison comme inclusion *par la raison* de son autre)
et aux figures de la singularité comme purs exercices
de solitude. Le second élément concerne en revanche
une expérience plus concrète, et à laquelle nous avons
déjà fait allusion : la participation directe de Foucault
au GIP (Groupe d'information sur les prisons), qui
représentera à bien des égards un tournant dans la
définition de ce qu'il faut entendre par « pouvoir » et,
par là même, dans celle d'une possible résistance finalement libérée de l'encombrant fardeau du mythe de
l'extériorité.

Foucault et le Groupe d'information sur les prisons (GIP)

L'expérience du GIP, dont une publication récente
nous a restitué l'ensemble de l'archive[1], naît dans un

---

1. Cf. *Le Groupe d'information sur les prisons. Archives d'une lutte, 1970-1972*, documents réunis sous la direction de Ph. Artières, L. Quéro et M. Zancarini-Fournel avec une postface de D. Defert, Paris, Éditions de l'IMEC, 2003.

contexte qui est à coup sûr profondément marqué par les « années 68[1] », c'est-à-dire par une contestation multiforme qui, chevauchant non seulement les événements parisiens de Mai, mais plus généralement une évolution évidente des mœurs et des mentalités, se diffuse et donne lieu à des prises de parole, à des revendications et à des types de conflictualité totalement nouveaux[2]. La première caractéristique de ces prises de parole et de ces luttes d'un nouveau genre, c'est qu'elles ne fonctionnent pas selon les vieux schémas de la participation politique ou de la contestation, et défont en grande partie aussi bien les formes

---

1. Précisons que Foucault lui-même n'assista pas à Mai 68, puisqu'il était à l'époque en Tunisie. Comme il le dit par ailleurs : « En Tunisie [...], tous se réclamaient du marxisme avec une violence et une intensité radicales et avec un élan impressionnant. Pour ces jeunes, le marxisme ne représentait pas seulement une meilleure façon d'analyser la réalité, mais il était en même temps une sorte d'énergie morale, un acte existentiel tout à fait remarquable. Je me sentais envahi d'amertume et de déception lorsque je pensais à l'écart qui existait entre la façon qu'avaient les étudiants tunisiens d'être marxistes et ce que je savais du fonctionnement du marxisme en Europe (France, Pologne ou Union soviétique). Voilà ce qu'a été la Tunisie pour moi : j'ai dû entrer dans le débat politique. Ce ne fut pas Mai 68 en France, mais Mars 68, dans un pays du tiers-monde » (« Entretien » avec D. Trombadori, *op. cit.*, in M. Foucault, *Dits et Écrits*, vol. IV, texte n° 281).
2. Sur l'expression « années 68 », voir par exemple G. Dreyfus-Armand, R. Frank, M.-F. Lévy et M. Zancarini-Fournel, *Les Années 68 : le temps de la contestation*, Paris-Bruxelles, Complexe, 2000 ; ou encore Ph. Artières et M. Zancarini-Fournel (éd.), *68. Une histoire collective (1962-1981)*, Paris, La Découverte, 2008.

d'organisation traditionnelles (partis, syndicats) que les schémas sociaux qui y sont en général reproduits, puisque c'est autour de points de convergence nouveaux entre lycéens et paysans, ouvriers et étudiants, qu'elle s'articulent souvent.

Ce « désenclavage » des luttes sectorielles a bien entendu de quoi fasciner Foucault ; pourtant, ce n'est qu'indirectement qu'il arrive au GIP, puisque Daniel Defert, le compagnon de Foucault, raconte avoir lancé lui-même « son nom à son insu[1] ». À la suite de nombreuses discussions, le groupe est conçu non comme une structure associative, mais comme un réseau anonyme (auquel collaboreront de nombreuses personnalités comme Jean Genet, Bernard Clavel, Yves Montand, Simone Signoret, mais aussi Alain Geismar, Philippe Meyer, les avocats Georges Kiejman, Henri Leclerc, Jean-Jacques De Felice, Robert Badinter, de nombreux travailleurs sociaux, les familles des détenus et les détenus eux-mêmes, certains magistrats comme Casamayor, etc.) qui est « protégé » par trois noms censés en représenter la caution intellectuelle et morale : le directeur de la revue *Esprit*, Jean-Marie Domenach, l'historien Pierre Vidal-Naquet, et Michel Foucault.

Dans un premier temps, l'expérience du GIP intéresse probablement Foucault parce qu'elle représente

---

1. *Le Groupe d'information sur les prisons. Archives d'une lutte, 1970-1972, op. cit.*, p. 317.

simplement une sorte de prolongement de la recherche qu'il mène sur les dispositifs d'enfermement : après l'enfermement psychiatrique, l'enfermement carcéral lui permet donc d'étendre le champ de son analyse. Et c'est en effet à partir des présupposés de méthode qui sont ceux de l'*Histoire de la folie* ou des *Mots et les Choses* qu'il lance, contre l'hypothèse d'une commission d'enquête, l'idée d'une description du fonctionnement anonyme et concret des procédures du contrôle pénitentiaire, c'est-à-dire de la matérialité des rapports de pouvoir, des punitions, des formes de coercition, et plus généralement de la manière dont un certain nombre de dispositifs, de pratiques et de discours permettent de transformer des sujets en objets – objets du discours, objets du regard, objets du savoir des autres – à l'intérieur de l'univers carcéral.

Le premier « déplacement » d'importance se fait précisément pour Foucault à partir de ce point ; il en est, de fait, la conséquence directe. Décrire la matérialité et la variété extrême des rapports de pouvoir, cela implique en effet de renoncer à une analyse qui identifie immédiatement le pouvoir avec une entité définie et en fixe une fois pour toutes l'identité et le fonctionnement, et de se mettre au contraire à l'écoute de la réalité. En d'autres termes, cela signifie par exemple qu'il convient de renoncer à une analyse qui ne se rapporterait qu'à (ou, en négatif : qui ne contesterait que) l'État, et ferait de cette lutte le moteur essentiel de la conflictualité. Au rebours de cela, il faut bien davantage se poser le problème des modalités d'application de ce pouvoir et de la pluralité des rapports qu'il instaure : « Et Marx et Freud ne sont peut-être pas suffisants pour connaître cette chose si énigmatique, à la fois visible et invisible, présente et cachée, investie partout, qu'on appelle le pouvoir. La théorie de l'État, l'analyse traditionnelle des appareils d'État n'épuisent sans doute pas le champ d'exercice et de fonctionnement du pouvoir. C'est le grand inconnu actuellement : qui exerce le pouvoir ? et où l'exerce-t-il ? [...] il faudrait bien savoir jusqu'où s'exerce le pouvoir, par quels relais et jusqu'à quelles instances souvent infimes, de hiérarchie, de contrôle, de surveillance, d'interdictions, de contraintes. Partout où il y a du pouvoir, le pouvoir s'exerce. Personne à proprement parler n'en est le titulaire ; et, pourtant, il s'exerce toujours dans une certaine direction, avec les uns d'un côté et les autres de l'autre. On ne sait pas qui l'a au juste, mais on sait qui ne l'a pas[1]. »

Pour Foucault, la cristallisation réductrice du pouvoir sous la forme de l'État procède par ailleurs d'une opération qui consiste à considérer les termes en question hors du jeu historique de leurs transformations

---

1. M. Foucault, « Les intellectuels et le pouvoir » (entretien avec G. Deleuze), *L'Arc*, n° 49 : *Gilles Deleuze*, 2ᵉ trimestre 1972, repris in M. Foucault, *Dits et Écrits, op. cit.*, vol. II, texte n° 106, pp. 308-309.

spécifiques : l'État existe, certes, mais il ne s'agit que d'une codification possible – et historiquement déterminée – des rapports de pouvoir. C'est à ce titre que, si une analytique du pouvoir ne peut faire l'économie d'une généalogie de l'État, inversement, l'État ne peut représenter le cadre conceptuel à partir duquel penser le pouvoir : « Poser le problème en termes d'État, c'est encore le poser en termes de souverain et de souveraineté, et en termes de loi. Décrire tous ces phénomènes de pouvoir en fonction de l'appareil d'État, c'est les poser essentiellement en termes de fonction répressive [...]. Je ne veux pas dire que l'État n'est pas important ; ce que je veux dire, c'est que les rapports de pouvoir, et par conséquent l'analyse que l'on doit en faire, doivent aller au-delà du cadre de l'État. Et cela en deux sens : d'abord, parce que l'État, y compris avec son omniprésence et ses appareils, est bien loin de recouvrir tout le champ réel des rapports de pouvoir ; ensuite, parce que l'État ne peut fonctionner que sur la base de relations de pouvoir préexistantes[1]. »

Et, de la même manière qu'il ne s'agit pas de rendre compte d'un « État » qui aurait à lui seul le privilège d'incarner le pouvoir, Foucault refuse de

---

1. M. Foucault, « Entretien avec M. Foucault » réalisé par P. Pasquino et A. Fontana en juin 1976, in A. Fontana et P. Pasquino (éd.), *Microfisica del potere : interventi politici*, Turin, Einaudi, 1977, pp. 3-28, repris in M. Foucault, *Dits et Écrits, op. cit.*, vol. III, texte n° 192.

penser la conflictualité revendiquée par le GIP dans les termes classiques de la lutte des classes. La notion de « prolétariat » est ainsi immédiatement dissoute au profit d'une critique de la distinction entre prolétariat et plèbe non prolétarisée qui empêche par exemple le recours à des catégories « molles » comme celle de la « marginalité » ou de l'« exclusion » et déplace le front des luttes sur un terrain qui n'est pas celui des classes ou des partis, mais celui de la réalité diffuse et souvent informe de la souffrance et de l'injustice. Si le prolétariat représente l'« autre » du pouvoir selon les critères qui sont ceux du pouvoir lui-même (c'est-à-dire, encore une fois, en tant que réalité circonscrite, identifiée, nommée, considérée comme homogène et prise dans un rapport de vis-à-vis simple avec le pouvoir), la plèbe non prolétarisée représente au contraire tout ce qui excède les procédures de réduction et d'identification de cet « autre ». Comme le demande alors avec insistance Foucault : « […] est-ce qu'on peut définir la plèbe non prolétarienne, non prolétarisée, par la liste malades mentaux, délinquants, emprisonnés, etc. ? Est-ce qu'il ne faudrait pas dire plutôt qu'il y a une coupure entre le prolétariat, d'une part, et la plèbe extra-prolétarienne, non prolétarisée, de l'autre ? Il ne faudrait donc pas dire : il y a le prolétariat et puis il y a ces marginaux. Il faudrait dire : il y a dans la masse globale de la plèbe une coupure entre le prolétariat et la plèbe non prolétarisée, et je crois que des institutions comme la police, la justice, le système pénal sont l'un des moyens qui sont utilisés pour approfondir sans cesse cette coupure dont le capitalisme a besoin[1]. »

On comprend alors que le travail de Foucault, et les présupposés du travail du GIP, aient désarçonné largement les tenants d'une analyse marxiste de type traditionnel. Et s'il faudra attendre la seconde moitié des années 1970 pour lire chez Foucault une mise au point explicite de son rapport à Marx et au(x) marxisme(s)[2], de fait, dès le début de la décennie, le GIP – Foucault y insiste souvent – ne veut corres-

---

1. M. Foucault, « Table ronde » (entretien avec J.-M. Domenach, J. Donzelot, J. Julliard, Ph. Meyer, R. Pucheu, P. Thibaud, J.-R. Tréanton et P. Virilio), *Esprit*, n° 413 : *Normalisation et contrôle social (Pourquoi le travail social ?)*, avril-mai 1972, repris in M. Foucault, *Dits et Écrits, op. cit.*, vol. II, texte n° 107, p. 333.

2. Voir à cet effet la longue interview de Foucault que nous avons déjà citée, réalisée par D. Trombadori en 1978, in M. Foucault, *Dits et Écrits, op. cit.*, vol. III, texte n° 281. Foucault y déclare, par exemple, à propos de Mai 68 : « Qu'est-ce qui était partout en question ? La manière dont s'exerçait le pouvoir, pas seulement le pouvoir d'État, mais celui qui s'exerce par d'autres institutions ou formes de contraintes, une sorte d'oppression dans la vie quotidienne. Ce que l'on supportait mal, qui était sans cesse remis en question et qui produisait ce type de malaise, et dont on n'avait pas parlé depuis douze ans, c'était le pouvoir. Et non seulement le pouvoir d'État, mais celui qui s'exerçait au sein du corps social, à travers des canaux, des formes et des institutions extrêmement différents. On n'acceptait plus d'être gouverné au sens large de gouvernement. Je ne parle pas de gouvernement de l'État au sens que le terme a en droit public, mais à ces hommes qui orientent notre vie quotidienne au moyen d'ordres, d'influences directes ou indirectes comme, par exemple, celle des

pondre à aucun groupe politique préconstitué ni se reconnaître en aucune « doctrine[1] », si ce n'est la prise en compte de l'urgence réelle de la souffrance des détenus : une urgence, donc, qui est avant tout celle de l'indignation.

La parole des détenus

Mais il y a également un second « déplacement » d'importance à signaler, celui qui pousse Foucault à renverser sa propre lecture de l'enfermement. Le GIP fonctionne en effet dans deux directions complémentaires. La première consiste à construire un espace où les détenus puissent redevenir les sujets de leur propre

---

médias. En écrivant l'*Histoire de la folie*, en travaillant sur *Naissance de la clinique*, je pensais faire une histoire généalogique du savoir. Mais le vrai fil conducteur se trouvait dans ce problème du pouvoir. » Les analyses de Foucault sont en réalité très proches de celles de Michel de Certeau, au lendemain de 1968 : voir à cet égard M. de Certeau, *La Prise de parole et autres écrits politiques*, édition établie par Luce Giard, Paris, Seuil, 1994.

1. Cf. par exemple M. Foucault, « Luttes autour des prisons » (entretien avec F. Colcombet, A. Lazarus et L. Appert [pseudonyme de M. Foucault]), *Esprit*, n° 11 : *Toujours les prisons*, novembre 1979, pp. 102-111, repris in M. Foucault, *Dits et Écrits*, *op. cit.*, vol. III, texte n° 806 : « La possibilité de lier le travail pratique et le travail théorique tout autrement que dans un groupe politique où on a une doctrine qui lie et une pratique qui contraint. Là, les savoirs, les analyses, les pratiques de sociologues, un peu de savoir historique, un rien de philo, quelques idées anar, des lectures, tout ça a joué : ça circulait, ça formait une sorte de placenta autour » (p. 811).

histoire, où la parole leur soit restituée, où l'objectivation forcée entraînée par la machine carcérale – avec son cortège d'identifications réelles et symboliques – soit finalement suspendue. On a souvent retenu de la pensée foucaldienne des années 1970 une image qui est légèrement postérieure à l'expérience du GIP, puisqu'elle appartient aux analyses de *Surveiller et punir* : celle du panoptique benthamien. Mais ce qu'il faut bien comprendre, c'est qu'au-delà de sa fonction d'organisateur spatial, au-delà de la représentation architecturale immédiate d'une nouvelle tâche – la surveillance – dont *Surveiller et punir* nous raconte précisément qu'elle prend avec le XIXe siècle la place des vieux procédés punitifs de l'Ancien Régime, le panoptique est également la métaphore de cette objectivation qui est au cœur des procédures disciplinaires : voir, c'est aussi « donner un nom », « expliquer », « identifier », « classer », c'est-à-dire *rendre raison*. Les détenus devant lesquels se retrouve Foucault au début des années 1970 ne sont finalement pas si différents des premiers bougres auxquels est appliqué le Code Napoléon plus d'un siècle et demi auparavant : le pouvoir qui leur est imposé tient en réalité moins à l'enfermement subi – s'il ne s'agissait que de cela, les embastillés d'avant 1789 seraient relativement comparables aux détenus de nos centrales et de nos maisons d'arrêt – qu'à la transformation de « sujets » (sujets d'existences, d'actions, de micro-événements, de drames familiaux, de crimes crapu-

leux, de menus larcins, peu importe) en objets du discours et des pratiques des autres (le tribunal, les
experts, les médecins, l'institution de la prison, les
services sociaux). Ce que découvre donc simplement
Foucault, c'est que la prison fonctionne à partir d'un
certain nombre de dispositifs qui aboutissent tous à la
dé-subjectivation contrainte des individus qui y sont
reclus. Et c'est cette dé-subjectivation qui va progressivement remplacer l'enfermement au cœur des analyses foucaldiennes[1].

---

1. En 1971, Foucault considère encore la prison comme un prolongement des analyses sur la folie : « Il y a un problème qui depuis
longtemps m'intéresse, c'est celui du système pénal […]. J'ai déjà
rencontré ce problème à propos de la folie, car la folie est également
une forme de transgression. Il était fort difficile à nos civilisations de
faire le partage entre cette déviation qu'est la folie et la transgression
que sont la faute ou le crime » (M. Foucault, « Un problème qui
m'intéresse depuis longtemps, c'est celui du système pénal » (entretien avec J. Hafsia), *La Presse de Tunisie*, 12 août 1971, p. 3, repris
in M. Foucault, *Dits et Écrits, op. cit.*, vol. II, texte n° 95, p. 206).
Pourtant, le philosophe a clairement conscience de ce que cette
« continuité » est en réalité ce qui l'empêche de comprendre réellement ce qui se joue dans les rapports de pouvoir – la dé-subjectivation – et dans la résistance qui leur est opposée – la re-subjectivation
des individus à partir d'un certain nombre d'expériences collectives :
« En raison de circonstances et d'événements particuliers, mon intérêt s'est déplacé sur le problème des prisons, et cette nouvelle préoc-
cupation s'est offerte à moi comme une véritable issue au regard de
la lassitude que j'éprouvais face à la chose littéraire. Cependant, je
retrouve là une continuité que j'aurais aimé rompre. En effet, dans
le passé, j'avais essayé d'analyser le système d'internement en vigueur
dans notre société au XVIIᵉ et au XVIIIᵉ siècle » (M. Foucault, « Je per-

La seconde direction de travail du GIP se fonde sur la reconnaissance du lien qui existe entre cette désubjectivation des individus et la production de discours objectivants qui prennent la forme de *discours de savoir sur les détenus*. Il va donc s'agir de réinventer la possibilité d'une information – à la fois communication interne entre les détenus eux-mêmes et communication vers l'extérieur – qui puisse au contraire réaffirmer un savoir commun, des pratiques coordonnées, de nouvelles modalités d'action afin de déjouer un dispositif (celui de la prison) qui transforme inexorablement les hommes en purs objets du discours des autres.

çois l'intolérable » (entretien avec G. Armleder), *Journal de Genève : Samedi littéraire* (« cahier 135 »), n° 170, 24-25 juillet 1971, repris in M. Foucault, *Dits et Écrits, op. cit.*, vol. II, texte n° 94, p. 203). L'extension du paradigme de l'enfermement, élaboré à partir de l'*Histoire de la folie*, à l'analyse du champ social et politique tout entier ne cédera que lorsque Foucault se sera rendu compte que le modèle « hospitalier » dont il parle parfois est en fait la surface d'une réalité bien plus complexe, celle d'une véritable « orthopédie sociale » indissociable de l'apparition des pouvoirs disciplinaires. Ce n'est qu'alors que le thème de l'enfermement laissera place à une analyse plus approfondie des pouvoirs sur les corps et des pouvoirs sur la vie – somato-pouvoirs et biopouvoirs –, et que la figure de l'asile considérée comme matrice originelle de toutes les coercitions sociales disparaîtra. Sur ce dernier point, voir par exemple M. Foucault, « Le monde est un grand asile », *Revista Manchete*, 16 juin 1973, repris in M. Foucault, *Dits et Écrits, op. cit.*, vol. II, texte n° 126, pp. 433-434 : l'argumentation y est encore très éloignée des analyses de *Surveiller et punir*, publiées deux ans plus tard.

Ce n'est qu'à partir de ce double présupposé que l'on peut comprendre le soin apporté par Foucault à la définition de la nature de l'entreprise du GIP. Ce qui importe avant tout, c'est d'élucider un puissant malentendu : la collaboration d'intellectuels au groupe n'est pas légitimée par l'idée d'une « pratique de terrain » qui viendrait enrichir, compléter ou cautionner une théorisation de type abstrait qui lui serait antérieure. En somme, rien ne vient rappeler la vieille dichotomie théorie/pratique. Car le travail du GIP n'est pas sociologique : s'il en était ainsi, il s'agirait encore une fois de produire de la connaissance (plus encore : de la connaissance spécialisée sous la forme d'un discours d'expertise) là où c'est précisément cette connaissance des experts qui fonctionne comme discours à la fois objectivant et désubjectivant. Or les détenus n'ont pas besoin qu'on leur dise qui ils sont, mais bien au contraire qu'on les laisse être les sujets de leurs propres expériences et de leur propre parole. Comme l'affirme donc clairement Foucault au début de l'aventure du GIP : « Le Groupe d'information sur les prisons vient de lancer sa première enquête. Ce n'est pas une enquête de sociologues. Il s'agit de laisser la parole à ceux qui ont une expérience de la prison. Non pas qu'ils aient besoin qu'on les aide à "prendre conscience" : la conscience de l'oppression est là, parfaitement claire, sachant bien qui est l'ennemi. Mais le système actuel lui refuse les moyens de se formuler, de s'organiser [...]. Notre enquête n'est pas faite pour accumuler des connaissances, mais pour accroître notre intolérance et en faire une intolérance active [...]. Comme premier acte de cette "enquête-intolérance", un questionnaire est distribué régulièrement aux portes de certaines prisons et à tous ceux qui peuvent savoir ou qui veulent agir[1]. »

Foucault, ni « intellectuel engagé », ni théoricien des avant-gardes

Deux remarques sur ce point. La première pour souligner combien la position de Foucault est éloignée d'une conception qui voudrait faire des avant-gardes l'instrument d'une prise de conscience des masses exploitées, ou bien encore – mais est-ce bien différent ? – qui chercherait à considérer l'intellectuel organique comme le porteur d'une bonne parole révolutionnaire. On a déjà vu à quel point la position philosophique de Foucault était différente de celle de Sartre ; ici, le différend est redoublé par une profonde divergence quant à la fonction politique de l'intellectuel ; et, bien que l'un comme l'autre aient travaillé de concert (et parfois ensemble) au GIP, il est impossible de ne pas voir à quel point

---

1. M. Foucault, « Sur les prisons », *J'accuse*, n° 3, 15 mars 1971, repris in M. Foucault, *Dits et Écrits*, *op. cit.*, vol. II, texte n° 87, pp. 175-176.

Foucault se refuse à assumer une quelconque position de « surplomb[1] ».

---

1. Ce thème est au centre de nombreuses interventions de Foucault à partir du début des années 1970. Voir le texte de l'entretien entre Foucault et Deleuze, « Les intellectuels et le pouvoir », *op. cit.* Foucault y affirme par exemple : « [...] ce que les intellectuels ont découvert depuis la poussée récente, c'est que les masses n'ont pas besoin d'eux pour savoir ; elles savent parfaitement, clairement, beaucoup mieux qu'eux ; et elles le disent fort bien. Mais il existe un système de pouvoir qui barre, interdit, invalide ce discours et ce savoir. [...] Eux-mêmes, intellectuels, font partie de ce système. Le rôle de l'intellectuel n'est plus de se placer "un peu en avant ou un peu à côté" pour dire la vérité muette de tous ; c'est plutôt de lutter contre les formes de pouvoir là où il en est à la fois l'objet et l'instrument : dans l'ordre du "savoir", de la "vérité", de la "conscience", du "discours" » (p. 308). Voir également une version plus caricaturale du thème dans une intervention de 1973 : « L'intellectuel sert à rassembler les idées, mais son savoir reste partiel par rapport au savoir ouvrier », *Libération*, n° 16, 26 mai 1973, repris in M. Foucault, *Dits et Écrits, op. cit.*, vol. II, texte n° 123. Voir enfin, à la fin de sa vie, « L'intellectuel et les pouvoirs », *La Revue nouvelle*, 40ᵉ année, t. LXXX, n° 10 : *Juger... de quel droit ?*, octobre 1984, repris in M. Foucault, *Dits et Écrits, op. cit.*, vol. IV, texte n° 359 : Foucault, débarrassé de toute une rhétorique probablement acquise par son engagement auprès de groupes maos, y affirme encore une fois que l'intervention de l'intellectuel comme donneur de leçons ou donneur d'avis quant à des choix politiques, « ce rôle-là, je l'avoue que je n'y adhère pas [...] je crois que l'intellectuel peut apporter s'il le veut, à la perception et à la critique de ces choses, des éléments importants, dont se déduit ensuite tout naturellement, si les gens le veulent, un certain choix politique ». Sur la rupture de Foucault avec la conception de l'engagement incarnée par Sartre, je me permets par ailleurs de renvoyer à mon « Foucault/Sartre : on change d'intellectuel », in Ph. Artières et M. Zancarini-Fournel (éd.), *68. Une histoire collective, op. cit.*

La seconde remarque pour souligner le statut de cette « enquête-intolérance » qui concerne pour la première fois chez Foucault aussi bien les pratiques (« s'organiser ») que les mots (« se formuler ») et marque le dépassement définitif de l'opposition entre le champ discursif et le champ non discursif. Dans une présentation (non signée) qu'il écrit en 1971 pour la première brochure réalisée pour le GIP[1], Foucault précise davantage encore le fonctionnement et les buts de ce nouveau type d'enquête. Outre la réaffirmation de la méfiance envers tout ce qui pourrait bien se présenter comme une expertise, fût-elle bienveillante et sincère (« Ces enquêtes sont faites non pas de l'extérieur par un groupe de techniciens : les enquêteurs, ici, sont les enquêtés eux-mêmes[2] »), pour Foucault, il est en effet nécessaire de prendre nettement ses distances avec tout ce qui pourrait être interprété comme une visée réformiste, c'est-à-dire comme un aménagement des conditions dans lesquelles s'exercent les rapports de pouvoir en milieu pénitentiaire. Le premier paradoxe de l'enquête-intolérance, c'est qu'elle ne cherche pas à rendre le pouvoir meilleur qu'il ne l'est, mais à en rendre visibles les dis-

---

1. M. Foucault, « Préface » à *Enquête dans vingt prisons*, Paris, Champ libre, coll. « Intolérable », n° 1, 28 mai 1971, repris in M. Foucault, *Dits et Écrits, op. cit.*, vol. II, texte n° 91. Voir également *Le Groupe d'information sur les prisons. Archives d'une lutte (1970-1972), op. cit.*, pp. 52-68.
2. *Ibid.*, p. 196.

positifs cachés tout en construisant des pratiques de résistance. Ou plus exactement : qu'elle cherche à dire la vérité des rapports de pouvoir, ce qui constitue déjà en soi un geste résistant. « Ces enquêtes ne sont pas destinées à améliorer, à adoucir, à rendre plus supportable un pouvoir oppressif. Elles sont destinées à l'attaquer là où il s'exerce sous un autre nom – celui de la justice, de la technique, du savoir, de l'objectivité. Chacune doit donc être un acte politique[1] », précise par conséquent Foucault. C'est dire à quel point l'enjeu devient la création d'un espace politique inédit qui ne soit pas plus assimilable au discours classique du marxisme français (c'est-à-dire à une analyse dialectique du conflit de classe qui est alors encore

---

1. *Ibid.*, p. 195. Il est frappant de voir la proximité de ce type d'analyse avec ce qu'en Italie on appelle au même moment les « auto-enquêtes » (*autoinchieste*). Depuis le début des années 1960, le groupe de la revue *Quaderni Rossi* dirigé par R. Panzieri, R. Alquati, M. Tronti et A. Negri a en effet théorisé la pratique de l'enquête comme geste politique de réappropriation subjective des savoirs. Comme le montre bien la récente publication des archives du GIP à laquelle nous avons déjà fait référence, il est probable que Foucault a eu accès à ces textes : le GIP est dès sa naissance directement lié au groupe italien Soccorso Rosso, lui-même fondé par des militants du groupe d'extrême gauche italien Lotta Continua (cf. *Le Groupe d'information sur les prisons. Archives d'une lutte (1970-1972), op. cit.*, pp. 91-104). La pratique politique de l'enquête deviendra dans les années 1970 l'un des fondements les plus importants de la contestation sociale et politique transalpine, en particulier au sein du courant *operaista* (ouvriériste) lié au groupe Potere Operaio (Pouvoir ouvrier).

hégémonique – à quelques exceptions près –, en particulier sous l'influence directe du Parti communiste) qu'à celui d'un réformisme qui chercherait à imaginer une « prison idéale », ou une « prison à visage humain » sur le modèle des démocraties du nord de l'Europe.

Il est alors extrêmement intéressant de se demander tout à la fois pourquoi l'expérience du GIP a probablement été en grande partie mal comprise, c'est-à-dire interprétée à partir de modalités qui n'étaient précisément pas les siennes ; et pourquoi, au bout de trois années de fonctionnement original, le groupe a malgré tout fini par se dissoudre de lui-même.

Si l'on se penche sur les questionnaires distribués par le GIP et sur la nature des revendications exposées dans un premier temps par les détenus et leurs familles, on ne peut qu'être surpris par la limitation apparente de leur portée : température de l'eau des douches, composition des repas[1], droit de posséder des transistors, de pratiquer des sports, d'acheter davantage de tabac, de boire de la bière, de se promener deux heures par jour au lieu d'une heure, etc. Bien avant que le discours n'aborde des problèmes plus graves – les suicides en prison, à partir de 1972, ou les révoltes de détenus et les procès auxquels elles donneront lieu –, l'enquête fait par conséquent émer-

---

1. Cf. *Le Groupe d'information sur les prisons…*, *op. cit.*, p. 153. Voir plus généralement tout le chapitre IV, « Le temps des révoltes », pp. 133-213.

ger des demandes qui ressemblent de prime abord à une simple exigence d'amélioration matérielle des conditions de vie et qui, de fait, sont considérées comme telles[1]. Pourtant, rien n'est en réalité plus éloigné d'un souci ponctuel d'amélioration que ce type de requête : en effet, ce qui semble se jouer à la faveur des revendications est bien davantage la possibilité d'un véritable discours politique tenu par les détenus eux-mêmes en tant que sujets d'une force collective inédite que l'obtention ponctuelle de telle ou telle concession de droit.

Dans un texte inédit sur la révolte de Toul[2] et sa signification, rédigé probablement à la fin de décembre 1971 ou au début de janvier 1972 pour la conférence de presse conjointe du GIP et du CVT (Comité Vérité Toul), le 5 janvier 1972, Foucault écrit : « C'est qu'ils [les détenus] ne voulaient point, ce jour-

---

1. Cf. par exemple M. Foucault, « À propos de l'enfermement pénitentiaire » (entretien avec A. Krywin et F. Ringelheim), *Pro Justitia. Revue politique de droit*, t. I, n° 3-4 : *La Prison*, octobre 1973, repris in M. Foucault, *Dits et Écrits*, *op. cit.*, vol. II, texte n° 127.

2. Première mutinerie d'une série de révoltes violentes qui ont pour cause l'état général des prisons françaises : le 5 décembre 1971, à la centrale Ney de Toul, un sit-in sans résultats se transforme en occupation des ateliers, puis en véritable révolte qui est brutalement réprimée. Le lendemain, certains membres de l'ex-Gauche prolétarienne, dont Robert Linhart, créent le Comité Vérité Toul pour rendre compte de ce qui s'est passé, et en particulier d'un certain nombre de violences commises dans l'établissement par le personnel à l'encontre des détenus.

là, sortir de la prison, mais de leur statut de prisonniers humiliés. [...] Or il y a là quelque chose qui effraie, et qu'on a voulu masquer. Les journaux ont fait valoir la vétusté des locaux, l'absence de crédits, la sottise du règlement, l'arbitraire des directeurs ; comme si les événements de Toul n'étaient que le résultat final d'une vieille usure ou d'une trop longue négligence, en tout cas l'aboutissement fatal d'un processus commencé depuis longtemps. En fait, ce qui s'est passé à Toul est le début d'un processus nouveau : le premier temps d'une lutte politique menée contre le système pénal tout entier par la couche sociale qui en est la première victime[1]. » « Processus nouveau », insiste Foucault : un processus qui est avant tout celui d'une re-subjectivation qui passe par des stratégies et par des pratiques collectives dont la forme n'est pas immédiatement lisible, puisqu'elles sont nouvelles, à moins de nier leur valeur de rupture et de les réinsérer dans un continuum dont elles ne seraient qu'une variante actualisée.

Or la réduction de la nouveauté des luttes de détenus est paradoxalement pratiquée de deux manières totalement opposées. Du côté du pouvoir, on y voit au mieux le résultat d'une lente accumulation d'injustices et de dysfonctionnements que seule une intervention réformiste est susceptible de résoudre ; du

---

1. M. Foucault, « Pour échapper à leurs prisons... », in *Le Groupe d'information sur les prisons...*, *op. cit.*, pp. 151-155.

côté du CVT, on voit au contraire dans les mutineries l'ouverture d'un nouveau front révolutionnaire au sein d'un processus plus général qui est celui de la lutte des classes. Dans un cas comme dans l'autre, les luttes dans les prisons sont considérées soit comme le simple effet d'une cause antérieure, c'est-à-dire comme déterminées par une situation précédente, soit comme un épisode dont seule une perspective historique plus large peut rendre compte. Mais la position du GIP – et singulièrement celle de Foucault – n'est assimilable ni à la première explication, ni à la seconde. De fait, le différend entre le CVT et le GIP ne cessera de se creuser inexorablement. La position du GIP consiste en effet à mettre en évidence la nouveauté de ce qui est en train de se produire, c'est-à-dire une véritable discontinuité dont aucune interprétation réductive ne peut gommer l'innovation : une réponse au pouvoir qui, loin de se satisfaire de l'émergence d'un contre-pouvoir, passe à travers la manière dont des hommes décident de se produire eux-mêmes comme sujets.

Se produire soi-même comme sujet : avant de voir à quel point le thème anticipe les dernières recherches de Foucault sur la production de subjectivité – ce que le philosophe appellera à partir du début des années 1980 une « esthétique de l'existence » ou encore un « rapport éthique à soi » –, il importe de souligner que se joue là un passage difficile qui amène Foucault à la problématisation explicite de la dimension collective du politique. Dans un premier temps, et sans doute parce que la décennie précédente avait cristallisé les analyses foucaldiennes sur des « cas » de résistance dont le caractère individuel représentait encore une fois la principale limite, Foucault semble poser une sorte d'équivalence de fait entre l'action collective et l'action politique qui est généralement très peu explicitée : « [...] les détenus ont pris conscience que les moyens de lutte individuels ou semi-individuels – une évasion à deux, à trois, ou plus – n'étaient pas le bon moyen *et que si le mouvement des détenus voulait parvenir à une dimension politique, il devait, premièrement, être un mouvement réellement collectif* qui comprendrait une prison tout entière et, deuxièmement, en appeler à l'opinion publique qui, les détenus le savaient, commençait à s'intéresser au problème[1]. » Si ce n'est que cette action collective passe malgré tout nécessairement par un moment de re-subjectivation des individus ; et que si elle ne peut se satisfaire des formes politiques traditionnelles dans lesquelles elle s'incarnait jusqu'à présent (le prolétariat, le parti, le syndicat, etc.), il n'en reste pas moins que ses modalités d'agrégation et de fonctionnement demandent à

---

1. M. Foucault, « Gefängnisse und Gefängnisrevolten » (entretien avec B. Morawe), *Dokumente : Zeitschrift für übernationale Zusammenarbeit*, 29ᵉ année, n° 2, juin 1973, pp. 133-137 ; trad. fr. « Prisons et révoltes dans les prisons », in M. Foucault, *Dits et Écrits, op. cit.*, vol. II, texte n° 125, pp. 425-432. La citation se trouve à la p. 427 ; c'est moi qui souligne.

être pensées avec d'autant plus d'urgence. Une simple définition « en négatif » ne peut évidemment suffire.

C'est à cette question que Foucault va s'attacher à répondre dans les années à venir. Mais, à son habitude, il ne peut paradoxalement le faire qu'à partir d'un travail qui replonge dans une dimension généalogique, c'est-à-dire qui réintègre l'histoire. Les problèmes ouverts sont en effet les suivants : comment comprendre le mécanisme de re-subjectivation individuelle ? comment comprendre que cette re-subjectivation individuelle donne lieu à une nouvelle forme collective de sujet politique ? comment comprendre que, au sein même des rapports de pouvoir, un certain type de stratégie de résistance réussisse à déjouer les dispositifs de surveillance et de contrôle auxquels les individus sont soumis ? Ce n'est qu'à partir d'un travail sur la manière dont se sont historiquement mis en place les mécanismes de la « surveillance » moderne qu'il sera possible de saisir la manière de la déjouer. En somme, les analyses de *Surveiller et punir* représentent le retour à un travail archéologique sur les formes modernes de la pénalité qui est paradoxalement exigé par un questionnement actuel sur la possibilité de nouvelles formes de résistance politique. Encore une fois, la méthode archéologique est désormais totalement réinvestie à l'intérieur d'une perspective généalogique.

Ce retour à l'histoire part donc des interrogations que nous avons signalées. Ajoutons-leur pour finir un autre problème qui sera essentiel pour le développement des analyses de Foucault : la très grande ambiguïté de la figure de ce qu'on appelle de manière générique les « travailleurs sociaux ». En 1972 et en 1979, Foucault participe à deux tables rondes organisées par la revue *Esprit*[1] qui sont de ce point de vue extrêmement intéressantes, à la fois parce qu'elles encadrent chronologiquement la décennie et parce qu'elles représentent une sorte de résumé des positions de départ (pour la première) et de bilan de l'expérience (pour la seconde) qui donnent parfaitement à voir en quoi l'expérience du présent (le GIP) a rendu nécessaire le recours à une enquête historique plus large qui en a, du même coup, déplacé les présupposés et reformulé les analyses. Lors de la première table ronde, en 1972, les interventions de Foucault tournent autour des points centraux qui caractérisent l'expérience du GIP et que nous avons déjà rappelés. Mais elles insistent énormément sur la limite du « travail social » et sur la manière dont celui-ci peut être assujetti – consciemment ou non – à des fonctions de

---

1. M. Foucault, « Table ronde » (entretien avec J.-M. Domenach, J. Donzelot, J. Julliard, P. Meyer, R. Pucheu, P. Thibaud, J.-R. Tréanton et P. Virilio), *Esprit*, n° 413 : *Normalisation et contrôle social (Pourquoi le travail social ?)*, avril-mai 1972, pp. 678-703, repris in M. Foucault, *Dits et Écrits, op. cit.*, vol. II, texte n° 107 ; M. Foucault, « Luttes autour des prisons » (entretien avec F. Colcombet, A. Lazarus et L. Appert [pseudonyme de M. Foucault]), *Esprit*, n° 11 : *Toujours les prisons*, novembre 1979, pp. 102-111, repris in M. Foucault, *Dits et Écrits, op. cit.*, vol. III, texte n° 806.

contrôle : « Le travail social s'inscrit à l'intérieur d'une grande fonction qui n'a pas cessé de prendre des dimensions nouvelles depuis des siècles, qui est la fonction de surveillance-correction. Surveiller les individus et les corriger, dans les deux sens du terme, c'est-à-dire les punir et les pédagogiser[1]. » Dans la seconde table ronde viennent s'adjoindre aux travailleurs sociaux toutes les figures qui incarnent en quelque sorte une certaine philanthropie sociale : « C'est vrai que la prison comme lieu traditionnel de la bienveillance philanthropique était l'endroit rêvé où un gouvernement qui se voulait libéral, moderniste, pouvait donner quelques gages […][2]. »

Ce que dit Foucault à la faveur de ces citations, c'est donc à la fois que les rapports de pouvoir ne passent pas exclusivement par des dispositifs institutionnels ou étatiques ; et que, face à une certaine contestation, le pouvoir se déplace, se reformule, s'étend et se modifie jusqu'à intégrer les sources de conflictualité, à les absorber et à en désamorcer la charge. Omniprésence du pouvoir y compris dans des sphères qui ne sont pas traditionnellement identifiées comme politiques, caractère dynamique des dispositifs de pouvoir : voilà les deux idées autour desquelles va pouvoir se construire l'analyse de *Surveiller et punir*.

---

1. M. Foucault, « Table ronde », *op. cit.*, p. 331.
2. M. Foucault, « Luttes autour des prisons », *op. cit.*

Mais cet axe double pose à son tour un certain nombre de questions : quel est ce type d'exercice de pouvoir qui ne se satisfait plus seulement de la gestion de l'espace public, mais qui investit au contraire la vie des individus, leur existence et leurs relations, et qui, loin de vouloir simplement les sanctionner en cas de déviance ou de faute, prétend les réformer, les modifier et les corriger ? Et encore : si le pouvoir n'est pas immobile et statique, mais au contraire dynamique et réactif, à quel type de logique d'expansion cette « réactivité » obéit-elle ? Si le réformisme est lui-même un apanage du pouvoir (Foucault cite à plusieurs reprises l'exemple de la création d'un secrétariat d'État à la Condition pénitentiaire, qui représente effectivement la réponse institutionnelle aux luttes dans les prisons), que reste-t-il du côté de la résistance ?

Bilan d'une expérience

En somme, l'épisode du GIP constitue à tous les égards un tournant essentiel dans le parcours de Foucault. Essayons d'en résumer une dernière fois à grands traits les ouvertures et les problèmes.

Premièrement : il n'est pas vrai que le passage à la pratique politique directe et le décentrement des analyses autour du problème des rapports de pouvoir représentent pour Foucault un abandon radical des thématiques développées dans les années 1960, mais il n'est pas vrai non plus qu'ils n'en sont que le simple prolongement linéaire. Comme en témoigne la manière dont la notion d'enfermement subit elle-même une évolution complexe, le discours foucaldien trouve dans l'expérience du GIP à la fois des modalités nouvelles et une occasion de retour sur soi qui obligent en particulier à relire les différents éléments de l'« isomorphisme » de la modernité comme la lente structuration d'un certain nombre de dispositifs de pouvoir cohérents entre eux et possédant à leur tour leur propre histoire « interne », c'est-à-dire un certain nombre de variations et de changements profonds dont *Surveiller et punir* représentera l'histoire archéologique.

Cette archéologie des rapports de pouvoir soulève donc, en retour, deux problèmes consistants. Tout d'abord, il y a le problème des liens entre ce qui avait été posé dans un premier temps comme une cohérence épistémique entre les différents discours de savoir à partir du XVIIᵉ siècle et ce qui se présente maintenant comme un ensemble de discours, mais aussi d'institutions, de pratiques et de stratégies qui non seulement semblent déborder le cadre de la simple analyse discursive, mais débordent également des lieux traditionnels de l'analyse du politique dans la mesure où ils investissent la vie des sujets dans son entier. Mais il y a aussi le problème des liens qui existent précisément entre l'application de ces rapports de pouvoir considérés essentiellement comme mécanismes d'objectivation et de dé-singularisation des individus, d'une part, et la possibilité d'une re-subjectivation qui apparaît toujours plus comme le nerf d'une réponse résistante au pouvoir, d'autre part. Or, que peut donc signifier résister dans un contexte qui – Foucault ne cesse de le réaffirmer – exclut toute possibilité de dehors ? Et que peut donc signifier se réapproprier une dimension subjective de l'intérieur même des rapports de pouvoir ?

Deuxièmement : en admettant que cette re-subjectivation soit effectivement la pierre d'achoppement d'une éventuelle résistance aux rapports de pouvoir, comment articuler la dimension individuelle de la résistance à des formes collectives qui ne veulent pas revenir aux modalités traditionnelles qui ont été les leurs ? Comment réinventer une dimension collective qui soit à la hauteur de cette analyse nouvelle des rapports de pouvoir ? Et que dire du pouvoir lui-même, une fois défait de l'association réductrice avec l'appareil d'État ; plus encore, une fois celui-ci étendu à la sphère de la vie dans son entier, indépendamment de la division traditionnelle entre sphère publique et sphère privée ?

Troisièmement : si le pouvoir est susceptible de se transformer et de se reproposer sous d'autres modalités pour mieux désamorcer les foyers de résistance, les prévenir et les absorber, comment faire en sorte que les tentatives de libération des rapports de pouvoir ne soient pas à leur tour prises dans un jeu sans fin où la *réaction au pouvoir* ne serait rien d'autre que l'occasion d'une *réaction du pouvoir* ? Et si ce qui fascine essentiellement Foucault dans l'expérience du GIP est l'apparente nouveauté des pratiques de lutte qui semblent s'y dessiner, quelles sont les conditions de cette invention ? N'y a-t-il pas un certain paradoxe à décréter en même temps l'impossibilité d'un « dehors du pouvoir » et la possibilité de l'invention de formes d'action politique totalement inédites ?

Enfin, quatrièmement : non seulement l'expérience du GIP a exigé que l'on repense radicalement le rapport entre la théorie et la pratique, la fonction des intellectuels dans un contexte d'opposition au pouvoir et le rôle des savoirs et de la prise de parole directe des sujets, mais elle a également mis en lumière la fragilité politique des tentatives réformistes. De ce point de vue, et sans qu'il s'agisse de nier l'importance des « victoires » ponctuelles obtenues par les détenus – c'est-à-dire un certain nombre d'améliorations concrètes de leur vie matérielle –, les analyses foucaldiennes ont insisté sur l'insuffisance de ce type d'objectif, et sur le fait que la force des luttes inaugurées par le GIP tient davantage aux modalités de l'action politique mise en œuvre qu'au contenu spécifique de ses revendications. Et, dans la mesure où c'est à partir de la réabsorption des revendications matérielles immédiates que le pouvoir peut se mouvoir avec le plus de facilité et d'aisance, il devient par là même également nécessaire de souligner le caractère ambigu de certaines fonctions de « médiation » et d'accompagnement, comme celles des travailleurs sociaux. En effet, non seulement c'est à travers les travailleurs sociaux que les rapports de pouvoir peuvent à la fois prendre le pouls de la situation et affiner leur réponse – que celle-ci soit simplement répressive, comme après l'affaire de Toul, ou qu'elle soit au contraire « compréhensive », comme dans le cas de la création d'un secrétariat aux Affaires pénitentiaires –, mais, surtout, ne considérer que l'*utilité* immédiate de la fonction du travailleur social, c'est pour Foucault revenir à un jeu d'opposition simpliste entre l'État et la société dans lequel la société représenterait de fait *l'autre de l'État.* Or l'opposition entre l'État et la société n'est-elle pas encore une fois l'une des modalités d'application subreptice du pouvoir à la vie ? L'apparente réduction du pouvoir à l'État et, par conséquent, le repérage d'une extériorité (la vie « privée » des hommes, certes, mais plus généralement la « société » comme espace intersubjectif) censée incarner un espace libéré de toute constriction publique ne représentent-ils pas au contraire la tentative de masquer à quel point les rapports de pouvoir concernent la vie tout entière ? Et la lente expansion du pouvoir à la totalité de l'existence ne mérite-t-elle pas à son tour qu'on en fasse l'archéologie ?

Quand *Surveiller et punir* sort, en 1975, le livre est en apparence bien moins accompagné de polémiques que ne l'ont été en leur temps l'*Histoire de la folie,*

Les Mots et les Choses ou *L'Archéologie du savoir*. Rapidement, le débat suscité par l'ouvrage semble se cristalliser autour d'un certain nombre de points saillants : l'image fascinante du panoptique – pourtant trop souvent réduite à un double métaphorique du thème de l'enfermement –, la définition d'un paradigme disciplinaire qui implique un autre traitement du corps que celui de la simple punition, et enfin, comme dans presque tous les livres de Foucault, une « clôture » allusive et énigmatique qui fonctionne comme « relance » de l'analyse archéologique et réaffirme qu'il n'y a de bonne archéologie qu'au service d'une généalogie. C'est alors le fameux « grondement sourd de la bataille[1] », qu'il faut entendre sous la superficie lisse des disciplines, et à qui il revient en quelque sorte de rappeler au lecteur à quel point l'histoire peut peut-être, à distance, parler du présent et poser le problème de notre actualité.

Nous aimerions maintenant essayer d'envisager la position de Foucault sous trois angles : la redéfinition de ce que peut être une analytique du pouvoir ; la construction d'un double paradigme discipline/contrôle et discipline/biopouvoir (paradigmes qui,

---

1. M. Foucault, *Surveiller et punir*, Paris, Gallimard, 1975, p. 315 : « Dans cette humanité centrale et centralisée, effet et instrument de relations de pouvoir complexes, corps et forces assujettis par des dispositifs d'"incarcération" multiples, objets pour des discours qui sont eux-mêmes des éléments de cette stratégie, il faut entendre le grondement sourd de la bataille. »

s'ils sont évidemment liés, ne se correspondent pas exactement et dont les contours conceptuels et la périodisation ne sont pas sans poser problème) ; enfin, la manière dont s'articuleront par la suite à ces grilles conceptuelles un certain nombre de notions annexes comme celles de *population*, de *norme* ou de *biopolitique*.

VI

Une nouvelle analytique du pouvoir

On se souvient sans doute de l'effroyable supplice de Damiens, dont la chronique minutieuse ouvre *Surveiller et punir* : toute l'analyse de Foucault tend en réalité à montrer quand et comment la nature des rapports de pouvoir, leur application, le statut des corps qu'ils engagent, l'apparition d'un paradigme disciplinaire qui surveille au lieu de punir, redresse au lieu de donner en exemple, corrige au lieu de marquer, et au sein duquel le rôle et le fonctionnement de la prison seront complètement redéfinis, s'éloignent radicalement du fonctionnement de la justice tel qu'il était défini avant que celle-ci ait acquis une dimension pénale, c'est-à-dire avant la fin du XVIIe siècle. De ce point de vue, les disciplines instaurent une ultérieure rupture épistémique dans la périodisation qui avait été d'abord celle de l'*Histoire de la folie*, puis celle des *Mots et les Choses*. Ce n'est plus du milieu du XVIIe siècle qu'il s'agit de parler – l'âge classique –, ni même du XVIIIe siècle – la naissance des sciences de l'homme et de la nature –, mais de la manière dont l'un et l'autre, le discours de la raison et le discours sur l'homme, ont permis de produire un troisième discours, qui est celui de ce que Foucault appellera l'« orthopédie sociale » des disciplines.

Discipline, contrôle, norme

Les « disciplines » sont avant tout inséparables d'un nouvel investissement politique des corps : « Il y a eu, au cours de l'âge classique, toute une découverte du corps comme objet et cible du pouvoir[1] » ; c'est dans cette mesure qu'il s'agit avant tout de chercher à comprendre comment on a pu passer d'une conception du pouvoir où l'on traitait le corps comme une surface d'inscription des supplices et des peines à une autre qui visait au contraire à former, à corriger et à réformer le corps. Jusqu'à la fin du XVIIIe siècle, le contrôle social du corps passe par le châtiment et par l'enfermement : « Avec les princes, le supplice légitimait le pouvoir absolu, son "atrocité" se déployait sur les corps parce que le corps était l'unique richesse accessible[2]. » En revanche, dans les instances de

---

1. *Ibid.*, p. 138.
2. M. Foucault, « Il carcere visto da un filosofo francese » (« La prison vue par un philosophe français ») (entretien avec F. Scianna), *L'Europeo*, n° 1515, avril 1975 ; trad. fr. in M. Foucault, *Dits et Écrits*, *op. cit.*, vol. II, texte n° 153, p. 727.

contrôle qui apparaissent dès le début du XIXe siècle, il s'agit davantage de gérer la rationalisation et la rentabilisation du travail industriel par la surveillance du corps de la force de travail : « Pour qu'un certain libéralisme bourgeois ait été possible au niveau des institutions, il a fallu, au niveau de ce que j'appelle les micro-pouvoirs, un investissement beaucoup plus serré des individus, il a fallu organiser le quadrillage des corps et des comportements. La discipline, c'est l'envers de la démocratie[1]. »

Les corps doivent donc être corrigés et surveillés parce qu'ils sont brusquement devenus utiles, parce qu'ils sont entrés de plain-pied dans le processus de production de la richesse. « Ce qu'a mis en jeu le grand renouvellement de l'époque, c'est un problème de corps et de matérialité, c'est une question de physique : nouvelle forme prise par l'appareil de production, nouveau type de contact entre cet appareil et celui qui le fait fonctionner ; nouvelles exigences imposées aux individus comme forces productives [...], c'est un chapitre de l'histoire des corps[2] », insiste alors Foucault. Sur cette base, il va par conséquent

---

1. M. Foucault, « Sur la sellette » (entretien avec J.-L. Ezine), *Les Nouvelles littéraires*, n° 2477, mars 1975, repris in M. Foucault, *Dits et Écrits, op. cit.*, vol. II, texte n° 152, p. 722.
2. M. Foucault, « La société punitive », in *Annuaire du Collège de France, 73e année, Histoire des systèmes de pensée, 1972-73*, 1973, repris in M. Foucault, *Dits et Écrits, op. cit.*, vol. II, texte n° 131, p. 468.

s'agir de développer l'analyse dans deux directions. La première correspond à une véritable « physique du pouvoir » ou, comme la désignera ailleurs le philosophe, à une *anatomopolitique*, une *orthopédie sociale*, c'est-à-dire une étude des stratégies et des pratiques par lesquelles le pouvoir modèle chaque individu depuis l'école jusqu'à l'usine. La seconde correspond au contraire à une *biopolitique*, c'est-à-dire à la gestion politique de la vie : car le prolongement de la disciplinarisation des corps individuels, c'est leur gestion collective, massifiée. En effet, pourquoi se limiter à redresser et à surveiller les corps des individus si l'on peut gérer des « populations » en instituant de véritables programmes d'administration de la santé, de l'hygiène, etc. ? Pourquoi ne pas transformer l'orthopédie sociale à l'image de ce que les corps sont censés constituer désormais – une force de travail massive et indistincte –, c'est-à-dire la rendre applicable à des macro-ensembles d'individus composés *ad hoc*, tout aussi massifs et indistincts, et dont il s'agirait de contrôler l'existence dans son intégralité ? Est-ce là le prix du passage à l'industrialisation et au libéralisme ?

Avant d'essayer de répondre à ces questions – qui sont finalement assez proches de certaines formulations rencontrées lors de l'expérience du GIP : comment et pourquoi le pouvoir choisit-il d'investir la vie tout entière ? qu'entend-on exactement par « individus » ? à quelles contraintes et coercitions ces derniers sont-ils soumis afin d'être reconnus comme tels ? –, tentons de préciser davantage ce que sont les « disciplines ».

Les « disciplines » désignent chez Foucault une modalité d'application du pouvoir qui apparaît entre la fin du XVIIIᵉ et le début du XIXᵉ siècle. Le « régime disciplinaire » se caractérise par un certain nombre de techniques de coercition qui s'exercent selon un quadrillage systématique du temps, de l'espace et du mouvement des individus, et investissent particulièrement les attitudes, les gestes, les corps : « Techniques de l'individualisation du pouvoir. Comment surveiller quelqu'un, comment contrôler sa conduite, son comportement, ses aptitudes, comment intensifier sa performance, multiplier ses capacités, comment le mettre à la place où il sera plus utile[1]. » Le discours de la discipline est étranger à la loi, ou à celui de la règle juridique dérivée de la souveraineté : il implique en effet un discours sur la règle naturelle, c'est-à-dire sur la norme. Les procédés disciplinaires s'exercent donc davantage sur les processus de l'activité plutôt que sur ses résultats et « l'assujettissement constant de ses forces […] impose un rapport de docilité-utilité[2] ».

Les « disciplines » ne naissent bien entendu pas vraiment au XVIIIᵉ siècle – on les trouve depuis long-

---

1. M. Foucault, « Les mailles du pouvoir », conférence tenue à l'université de Bahia, 1976, *Bàrbarie*, n° 4 et n° 5, 1981, repris in M. Foucault, *Dits et Écrits, op. cit.*, vol. IV, texte n° 297.
2. M. Foucault, *Surveiller et punir, op. cit.*, p. 139.

temps dans les couvents, dans les armées, dans les ateliers –, mais Foucault cherche à comprendre de quelle manière elles deviennent à un certain moment des formules générales de domination. « Le moment historique des disciplines, c'est le moment où naît un art du corps humain, qui ne vise pas seulement la croissance de ses habiletés, ni non plus l'alourdissement de sa sujétion, mais la formation d'un rapport qui dans le même mécanisme le rend d'autant plus obéissant qu'il est plus utile, et inversement[1]. » Cette « anatomie politique » investit alors les collèges, les hôpitaux, les lieux de la production, et plus généralement tout espace clos permettant la gestion des individus dans l'espace, leur répartition et leur identification. Le modèle d'une gestion disciplinaire parfaite est proposé à travers la formulation benthamienne du *panopticon*, lieu d'enfermement où les principes de visibilité totale, de décomposition des masses en unités et de réordonnancement complexe de celles-ci selon une hiérarchie rigoureuse permettent de plier chaque individu à une véritable économie du pouvoir : de nombreuses institutions disciplinaires – prisons, écoles, asiles – possèdent encore aujourd'hui une architecture panoptique, c'est-à-dire un espace caractérisé d'une part par l'enfermement et la répression des individus, et de l'autre par un allégement du fonctionnement du pouvoir.

---

1. *Ibid.*

Mais les formulations foucaldiennes sont en réalité plus complexes qu'il n'y paraît, et elles utilisent au moins deux autres concepts pour décrire la même mutation : le concept de « contrôle », et celui de « biopolitique » (ou, au pluriel, celui de « biopouvoirs »). Ce redoublement lexical, qui n'est pas toujours très clair, a probablement été à l'origine de la difficulté à saisir ce qui se jouait dans la réflexion de Foucault à partir du milieu des années 1970 : il a sans nul doute brouillé les pistes et contribué largement à faire croire que le tâtonnement sémantique était le signe d'une hésitation, voire d'une impossibilité à sortir du questionnement ouvert par l'expérience du GIP. C'est ainsi que certains ont été tentés de considérer le retour à l'histoire – effectivement de plus en plus présente dans le travail de Foucault à partir de *Surveiller et punir*[1] – comme une sorte de pas en arrière par rapport à l'enquête généalogique et au souci du présent ; comme si, donc, le repli sur l'histoire était dicté par un abandon – celui de la réflexion politique – à son tour provoqué par l'incapacité à dénouer d'insolubles contradictions internes.

Pourtant, encore une fois, le passé et le présent ne représentent pas des objets contradictoires ; et l'apparent flottement de vocabulaire répond en réalité à une

---

1. C'est en particulier le cas des cours donnés au Collège de France à partir de 1976, dont la publication accompagnée d'un appareil critique nous a permis de percevoir pleinement la richesse, et qui témoignent bien du souci qu'avait Foucault des sources historiques.

nécessité de décrire avec précision un tournant dont la complexité joue simultanément à différents niveaux, et avec des périodisations légèrement décalées bien que liées entre elles.

Parallèlement au concept de « discipline », le terme de « contrôle » apparaît en effet dans le vocabulaire de Foucault de manière de plus en plus fréquente à partir de 1971-1972. Il désigne lui aussi dans un premier temps une série de mécanismes de surveillance qui voient le jour entre le XVIIIᵉ et le XIXᵉ siècle et qui ont pour fonction non pas tant de punir la déviance que de la corriger et surtout de la prévenir : « Toute la pénalité du XIXᵉ siècle devient un contrôle, non pas tant sur ce que font les individus – est-ce conforme ou non à la loi ? –, mais sur ce qu'ils peuvent faire, de ce qu'ils sont capables de faire, de ce qu'ils sont sujets à faire, de ce qu'ils sont dans l'imminence de faire[1]. » Comme nous l'avons déjà vu, cette extension du contrôle social correspond à une « nouvelle distribution spatiale et sociale de la richesse industrielle et agricole[2] » : c'est la formation de la société capitaliste, c'est-à-dire la nécessité de contrôler les flux et la répartition spatiale de la main-d'œuvre en tenant compte des impératifs de la production et du marché du travail, qui rend nécessaire une véritable *orthopédie*

---

1. M. Foucault, « La vérité et les formes juridiques », série de conférences faites à l'université de Rio de Janeiro, mai 1973, repris in M. Foucault, *Dits et Écrits*, *op. cit.*, vol. II, texte n° 139, p. 593.
2. *Ibid.*, p. 604.

sociale dont le développement de la police et la surveillance des populations sont les instruments essentiels.

Mais là où la discipline semblait ne s'intéresser
qu'aux individus, le contrôle s'intéresse précisément à
des « populations », c'est-à-dire à de nouveaux objets
auxquels s'appliquent désormais les rapports de pouvoir. Les « populations » sont en réalité des groupes
homogènes construits par le pouvoir sur la base d'un
fondement prétendument naturel qui permet d'en
définir la consistance identitaire, c'est-à-dire un certain nombre de traits naturels communs qui en
seraient la caractéristique. La double analyse en termes
d'individu/discipline et de population/contrôle, loin
d'être une incohérence de la théorisation foucaldienne, permet en effet de construire un paradigme
qui rende compte de la manière dont le pouvoir a
reproduit à l'intérieur de ses rapports ce qui représentait en réalité son but : la constitution d'une force de
travail homogène. Tout comme le concept de force
de travail est à la fois composite et unitaire, formé par
des individus et susceptible d'une quasi-réification
tant son homogénéité est puissante, avec le libéralisme économique, les rapports de pouvoir se modifient et redoublent ce qui était jusqu'à présent une
disciplinarisation des individus (un dressage des corps
en fonction d'une exigence nouvelle qui est celle de
l'utilité sociale et productive) par un contrôle général
des populations, c'est-à-dire une surveillance désindi-

vidualisée fondée sur la fixation d'une règle naturelle commune à partir de laquelle définir une déviance sociale conçue comme « pathologie » sociale. Cette règle d'un nouveau type, qui revendique son fondement naturel et s'applique de fait à un ensemble de traits naturels – ou, plus exactement, construits pour faire office de « référent naturel » –, voilà donc ce que Foucault appellera la *norme*.

La notion de « norme » est liée à la fois à la « discipline » et au « contrôle ». Pour Foucault, les disciplines sont en effet étrangères au discours juridique de la loi, de la règle entendue comme effet de la volonté souveraine. La règle disciplinaire est, au contraire, ce qui se présente comme une règle naturelle. Les disciplines, entre la fin du XVIIIe et le début du XIXe siècle, définissent en réalité « un code qui sera non pas celui de la loi, mais de la normalisation, et elles se référeront nécessairement à un horizon théorique qui ne sera pas celui du droit, mais le champ des sciences humaines, et leur jurisprudence sera celle d'un savoir clinique[1] ».

---

1. M. Foucault, « Cours du 14 janvier 1976 », in A. Fontana et P. Pasquino, *Microfisica del potere : interventi politici*, Turin, Einaudi, 1977, repris in M. Foucault, *Dits et Écrits*, *op. cit.*, vol. III, texte n° 194, p. 188.

Biopouvoirs

La norme correspond donc à l'apparition d'un bio-pouvoir, c'est-à-dire d'un pouvoir sur la vie, et des formes de gouvernementalité qui lui sont liées. Le modèle juridique de la société élaboré entre le XVIIᵉ et le XVIIIᵉ siècle cède le pas à un modèle médical au sens large, et l'on assiste à la naissance d'une véritable « médecine sociale » qui s'occupe de champs d'intervention allant bien au-delà du malade et de la maladie. La mise en place d'un appareil de médicalisation collective gérant les « populations » à travers l'institution de mécanismes d'administration médicale, de contrôle de la santé, de la démographie, de l'hygiène ou de l'alimentation, permet d'appliquer à la société tout entière une distinction permanente entre le normal et le pathologique, et d'imposer un système de normalisation des comportements et des existences, du travail et des affects. Comme l'explique clairement Foucault : « Par pensée médicale, j'entends une façon de percevoir les choses qui s'organise autour de la norme, c'est-à-dire qui essaie de partager ce qui est normal de ce qui est anormal, ce qui n'est pas tout à fait justement le licite et l'illicite ; la pensée juridique distingue le licite de l'illicite, la pensée médicale distingue le normal de l'anormal ; elle se donne, elle cherche aussi à se donner des moyens de correction qui ne sont pas exactement des moyens de punition, mais des moyens de transformation de l'individu, toute une technologie du comportement de l'être humain qui est liée à cela[1]... » Les disciplines, la normalisation à travers la médicalisation sociale, l'émergence d'une série de biopouvoirs s'appliquant à la fois aux individus dans leur existence singulière et aux populations selon le principe de l'économie et de la gestion politique, et l'apparition de technologies du comportement forment donc une configuration du pouvoir qui, selon Foucault, est encore la nôtre à la fin du XXe siècle.

Le problème du passage du système juridique de la souveraineté à celui de la normalisation disciplinaire n'est pas simple : « Le développement de la médecine, la médicalisation générale du comportement, des conduites, des discours, des désirs, tout cela se fait sur le front où viennent se rencontrer les deux nappes hétérogènes de la discipline et de la souveraineté[2]. » Au-delà des analyses historiques, principalement concentrées dans les cours au Collège de France de la fin des années 1970, le glissement du droit à la médecine est un thème dont Foucault signale à plusieurs reprises l'actualité absolue. La question semble alors ne plus être celle de l'histoire de la naissance de la médecine sociale, mais celle des modalités présentes

---

1. M. Foucault, « El poder, una bestia magnífica » (entretien avec M. Osorio), *Quadernos para el dialogo*, n° 238, novembre 1977, trad. fr. « Le pouvoir, une bête magnifique », in M. Foucault, *Dits et Écrits, op. cit.*, vol. III, texte n° 212, p. 374.
2. « Cours du 14 janvier 1976 », *op. cit.*, pp. 188-189.

de résistance à la norme : comment lutter contre la normalisation sans pour cela revenir à une conception souverainiste du pouvoir ? peut-on à la fois être anti-disciplinaire et antisouverainiste ? Avant de revenir sur la question, achevons cependant de construire le réseau conceptuel qui est celui de l'analytique du pouvoir foucaldienne.

Nous avons vu que la discipline, le contrôle, la norme et les biopouvoirs décrivent en réalité une même transformation des modalités d'application du pouvoir et de leurs impératifs. Les conséquences en sont multiples, à commencer par cet étrange investissement de la vie – une vie « naturelle », c'est-à-dire en fait la construction politique et historiquement déterminée de l'idée même de naturalité de la vie. C'est afin d'intégrer la vie des individus – puisque cela lui est désormais nécessaire – que le pouvoir passe par un contrôle social dont le relais n'est pas seulement la justice, mais toute une série d'autres pouvoirs latéraux (les institutions psychologiques, psychiatriques, criminologiques, médicales, pédago-giques ; la gestion des corps et l'institution d'une politique de la santé ; les mécanismes d'assistance, les associations philanthropiques et les patronages, etc.) qui s'articulent en deux temps : comme nous l'avons vu, il s'agit, d'une part, de constituer des *populations* dans lesquelles insérer les individus (le contrôle est essentiellement une économie du pou-voir qui gère la société en fonction de modèles normatifs globaux intégrés dans un appareil d'État centralisé) ; mais il s'agit aussi, d'autre part, de rendre le pouvoir capillaire, c'est-à-dire de mettre en place un système d'individualisation qui s'attache à modeler chaque individu et à en gérer l'existence. C'est ce double aspect du contrôle social (gouvernement des populations/gouvernement par l'individualisation) qui a été particulièrement étudié par Foucault dans le cas du fonctionnement des institutions de santé et du discours médical au XIXe siècle. Et c'est encore de cela qu'il s'agit quand Foucault commence à travailler, en 1976, sur les rapports entre la sexualité et la répression dans le premier volume de l'*Histoire de la sexualité*[1].

Or toute l'ambiguïté du terme « contrôle » tient au fait que, à partir du début des années 1980, Foucault laisse effectivement penser qu'il entend par là un mécanisme d'application du pouvoir différent de celui de la discipline. C'est en partie sur ce point que s'opérera le revirement programmatique de l'*Histoire de la sexualité*, entre la publication du premier volume (1976) et celle des deux derniers (1984)[2] : une fois ce tournant effectué, Foucault n'aura de cesse d'affirmer que le « contrôle du comportement sexuel a une forme tout autre que la

---

1. M. Foucault, *Histoire de la sexualité*, Paris, Gallimard, 1976-1984, vol. I : *La Volonté de savoir* (1976).
2. M. Foucault, *Histoire de la sexualité*, *op. cit.*, vol. II : *L'Usage des plaisirs* ; et vol. III : *Le Souci de soi* (1984).

forme disciplinaire[1] ». L'intériorisation de la norme, patente dans la gestion de la sexualité, correspondra en effet à la fois à une pénétration extrêmement fine du pouvoir dans les mailles de la vie – ce que le dispositif discipline/contrôle donnait déjà à voir – et, en retour, à une subjectivation de celle-ci. C'est ce « retour », ou plutôt ce retournement d'un pouvoir vécu comme assujettissement total de l'existence en une paradoxale condition de possibilité de ia production des subjectivités, qui marquera sans doute la dernière partie du travail de Foucault. La notion de contrôle, une fois rendue indépendante des analyses disciplinaires, conduira alors Foucault à la fois vers cette « ontologie critique de l'actualité » dont nous avons vu à quel point elle était présente dans le projet foucaldien dès le début des années 1970 avec l'assomption du concept de généalogie, et vers une analyse des modes de subjectivation qui seront au centre de son travail dans les années 1980.

Gouvernement des individus sous la forme de la discipline à travers une orthopédie sociale des corps, gouvernement des populations sous la forme du contrôle à travers une médecine du corps social : c'est donc à travers ce double registre de la gouvernementalité que se configure, à partir de *Surveiller et punir*,

---

1. M. Foucault, « Interview met Michel Foucault » (entretien avec J. François et J. de Wit, 22 mai 1981), *Krisis, Tijdschrift voor filosofie*, 14ᵉ année, mars 1984, repris in M. Foucault, *Dits et Écrits, op. cit.*, vol. IV, texte n° 349, p. 662.

l'analytique du pouvoir foucaldienne. Un exemple particulièrement clair de cet entrecroisement des deux types de gouvernementalité nous est fourni par les pages de *Surveiller et punir* que Foucault consacre à l'« art des répartitions », c'est-à-dire aux procédés de mise en ordre et de distribution des corps individuels dans l'espace social à travers les dispositifs disciplinaires[1].

Foucault y rappelle, en effet, quelles sont les techniques disciplinaires de surveillance et de gestion des individus dans l'espace : la clôture, bien entendu – c'est-à-dire le réinvestissement politique du vieux dispositif de l'enfermement –, mais aussi un principe beaucoup plus fin et souple qui est celui du « quadrillage », c'est-à-dire l'attribution à chaque individu d'une place qui lui est propre et qui lui est assignée en fonction d'un certain nombre de critères. Des critères qui sont certes avant tout négatifs, puisqu'il s'agit d'éviter la possibilité du regroupement des individus et de produire au contraire une gestion de l'espace où les implantations collectives soient rendues impossibles par une dissémination forcée sur le territoire ; mais également des critères positifs qui, tout en empêchant les individus de se « coaguler » et de communiquer entre eux, de circuler librement et de brouiller l'espace analytique des disciplines, cherchent aussi à établir le meilleur rapport individu/emplacement en

---

1. M. Foucault, *Surveiller et punir, op. cit.*, pp. 143-151.

termes d'utilité sociale. Or cette utilité sociale est, pour Foucault, étroitement liée aux nouvelles exigences de l'appareil productif.

La « règle des emplacements fonctionnels », comme la nomme Foucault, intègre donc les règles de la production : « Dans les usines qui apparaissent à la fin du XVIIIe siècle, le principe du quadrillage individualisant se complique. Il s'agit à la fois de distribuer les individus dans un espace où on peut les isoler et les repérer ; mais aussi d'articuler cette distribution sur un appareil de production qui a des exigences propres. Il faut lier la répartition des corps, l'aménagement spatial de l'appareil de production et les différentes formes d'activité dans la distribution des "postes". [...] Toutes ces mises en série forment une grille permanente ; les confusions s'y défont : c'est-à-dire que la production se divise et que le processus de travail s'articule d'une part selon ses phases, ses stades ou ses opérations élémentaires, et de l'autre selon les individus qui l'effectuent, les corps singuliers qui s'y appliquent : chaque variable de cette force – vigueur, promptitude, habileté, constance – peut être observée, donc caractérisée, appréciée, comptabilisée et rapportée à celui qui en est l'agent particulier[1]. »

---

1. *Ibid.*, pp. 146-147.

Individualisation, sérialisation, populations

Ce qu'il s'agit ici de comprendre, c'est que l'analyse des dispositifs disciplinaires implique pour Foucault à la fois un isolement des autres, une désingularisation obtenue à travers la « correction » et le « redressement » (puisque ce n'est qu'en vidant chaque homme de sa singularité subjective qu'on peut le réarticuler en un « individu » objectivé et contrôlé), et la réinsertion de cet individu désormais docile dans une « série » selon le principe de l'utilité productive.

Deux remarques sur ce point.

La première pour insister sur le fait que les notions d'individu et de série, bien loin de s'opposer, se complètent. La série – qui n'est rien d'autre que la configuration abstraite de l'image de la « chaîne » de travail – exige que les individus qui la composent soient au préalable désingularisés pour pouvoir par la suite leur attribuer un rang, une position, une mansion. Cette position est à la fois spécifique en fonction des exigences fonctionnelles de la production et suffisamment souple pour donner lieu, quand le besoin s'en fait sentir (en cas de maladie de tel ou tel individu, de reconfiguration générale de la série en fonction d'objectifs nouveaux, ou encore pour couper court à toute velléité de réagrégation subjective), à une permutation des éléments sérialisés : « La discipline, art du rang et technique pour la transformation des arrangements […] individualise les corps par une localisation qui ne les implante pas, mais les distribue et les fait circuler dans un réseau de relations[1]. »

La permutation, la substitution, le déplacement et la redistribution au sein même de la série ne sont par conséquent possibles que dans la mesure où chaque élément sérialisé a préalablement été à la fois rendu neutre (vidé de tout ce qui en faisait une singularité au sens propre) et recomposé en une configuration objective. D'un autre côté, la série n'est possible que parce qu'elle établit le principe de ses hiérarchies internes et la diversification des tâches et des emplacements fonctionnels qu'elle attribue à partir d'éléments qui ont été conformés à un seul et même modèle. De ce point de vue, il est assez révélateur de remarquer que, dans tous les exemples pris par Foucault – les collèges de jésuites, l'hôpital militaire ou maritime, l'armée, etc. –, le port de l'uniforme représente à la fois ce qui masque le corps propre des personnes et ce qui les rend identiques les unes aux autres. Laissez ici vos vêtements, oubliez qui vous avez été, acceptez l'égalité absolue de votre nouvelle vie ! semble dire chacune de ces institutions, ce qui permet de fait la réarticulation de différences savamment orchestrées (les classes, les grades, les services). Le dispositif disciplinaire est donc complexe : « En assignant des places individuelles, il a rendu possibles

---

1. *Ibid.*, p. 147.

le contrôle de chacun et le travail simultané de tous[1]. »

La seconde remarque porte, en revanche, sur la notion d'individu elle-même. Ce qui est surprenant dans les analyses de Foucault, c'est que l'individu, loin d'être une sorte d'« élément premier » à partir duquel construire les différentes formes d'agrégation ou d'articulation requises par une société ou par un paradigme productif à un moment donné, en est au contraire défini comme le produit : l'individu est véritablement le produit des procédés disciplinaires. La dimension pré-individuelle, si l'on entend par ce terme ce que sont les personnes avant d'avoir été socialement « corrigées », est encore un espace de subjectivité singulière ; la dimension individuelle est, à l'inverse, la conséquence directe de l'orthopédie sociale. Il y aurait là à faire un long excursus sur la manière dont, pour Foucault, cette construction disciplinaire de l'individu redouble en réalité une construction bien antérieure – mais à partir des mêmes principes croisés de désingularisation/égalité et de sérialisation/hiérarchisation/remplacement –, celle du citoyen dans les formes de la politique moderne. Qu'il nous soit simplement permis de rapporter à cet égard une étonnante citation de Foucault tirée d'un cours au Collège de France en janvier 1976, puisque la comparaison entre la construction sociale de l'indi-

---

1. *Ibid.*, p. 149.

vidu par les disciplines et la construction politique du citoyen par le contrat y paraît absolument explicite : « Souvenez-vous du schéma du *Léviathan* : dans ce schéma, le Léviathan, en tant qu'homme fabriqué, n'est pas autre chose que la coagulation d'un certain nombre d'individualités séparées, qui se trouvent réunies par un certain nombre d'éléments constitutifs de l'État ; mais à la tête de l'État, il existe quelque chose qui le constitue comme tel, et ce quelque chose, c'est la souveraineté, la souveraineté dont Hobbes dit précisément qu'elle est l'âme du Léviathan. *Or, plutôt que de poser le problème de l'âme centrale, je crois qu'il faudrait essayer – ce que j'ai essayé de faire – d'étudier les corps périphériques et multiples, ces corps constitués comme sujets par les effets de pouvoir*[1]. » Et encore : « Il ne faut donc pas, je crois, concevoir l'individu comme une sorte de noyau élémentaire, un atome primitif [...]. En fait, ce qui fait qu'un corps, des gestes, des discours, des désirs, sont identifiés et constitués comme individus, c'est précisément cela, l'un des effets premiers du pouvoir ; c'est-à-dire que l'individu n'est pas le vis-à-vis du pouvoir, il en est, je crois, l'un des effets premiers[2]. »

Le concept de population, auquel nous avons déjà fait allusion, est un prolongement du mécanisme de la sérialisation à partir d'un type de mise en ordre spé-

---

1. M. Foucault, « Cours du 14 janvier 1976 », in *Dits et Écrits*, *op. cit.*, vol. III, pp. 179-180 ; c'est moi qui souligne.
2. *Ibid.*, p. 180.

cifique qui impose aux « individus », en eux-mêmes effets du pouvoir disciplinaire, l'appartenance à un groupe homogène et reconnu comme tel à partir d'un ensemble de caractéristiques naturelles : l'âge, le genre, mais aussi la classe sociale, l'instruction, la sexualité, les mœurs, etc. La population est par conséquent un ensemble d'êtres vivants et coexistants qui sont censés posséder des traits biologiques et pathologiques particuliers, et dont la vie même est susceptible d'être contrôlée afin d'assurer une meilleure gestion de la force de travail : « La découverte de la population est, en même temps que la découverte de l'individu et du corps dressable, l'autre grand noyau technologique autour duquel les procédés politiques de l'Occident se sont transformés. On a inventé à ce moment-là ce que j'appellerai, par opposition à l'anatomo-politique que j'ai mentionnée à l'instant, la biopolitique[1]. » Alors que la discipline se donnait comme anatomo-politique des corps et s'appliquait essentiellement aux individus, la biopolitique représente donc cette grande « médecine sociale » qui s'applique à la population afin d'en gouverner la vie : la vie fait désormais partie du champ du pouvoir.

Ces « caractéristiques naturelles » qui donnent naissance à autant de modèles normatifs et de délimitations de la déviance sont, par ailleurs, un excellent

---

1. M. Foucault, « Les mailles du pouvoir », in *Dits et Écrits*, *op. cit.*, vol. IV, p. 193.

indice de la manière dont le recours à la « naturalité » a été l'un des enjeux du pouvoir des disciplines : une naturalité qui était, cela va de soi, elle aussi entièrement construite par les rapports de pouvoir, puisqu'elle en devenait l'instrument précieux[1]. Ces pouvoirs sur la vie « naturelle » – physique, physiologique, biologique – des individus, c'est, nous l'avons déjà vu, ce que Foucault désignera bientôt sous le nom de biopouvoirs, ou de biopolitique ; mais cela implique également un changement dans la façon dont le XIXe siècle considère la sphère du naturel.

On se souvient en effet qu'au siècle précédent, à l'occasion de ses deux textes consacrés à l'origine[2], Rousseau avait mis en œuvre un procédé étonnant. La nature y était faite de toutes les caractéristiques symétriquement inverses à celles du monde de la « civilisation » – c'est-à-dire de la culture, mais aussi de la corruption des mœurs et des âmes –, et laissait paradoxalement entrevoir la possibilité d'un devenir des hommes qui leur permettrait d'échapper à leur propre histoire. Aucune prétention anthropologique réelle, donc : bien au contraire, une fiction épistémologique qui se déclarait entièrement comme telle et

---

1. Je me permets de renvoyer sur ce point à mon « Identity, Nature, Life. Three Biopolitical Deconstructions », in Couze Venn et Tiziana Terranova (éd.), *Theory, Culture & Society : Special Issue on Michel Foucault*, vol. 26, n° 6, 2009.
2. J.-J. Rousseau, *Essai sur l'origine des langues* et *Discours sur l'origine de l'inégalité parmi les hommes.*

qui revendiquait ouvertement sa valeur instrumentale d'artifice. Quelques décennies plus tard, le réinvestissement biopolitique de la nature à travers la gestion des populations sur une base normative – c'est-à-dire, encore une fois, à partir de règles naturelles – relance la fiction ; mais, cette fois-ci, c'est d'une fiction politique qu'il s'agit.

Le terme de biopolitique désigne par conséquent la manière dont le pouvoir tend à se transformer, entre la fin du XVIIIe et le début du XIXe siècle, afin de gouverner non seulement les individus à travers un certain nombre de procédés disciplinaires, mais l'ensemble des vivants constitués en populations. La biopolitique – à travers des biopouvoirs locaux – s'occupe donc de la gestion de la santé, de l'hygiène, de l'alimentation, de la sexualité, de la natalité, etc., dans la mesure où ceux-ci sont devenus des enjeux politiques. Comme pour le concept de discipline, auquel elle est associée, la notion de biopolitique implique une analyse historique du cadre de rationalité politique dans lequel elle apparaît, c'est-à-dire la naissance du libéralisme.

Par libéralisme, Foucault entend en réalité deux choses qui ne se recoupent que partiellement : d'une part, la mutation économique qui modifie profondément la production et qui est essentiellement liée à la première industrialisation ; de l'autre, l'apparition d'un exercice du gouvernement qui non seulement tend à maximiser ses effets tout en réduisant ses coûts, sur le modèle de la production industrielle, mais affirme aussi qu'on risque toujours de trop gouverner. Mais, alors que la « raison d'État » (au sens où Foucault utilise l'expression, c'est-à-dire en tant que rationalité politique moderne) avait jusqu'à présent cherché à développer son pouvoir à travers la croissance de l'État, « la réflexion libérale ne part pas de l'existence de l'État, trouvant dans le gouvernement le moyen d'atteindre cette fin qu'il serait pour lui-même ; mais de la société qui se trouve être dans un rapport complexe d'extériorité et d'intériorité vis-à-vis de l'État[1] ».

En réalité, cet aspect de la notion de biopolitique est loin d'être clair : il semble qu'il y ait eu sur ce point deux discours successifs chez Foucault. C'est ainsi que, dans les premiers textes où il apparaît, le terme semble encore être associé à ce que les Allemands ont appelé au XVIIIᵉ siècle la *Polizeiwissenschaft*[2], c'est-à-dire précisément le maintien de l'ordre et de la disci-

---

1. M. Foucault, « Naissance de la biopolitique », in *Annuaire du Collège de France, 79ᵉ année, Chaire d'histoire des systèmes de pensée, année 1978-1979*, 1979, repris in M. Foucault, *Dits et Écrits, op. cit.*, vol. III, texte n° 818.

2. Nous évitons ici d'employer le mot « police » pour ne pas provoquer de malentendus puisque la polysémie du terme est grande, et que les changements intervenus entre la fin du XVIIIᵉ et le début du XIXᵉ siècle – qui intéressaient précisément Foucault – sont énormes. Pour ce qui est de la police d'Ancien Régime, on se référera par exemple au travail très foucaldien de Paolo Napoli, *Naissance de la police moderne*, Paris, La Découverte, 2003, en particulier pp. 266-288. La comparaison entre *Police* et *Policey* (« Polizei ») y met en évi-

pline à travers la croissance de l'État. Par la suite, pourtant, Foucault cesse d'employer le terme en ce sens : la biopolitique paraît au contraire signaler désormais le moment de dépassement de la traditionnelle dichotomie État/société, au profit d'une économie politique de la vie en général. C'est sans doute cette formulation qui finit par l'emporter, en particulier dans le cours au Collège de France que Foucault consacrera à la biopolitique, en 1978-1979[1], puisqu'il y effectue explicitement le renversement *Polizeiwissenschaft*/libéralisme.

---

dence la différence entre un modèle français encore totalement lié à la pensée des Lumières et pour lequel la police est « l'art de procurer aux habitants d'une ville une vie tranquille et commode » (article « Police » de l'*Encyclopédie*), et un modèle allemand pour lequel il existe un lien entre la « prospérité » de l'État » et la « tranquillité et paix » des sujets. C'est cette seconde acception qui semble dans un premier temps retenir l'attention de Foucault, avant que la référence à l'État ne s'estompe au profit d'une référence plus générale au « libéralisme » : or, au-delà de l'extrême ambiguïté du terme chez Foucault – qui demeure le plus souvent imprécis –, il faut comprendre par là la conviction nouvelle que « l'on gouverne toujours trop », et que ce n'est pas en étendant la structure de l'État, mais en rentabilisant et en maximalisant les techniques de gouvernementalité – effet majeur, coût mineur –, que l'on obtiendra la meilleure forme de contrôle.

1. Voir à ce propos *Naissance de la biopolitique, Cours au Collège de France 1978-1979* (édition établie par M. Senellart), Paris, Gallimard-Seuil-EHESS, 2004, ainsi que le résumé du cours rédigé par Foucault : « Naissance de la biopolitique », in *Annuaire du Collège de France, 79ᵉ année, Histoire des systèmes de pensée, année 1978-1979*, repris in M. Foucault, *Dits et Écrits, op. cit.*, vol. III, texte n° 274, pp. 818-825. On y lit par exemple : « Plutôt donc qu'une doctrine

Quoi qu'il en soit, la biopolitique vient s'insérer dans le dispositif complexe qui était déjà formé par le couple discipline/contrôle. Elle ne le remet nullement en cause : elle le prolonge plutôt vers une réflexion sur la manière de gouverner. Cela explique sans doute pourquoi, alors que le premier volume de l'*Histoire de la sexualité*, un an après la publication de *Surveiller et punir*, s'ouvrait par un programme précis, Foucault semble brusquement interrompre ce parcours. C'est en réalité d'une double interruption qu'il s'agit : la première – et la plus visible – tient évidemment à l'absence de publication de livres entre 1976 et 1984, comme si Foucault avait choisi de reporter le poids de sa recherche sur d'autres formes d'expression (articles et conférences, certes, puisque leur nombre croît au fur et à mesure que les années passent, mais aussi, et surtout, les cours tenus au Collège de France) ; la seconde est en revanche liée au choix d'explorer davantage encore ce thème des manières de gouverner, ce qui deviendra dans le lexique foucaldien le travail sur la « gouvernementalité ».

---

plus ou moins cohérente, plutôt qu'une politique poursuivant un certain nombre de buts plus ou moins définis, je serais tenté de voir, dans le libéralisme, une forme de réflexion critique sur la pratique gouvernementale ; cette critique peut venir de l'intérieur ou de l'extérieur ; elle peut s'appuyer sur telle théorie économique, ou se référer à tel système juridique sans lien nécessaire et univoque. La question du libéralisme, entendue comme question du "trop gouverner", a été l'une des dimensions constantes de ce phénomène récent et apparu, semble-t-il, d'abord en Angleterre : à savoir la "vie politique"… » (p. 822).

Et c'est précisément à partir de ce thème de la gouvernementalité que va pouvoir s'effectuer le dernier retournement du parcours de Foucault ; en même temps que ce n'est que parce qu'il suit jusqu'au bout le fil d'une réflexion sur les rapports de pouvoir initiée au début de la décennie que le philosophe sera également amené à retrouver l'autre grand axe de ses recherches – qui semblait pourtant avoir été relativement égaré en cours de route –, celui de l'analytique du sujet.

On se souvient que, parmi les nombreuses questions ouvertes par l'expérience du GIP, il y avait le problème posé par les tentatives de re-subjectivation des détenus à travers une pratique politique inédite ; tout comme il y avait aussi le problème de la forme que pouvait prendre leur action collective. C'est étrangement à partir de la gouvernementalité que ces deux questions redeviennent envisageables. Alors que la clôture des descriptions foucaldiennes (encore une fois : nul « dehors » n'est jamais possible) semblait avoir été ultérieurement renforcée par la complexité du dispositif discipline/contrôle/biopolitique dans la mesure où rien n'échappait plus aux déterminations des rapports de pouvoir – ni les individus, ni les groupes, ni la vie « privée », ni les corps physiques –, c'est paradoxalement de l'intérieur de la gouvernementalité qu'il sera à nouveau possible d'envisager la question laissée en suspens. Cette question, c'est celle des processus de subjectivation.

VII

Subjectivité et processus de subjectivation

Il y a apparemment un certain paradoxe à parler du sujet et de la subjectivité chez Michel Foucault. C'est au nom de ce paradoxe que bien des commentateurs ont choisi de comprendre la dernière partie des recherches foucaldiennes tout à la fois comme un coup d'arrêt brutal des analyses précédentes, comme un désaveu explicite de ses propres travaux depuis les années 1960, et comme un retour à un certain classicisme philosophique – thèse qui semblait d'autant plus étayée que Foucault allait effectivement s'intéresser pour la première fois de sa vie à l'histoire de la philosophie *stricto sensu*, en particulier à travers les commentaires de certains textes de la philosophie grecque auxquels il allait se livrer dans les deux derniers volumes de l'*Histoire de la sexualité*.

Ce que nous aimerions à présent montrer, c'est que ce « retour » au sujet n'est en rien une invalidation des analyses précédentes. Bien au contraire, on ne peut en saisir le poids qu'en l'ancrant dans ce qui le précède. Une fois encore, l'extrême cohérence du parcours foucaldien impose qu'on abandonne un modèle de lisibilité fondé sur une continuité simpliste et qu'on tente, à l'inverse d'une approche linéaire et presque « mécanique » de la progression de Foucault, de retrouver le mouvement d'un questionnement complexe : un dynamisme lié tout autant aux difficultés rencontrées qu'aux acquis, et dont le moteur paraît être la volonté sans cesse relancée de dépasser en les reformulant les points de blocage rencontrés. On en revient donc une fois de plus à cette étrange « discontinuité » qui est réellement au centre du travail de Foucault, et dont on voit toujours davantage comment elle semble jouer simultanément à deux niveaux : à la fois comme objet d'analyse à travers l'étude de la manière dont se sont historiquement reformulés un certain nombre de discours de savoir et de pratiques de pouvoir, de stratégies de résistance et de modification des dispositifs normatifs, et comme processus interne à la problématisation critique de ces objets eux-mêmes. En somme : à la fois comme caractéristique de l'histoire des systèmes de pensée et comme marque de l'analyse produite à partir de cette histoire.

Quand Foucault s'exprime à cet égard, il n'est pas rare que les deux plans s'entrecroisent étroitement. C'est ainsi qu'il explique en 1977 : « Mon problème n'a pas été du tout de dire : eh bien voilà, vive la discontinuité, on est dans la discontinuité et restons-y, mais de poser la question : comment peut-il se faire qu'on ait à certains moments et dans certains ordres de savoir ces brusques décrochages, ces précipitations d'évolution, ces transformations qui ne répondent pas à l'image tranquille et continuiste qu'on se fait d'ordinaire ? […] Ce n'est donc pas un changement de contenu (réfutation d'anciennes erreurs, mise au jour de nouvelles vérités), ce n'est pas non plus une altération de la forme théorique (renouvellement du paradigme, modification des ensembles systématiques) ; ce qui est en question, c'est ce qui *régit* les énoncés et la manière dont ils se *régissent* les uns les autres pour constituer un ensemble de propositions acceptables scientifiquement et susceptibles par conséquent d'être vérifiées ou infirmées par des procédures scientifiques[1]. » Si l'on voit clairement que, pour Foucault, l'enjeu est ici de réaffirmer l'idée d'un isomorphisme du savoir qui obéisse à des lois d'évolution historique spécifiques et qui, loin de démentir ses formes précédentes, procède par reformulations successives de sa propre cohérence d'ensemble (c'est-à-dire tout à la fois par extension et par réajustements), il est non moins frappant de constater que ce que dit Foucault pourrait tout aussi bien être appliqué à Foucault lui-même.

---

1. M. Foucault, « Entretien avec Michel Foucault », in *Microfisica del potere : interventi politici, op. cit.*, repris in M. Foucault, *Dits et Écrits, op. cit.*, vol. III, texte n° 192, p. 145.

« *Ce n'est donc pas un changement de contenu (réfu-tation d'anciennes erreurs, mise au jour de nouvelles vérités), ce n'est pas non plus une altération de la forme théorique (renouvellement du paradigme, modification des ensembles systématiques)* » : la manière dont procède la pensée de Foucault est, elle aussi, une dynamique de l'extension et du réajustement dont la linéarité fait problème, mais dont la cohérence radicale ne peut en aucun cas être réduite à une logique de la correction ou du démenti. Pour utiliser une métaphore spatiale simple, la pensée foucaldienne, à l'image du système des savoirs/pouvoirs qu'il s'attache à décrire dans son évolution, n'avance pas par vérifications d'erreurs successives – comme nous l'a longtemps fait croire l'histoire des sciences –, mais par élargissements ; non pas une marche de crabe – une avancée dans le présent par exclusion/correction des formes passées –, mais une spirale s'enroulant sur elle-même et dont la boucle n'a de cesse d'élargir son mouvement d'inclusion.

On le sait, et nous l'avons rappelé au début de cette analyse, la pensée de Foucault se présente dès le départ comme une critique radicale du sujet tel qu'il est entendu par la philosophie « de Descartes à Sartre », c'est-à-dire comme conscience solipsiste et a-historique, autoconstituée et absolument libre. L'enjeu est alors, au rebours des philosophies du sujet, d'arriver à « une analyse qui puisse rendre compte de la constitution du sujet dans la trame historique. Et c'est ce que j'appellerais la généalogie, c'est-à-dire une forme d'histoire qui rende compte de la constitution des savoirs, des discours, des domaines d'objet, etc., sans avoir à se référer à un sujet, qu'il soit transcendant par rapport au champ d'événements, ou qu'il coure dans son identité vide, tout au long de l'histoire[1] ». Il reste donc à penser le sujet comme un objet historiquement constitué sur la base de déterminations qui lui sont extérieures : la question que pose par exemple *Les Mots et les Choses* revient alors à interroger cette constitution selon la modalité spécifique de la connaissance scientifique, puisqu'il s'agit de comprendre comment le sujet a pu, à une certaine époque, devenir un objet de connaissance et, inversement, comment ce statut d'objet de connaissance a eu des effets sur les théories du sujet en tant qu'être vivant, parlant, travaillant.

L'affirmation que le sujet a une genèse, une formation, une histoire, et qu'il n'est pas originaire, a, comme on l'a déjà rappelé, sans doute été très influencée chez Foucault par la lecture de Nietzsche, de Blanchot et de Klossowski, et peut-être par celle de Lacan ; elle n'est pas indifférente à l'assimilation fréquente du philosophe au courant structuraliste dans les années 1960, puisque la critique des philosophies du sujet se retrouve aussi bien chez Dumézil, chez Lévi-Strauss ou chez Althusser, mais elle ne s'y réduit

---

1. *Ibid.*, p. 147.

pas, puisque Foucault maintient malgré sa critique des « philosophies du sujet » une réflexion sur les modes de subjectivation. Le problème de la subjectivité, c'est-à-dire « la manière dont le sujet fait l'expérience de lui-même dans un jeu de vérité où il a rapport à soi[1] », devient alors le centre des analyses du philosophe : si le sujet se constitue, ce n'est pas sur le fond d'une identité psychologique, mais à travers des pratiques qui peuvent être de pouvoir ou de connaissance, ou par des techniques de soi ; et cela, il va de soi, dans le cadre de déterminations historiques qui en fixent les modalités.

Le problème de la production historique des subjectivités appartient donc à la fois à la description archéologique de la constitution d'un certain nombre de savoirs sur le sujet, à la description généalogique des pratiques de domination et des stratégies de gouvernement auxquelles on peut soumettre les individus, et à l'analyse des techniques à travers lesquelles les hommes, en travaillant le rapport qui les lie à eux-mêmes, se produisent et se transforment : « Au cours de leur histoire, les hommes n'ont jamais cessé de se construire eux-mêmes, c'est-à-dire de déplacer continuellement leur subjectivité, de se constituer dans une série infinie et multiple de subjectivités différentes

---

1. Maurice Florence (pseudonyme de Foucault lui-même), article « Foucault », in D. Huisman, *Dictionnaire des philosophes*, Paris, PUF, 1984, repris in M. Foucault, *Dits et Écrits*, *op. cit.*, vol. IV, texte n° 345, p. 633.

et qui n'auront jamais de fin et ne nous placeront jamais face à quelque chose qui serait l'homme[1]. » Ce lieu inassignable de la subjectivité en mouvement, en perpétuelle « déprise » par rapport à elle-même, c'est par conséquent pour Foucault tout à la fois le produit des déterminations historiques et celui du travail sur soi (dont les modalités sont à leur tour historiques), et c'est dans ce double ancrage que se noue le problème de la résistance subjective des singularités : le lieu de l'invention de soi n'est pas à l'extérieur de la grille du savoir/pouvoir, mais dans sa torsion intime – et le parcours philosophique de Foucault semble là pour nous en donner un exemple.

Le terme de « subjectivation » désigne par conséquent chez Foucault un processus par lequel on obtient la constitution d'un sujet, ou plus exactement d'une subjectivité. Les « modes de subjectivation » ou « processus de subjectivation » de l'être humain correspondent en réalité à deux types d'analyse distincts. D'une part, il y a l'analyse des modes d'objectivation qui transforment les êtres humains en sujets – ce qui signifie qu'il n'y a de sujets qu'objectivés, et que les modes de subjectivation sont en ce sens des pratiques d'objectivation ; de l'autre, il y a l'analyse de la manière dont le rapport à soi à travers un certain nombre de *techniques de soi* permet de se constituer

---

1. M. Foucault, « Entretien avec Michel Foucault », *Il Contributo*, 1978, *op. cit.*, repris in M. Foucault, *Dits et Écrits, op. cit.*, vol. IV, texte n° 281, p. 75.

comme sujet de sa propre existence. Tout le travail de Foucault consistera précisément à faire en sorte que le mouvement d'objectivation auquel les individus sont nécessairement soumis – pour être reconnus comme sujets – et les processus de subjectivation qui permettent à ces mêmes sujets de devenir acteurs de leur propre invention cessent de se présenter comme contradictoires ; ou plus exactement que l'assujettissement à une objectivation subie, d'une part, et la résistance à travers une subjectivation perçue comme rupture de cette objectivation, de l'autre, ne soient pas simplement identifiés comme contradictoires, mais au contraire comme intimement liés, ce qui n'est évidemment pas le moindre des paradoxes.

Au début de son enquête, Foucault repère dans un premier temps trois modes de subjectivation principaux : « les différents modes d'investigation qui cherchent à accéder au statut de science[1] », comme l'objectivation du sujet parlant en grammaire ou en linguistique, ou encore celle du sujet productif dans l'économie et l'analyse des richesses ; les « pratiques divisantes », qui divisent le sujet à l'intérieur de lui-même (ou par rapport aux autres sujets) pour le classer et en faire un objet, comme la division entre le fou et le sain d'esprit, le malade et l'homme en bonne santé, le brave homme et le criminel, etc. ; enfin, la

---

1. M. Foucault, « Le sujet et le pouvoir », *op. cit.*, in *Dits et Écrits*, *op. cit.*, vol. IV, texte n° 306, p. 223.

manière dont le pouvoir investit le sujet non seulement en se servant des modes de subjectivation déjà
cités, mais en en inventant d'autres : c'est tout l'enjeu
des techniques de gouvernementalité.

Mais le lent travail des années 1970 amène la question de Foucault à se renverser : s'il est vrai que les
modes de subjectivation produisent, en les objectivant, quelque chose comme des sujets, comment ces
sujets se rapportent-ils à eux-mêmes ? Quels procédés
l'individu met-il en œuvre afin de s'approprier ou de
se réapproprier son propre rapport à soi ? C'est à partir de ce dernier point que Foucault se livrera par
exemple, à la fin de sa vie, à l'analyse détaillée des
hupomnêmata[1], et plus généralement de la façon dont
l'écriture privée représente une des modalités de construction de soi pendant l'Antiquité classique et les

---

1. Cf. par exemple M. Foucault, « L'écriture de soi », in *Dits et
Écrits, op. cit.*, vol. IV, texte n° 329. Le texte, publié en 1983, devait
à l'origine servir d'introduction à *L'Usage des plaisirs* sous le titre « Le
souci de soi ». Par la suite, Foucault avait décidé de l'insérer dans
une série d'études plus générales programmées pour les éditions du
Seuil sous le titre *Le Gouvernement de soi et des autres*. Dans *Le Souci
de soi*, effectivement publié en 1984 comme troisième volume de
l'*Histoire de la sexualité*, mais avec un contenu différent de l'introduction initialement prévue, on retrouve fugacement le thème de
l'écriture de soi dans le chapitre II consacré à la « culture de soi » (en
particulier pp. 66-69). Le « gouvernement de soi et des autres »
deviendra finalement le titre du cours de Foucault au Collège de
France en 1982-1983, et le sous-titre de son dernier cours, « Le courage de la vérité », en 1984 (M. Foucault, *Le Gouvernement de soi et
des autres, Cours au Collège de France 1982-1983*, édition établie par

premiers siècles de l'ère chrétienne. Un rapport à soi qui passe par la mise en pratique sans cesse recommencée d'un procédé d'écriture de soi et pour soi, c'est-à-dire d'un procédé de subjectivation, et qui à son tour subit une évolution historique : alors que, pour les *hupomnêmata* grecs, « il s'agissait de se constituer soi-même comme sujet d'action rationnelle par l'appropriation, l'unification et la subjectivation d'un "déjà dit" fragmentaire et choisi, dans le cas de la notation monastique des expériences spirituelles, il s'agira de débusquer de l'intérieur de l'âme les mouvements les plus cachés de manière à pouvoir s'en affranchir[1] ».

Or cette analyse des *hupomnêmata* que nous avons ici prise pour exemple est loin d'épuiser le discours foucaldien sur la production de subjectivité ; elle en est certes le point d'aboutissement − puisqu'elle fait partie des dernières années de travail du philosophe −, mais elle ne serait pas pensable sans une lente maturation qui, à partir du milieu des années 1970, fait pré-

---

Fr. Gros, Paris, Gallimard-Seuil-EHESS, 2008 ; *Le Courage de la vérité. Le gouvernement de soi et des autres II, Cours au Collège de France 1984*, édition établie par Fr. Gros, Paris, Gallimard-Seuil-EHESS, 2009). Sur l'écriture de soi et les exercices spirituels, voir également P. Hadot, « Réflexions sur la notion de "culture de soi" », in *Michel Foucault philosophe. Actes de la rencontre internationale des 9-10-11 janvier 1988*, 1989, Paris, Seuil, coll. « Des travaux », pp. 261-268.

1. M. Foucault, « L'écriture de soi », *op. cit.*, in M. Foucault, *Dits et Écrits, op. cit.*, vol. IV, texte n° 329, p. 430.

cisément passer Foucault d'une analytique du pouvoir à une interrogation sur la possibilité et les modalités des processus de subjectivation.

Ce qu'il importe de comprendre, c'est que, en dépit des apparences, la double problématisation des thèmes de la gouvernementalité et de la production de subjectivité répond en réalité à un seul et même mouvement. Si le passage n'est pas facile à saisir, c'est qu'il implique par ailleurs et dans le même temps l'introduction de trois autres lignes thématiques et l'évidence d'une rupture réelle : trois thèmes qui correspondent à la sexualité, à l'esthétique et à l'éthique, et une rupture qui se creuse, à la toute fin des années 1970, par rapport au programme annoncé dans le premier volume de l'*Histoire de la sexualité*, *La Volonté de savoir* – un programme qui ne sera effectivement jamais réalisé.

Commençons par le premier point.

Une histoire de la sexualité

Le thème de la sexualité n'a jamais correspondu chez Foucault à un simple discours sur l'organisation physiologique du corps ou à une étude des comportements sexuels. Il se présente dès le départ comme le prolongement d'une analytique du pouvoir pour laquelle la sexualité devient un enjeu de gouvernementalité biopolitique. Pour Foucault, il s'agit en effet de décrire la manière dont la sexualité, à partir de la fin du XVIIIe siècle, a été investie à travers les discours et les pratiques d'une « médecine sociale » dont on a vu qu'elle devenait le principe d'organisation d'une nouvelle gestion normative des individus et des populations, de même qu'un certain nombre d'aspects fondamentaux de la vie qui étaient jusqu'alors demeurés extérieurs à la sphère du pouvoir. La sexualité ne représente donc, dans un premier temps, que l'un des champs d'application de ce que Foucault appelle à l'époque les biopouvoirs.

Ce n'est que dans un deuxième temps que Foucault transforme la sexualité en un objet d'enquête spécifique. Ce changement suppose à la fois la critique radicale d'une certaine dérive des discours sur le lien sexualité/pouvoir et une nouvelle hypothèse de travail. Critique radicale, disons-nous : les toutes premières pages de *La Volonté de savoir*[1] brocardent en effet avec une ironie assez violente des analyses de l'histoire de la sexualité qui se réduiraient à n'être que des lectures d'une histoire de la répression, et qui prétendraient par ailleurs faire correspondre cette répression avec « l'hypocrisie de nos sociétés bourgeoises[2] ». C'est ainsi que Foucault peut écrire : « Ce discours sur la moderne répression du sexe tient bien. Sans doute parce qu'il est facile à tenir. Une grave caution historique et politique le protège ; en faisant naître

---

1. M. Foucault, *Histoire de la sexualité*, vol. I : *La Volonté de savoir*, *op. cit.*, chap. I : « Nous autres, victoriens », pp. 9-22.
2. *Ibid.*, p. 11.

l'âge de la répression au XVIIe siècle, après des cen-
taines d'années de plein air et de libre expression, on
l'amène à coïncider avec le développement du capitalisme : il ferait corps avec l'ordre bourgeois. La petite
chronique du sexe et de ses brimades se transporte
aussitôt dans la cérémonieuse histoire des modes de
production ; sa futilité s'évanouit. Un principe
d'explication se dessine du fait même : si le sexe est
réprimé avec tant de rigueur, c'est qu'il est incompa-
tible avec une mise au travail générale et intensive ; à
l'époque où l'on exploite systématiquement la force
de travail générale et intensive, pouvait-on tolérer
qu'elle aille s'égailler dans les plaisirs, sauf dans ceux,
réduits au minimum, qui lui permettent de se reproduire[1] ? »

S'il est certes étonnant de constater que la « cérémonieuse histoire des modes de production » que
Foucault épingle ici comme le dernier refuge d'une
histoire de la pensée qui se refuserait à penser l'autonomie de l'histoire de la sexualité et la réduirait par
conséquent à un épiphénomène de la plus vaste histoire économique et politique de la lutte des classes
n'est pas si éloignée de certains discours foucaldiens
du début des années 1970 sur le pouvoir bourgeois, il
est plus surprenant encore d'observer que cette
dénonciation intervient au moment même où l'analyse des biopouvoirs et de la biopolitique effectue pré-

---

1. *Ibid.*, pp. 12-13.

cisément chez Foucault un virage dont nous avons déjà souligné l'importance. En se déplaçant de l'analyse du couple discipline/croissance de l'État à celle du couple biopolitique/libéralisme, il semble en effet que le discours foucaldien présente exactement les caractéristiques qui sont récusées dans les pages de *La Volonté de savoir* rapportées plus haut. Qu'on juge, par exemple, de cette citation de 1977 : « Je soutiens qu'avec le capitalisme on n'est pas passé d'une médecine collective à une médecine privée, mais que c'est précisément le contraire qui s'est produit ; le capitalisme, qui se développe à la fin du XVIIIᵉ siècle et au début du XIXᵉ siècle, a d'abord socialisé un premier objet, le corps, en fonction de la force productive, de la force de travail. Le contrôle de la société sur les individus ne s'effectue pas seulement par la conscience ou par l'idéologie, mais aussi dans le corps et avec le corps. Pour la société capitaliste, c'est le biopolitique qui importait avant tout, le biologique, le somatique, le corporel. Le corps est une réalité biopolitique ; la médecine est une stratégie biopolitique[1]. »

Par ailleurs, il est nécessaire de souligner un certain flottement dans la périodisation proposée, à laquelle

---

1. M. Foucault, « El nacimiento de la medicina social », *Revista centramericana de la Salud*, n° 6, janvier-avril 1977, pp. 89-108 (2ᵉ conférence prononcée à l'université d'État de Rio de Janeiro en octobre 1974) ; trad. fr. « La naissance de la médecine sociale », in M. Foucault, *Dits et Écrits, op. cit.*, vol. III, texte n° 196, pp. 209-210.

Foucault consacre pourtant toute la quatrième partie du quatrième chapitre de *La Volonté de savoir*[1]. Tout se passe comme si Foucault hésitait en réalité entre une rupture temporelle identifiée dans l'émergence de la pensée moderne (le XVIIe siècle) et un autre type de rupture, plus tardif, identifié avec la mise en ordre des discours de savoir sous la forme de la taxinomie complexe des sciences de l'homme – rupture à son tour « décalée » entre la fin du XVIIIe et le début du XIXe siècle pour pouvoir correspondre à la naissance du libéralisme. Cette difficulté à fixer une périodisation nette est révélatrice de la manière dont Foucault a sans doute hésité entre plusieurs modèles de lecture de la sexualité : comme si la construction de l'objet « sexualité » n'était pas aussi aisée qu'il nous l'avait tout d'abord laissé croire ; comme s'il s'y jouait quelque chose de plus complexe qu'une simple réarticulation des rapports entre les discours de savoir, les rapports de pouvoir et les corps.

Or, s'il n'y a aucun intérêt en soi à traquer les incohérences qui existent çà et là dans les déclarations de Foucault, il est sans doute fécond d'essayer de comprendre la raison de cette difficulté et d'en tirer les conséquences qui s'imposent. Si l'analyse des bio-pouvoirs peut être faite dans des termes qui lient explicitement les modalités d'application et les enjeux

---

1. M. Foucault, « Périodisation », in *La Volonté de savoir*, *op. cit.*, chap. IV : « Le dispositif de sexualité », pp. 152-173.

du pouvoir à une histoire qui est essentiellement celle de la révolution industrielle – alors qu'au contraire l'histoire de la sexualité ne peut s'y réduire –, cela signifie que la sexualité représente quelque chose qui n'est pas exactement, ou pas seulement, la surface d'inscription d'une nouvelle articulation du pouvoir et des corps. En d'autres termes encore, la sexualité est l'un des enjeux de la nouvelle biopolitique que cherche à décrire Foucault, dans la mesure où elle concentre plusieurs stratégies de contrôle qui lui semblent expressément destinées (contrôle de la démographie et de l'hygiène ; gestion publique de la santé ; prévention des maladies vénériennes, etc.) ; et pourtant, cela ne suffit pas à la faire « disparaître » dans une histoire plus générale qui serait celle des rapports de pouvoir réarticulés selon les exigences propres à la naissance du libéralisme. La question devient donc la suivante : qu'est-ce qui fait de la sexualité un objet d'enquête privilégié ? D'où viennent sa spécificité et – aurait-on presque envie de dire – le privilège qui lui est accordé ?

Pour répondre à cela, il convient d'éclaircir deux points. Le premier concerne le rapport sexualité/sexe. Le contrôle biopolitique de la sexualité – qui n'est pas simplement, comme y insiste Foucault, une répression, mais une véritable gestion, une *économie* – n'est possible qu'au sein d'une énorme prolifération des discours sur le sexe qui caractérise l'époque moderne, en particulier à partir du XVIIIe siècle. La cristallisation de ces discours en un savoir normatif (il y a une médecine sociale de la sexualité comme il y a une médecine sociale de l'hygiène en général) ne représente donc que l'une des facettes d'une histoire plus vaste et antérieure, celle qui a transformé le sexe en objet de « discours vrais » ; et, inversement, cette mise en discours du sexe – ce que Foucault identifiera comme une véritable *scientia sexualis* et qui aboutira à la constitution de ce nouvel objet de savoir qu'est la sexualité – n'est qu'un exemple parmi tous ceux que Foucault a tenté de décrire depuis le début de son travail.

Encore une fois, la dimension archéologique de l'enquête et l'approche généalogique s'entrecroisent ici, selon que l'on choisit de se mouvoir sur un axe horizontal (la manière dont la prolifération des discours de savoir, à l'époque moderne, a cherché à instaurer un ordre normatif et y a inclus une mise en discours du sexe) ou sur un axe vertical (la manière dont au contraire le sexe a pu être l'objet d'autres discours, ou d'autres pratiques, avant qu'il ne devienne ce « dispositif de sexualité » que nous lisons à la fois comme une « science de la sexualité » et comme un biopouvoir normatif des comportements sexuels à partir de la fin du XVIIIᵉ siècle).

Dans un cas comme dans l'autre, le rapport du sexe à la vérité est pour Foucault fondamental dans la mesure où le pouvoir s'articule toujours sur des discours de « véridiction », c'est-à-dire ce que le philo-

sophe définit ailleurs comme des « jeux de vérité[1] ».
Et ces rapports au dire vrai ne sont nulle part ailleurs
plus évidents qu'à propos de la sexualité, puisque
nous appartenons encore aujourd'hui à une civilisa-

---

1. Contrairement à ce qu'affirment souvent les détracteurs de
Foucault – qui l'accusent généralement d'un relativisme historique
inconsidéré –, le fait de chercher à historiciser la vérité elle-même et
de vouloir décrire la façon dont elle se constitue dans le temps
n'équivaut pas à y renoncer. Faire l'histoire de la vérité, c'est certes
essayer d'en identifier les contraintes, les mécanismes et les instances,
c'est-à-dire tous les procédés « qui permettent de distinguer les énoncés vrais ou faux, la manière dont on sanctionne les uns et les autres ;
les techniques et les procédures qui sont valorisées pour l'obtention
de la vérité ; le statut de ceux qui ont la charge de dire ce qui fonctionne comme vrai » (M. Foucault, « La fonction politique de l'intellectuel », *Politique-Hebdo*, 29 novembre-5 décembre 1976, pp. 31-
33, repris in M. Foucault, *Dits et Écrits, op. cit.*, vol. III, texte n° 184,
p. 112). Et c'est dans la mesure où ces « jeux de vérité » historiquement déterminés permettent de comprendre les rapports au travers
desquels l'homme se constitue comme expérience que le philosophe
définira à la fin de sa vie – et de façon rétrospective – son travail
comme une véritable « histoire de la vérité » : « Ce que j'essaie de
faire, c'est l'histoire des rapports que la pensée entretient avec la
vérité ; l'histoire de la pensée en tant qu'elle est pensée de la vérité.
Tous ceux qui disent que pour moi la vérité n'existe pas sont des
esprits simplistes » (M. Foucault, « Le souci de la vérité », entretien
avec F. Ewald, *Magazine littéraire*, n° 207, mai 1984, pp. 18-23,
repris in M. Foucault, *Dits et Écrits, op. cit.*, vol. IV, texte n° 350,
p. 669). Il ne s'agit donc en aucun cas de renoncer à la vérité, mais
de refuser qu'elle doive être nécessairement placée hors de l'histoire
pour pouvoir exister. La substitution de la notion de vérité par
l'expression « jeux de vérité » sous-entend également pour Foucault
que l'analyse de la constitution des objets de connaissance et celle
des modes de subjectivation sont dépendantes l'une de l'autre, c'est-

tion où l'on demande essentiellement aux hommes de dire la vérité à propos de leur sexualité pour pouvoir dire la vérité sur eux-mêmes : « La sexualité, bien plus qu'un élément de l'individu qui serait rejeté hors de lui, est constitutive de ce lien qu'on oblige les gens à nouer avec leur identité sous la forme de la subjectivité[1]. » Il reste à comprendre comment ce lien a pu se modifier au cours de l'histoire, ou plus exactement quelle est son origine.

Foucault procède alors au rebours de ce qu'il a l'habitude de faire : en reculant temporellement jusqu'à trouver, en amont de ce qu'il décrit, la marque tangible d'une discontinuité réelle. Dans la mesure où l'analyse de la sexualité a son origine dans le projet plus vaste d'une analytique du pouvoir, le projet d'une histoire de la sexualité devient donc une

---

à-dire indissociables. La description de leur développement mutuel et de leur lien réciproque est précisément ce que, bien loin de la classique définition de la vérité comme adéquation de la représentation à l'objet, Foucault choisit d'appeler « jeu de vérité » : non pas la découverte de ce qui est vrai et de ce qui ne l'est pas, mais les règles en fonction desquelles ce que dit un sujet à propos d'un certain objet (ou de lui-même comme objet) peut relever de la question du vrai ou du faux. Parfois, Foucault utilise également à ce propos le terme de « véridiction » pour désigner cette émergence de formes historiques qui permettent à des discours, qualifiés de vrais en fonction de certains critères, de s'articuler sur un certain domaine de choses.

1. M. Foucault, « Sexualité et pouvoir » (conférence à l'université de Tokyo, 20 avril 1978), *Gendai-shisô*, juillet 1978, repris in M. Foucault, *Dits et Écrits, op. cit.*, vol. III, texte n° 233, p. 570.

interrogation sur la façon dont les pratiques et les discours de la religion, de la science, de la morale, de la politique ou de l'économie ont contribué à faire de la sexualité à la fois un instrument de subjectivation et un enjeu de pouvoir. Ce qui revient aussi à se poser la question inverse : la sexualité n'a-t-elle jamais représenté qu'un enjeu de contrôle des individus, ou bien engage-t-elle des jeux de vérité susceptibles de dire autre chose que la seule réalité des rapports de pouvoir ? En somme : une « histoire des systèmes de pensée » peut-elle être autre chose qu'une histoire du pouvoir ?

Il nous faut cependant ouvrir ici une parenthèse. Cette parenthèse, c'est précisément celle du pouvoir.

Pouvoir, pouvoirs

Chez Foucault, le thème du pouvoir est complexe. Comme il le déclare à de nombreuses reprises, le premier écueil d'une analytique du pouvoir consiste sans doute à reconnaître le danger tout à la fois d'une réification et d'une lecture moniste du pouvoir, c'est-à-dire une représentation qui identifierait en tous lieux et en tous temps la présence non questionnée d'une entité homogène et séparée. De fait, Foucault parle très peu de « pouvoir » et bien davantage de « rapports de pouvoir » ou de « relations de pouvoir » – choix lexical auquel nous avons essayé à notre tour de nous plier –, dans la mesure où il s'agit effectivement de décrire les variations historiques d'un certain nombre de *relations* qui se différencient non seulement dans le temps, mais aussi en fonction de leur champ d'application et de leur but.

De ce monisme réificateur, Foucault fait par ailleurs une analyse explicite. Il le lie en effet à une conception juridique du pouvoir qui, appliquant ses propres catégories – la loi, la règle, la souveraineté, etc. – à un ensemble de phénomènes qui ne s'y réduisent pas, provoque l'effet pervers d'une unification et d'une homogénéisation de sa représentation. Et c'est précisément à partir de cette réification que peut avoir lieu une sorte de « reconstruction » du pouvoir comme entité, espèce de présence fondante dont en général nous nous limitons effectivement à enregistrer la force des manifestations « secondaires », c'est-à-dire la matérialité des effets que nous subissons. Sur le premier point, Foucault est extrêmement clair : « Je crois que c'est de cette conception juridique du pouvoir, de cette conception du pouvoir à partir de la loi et du souverain, à partir de la règle et de la prohibition, qu'il faut maintenant se débarrasser si nous voulons procéder à une analyse non plus de la *représentation du pouvoir*, mais du *fonctionnement réel du pouvoir*[1]. »

De fait, tout le travail de Foucault essaiera à partir des années 1970 de décliner l'analyse selon la spécifi-

---

1. M. Foucault, « Les mailles du pouvoir », in *Dits et Écrits*, *op. cit.*, vol. IV, texte n° 297, p. 186. C'est moi qui souligne.

cité historique du fonctionnement des rapports de pouvoir (par exemple, le passage de la punition à la discipline au XVIIIᵉ siècle), mais aussi selon la « région » concernée par tel ou tel rapport de pouvoir spécifique. Au rebours d'une simple sociologie juridique du pouvoir, Foucault tente donc une archéologie qui puisse également donner lieu à une véritable « microphysique » des rapports de pouvoir[1] ou, comme Deleuze le dira avec intelligence, une « cartographie[2] ». Cette « régionalisation » des rapports de

---

1. C'est sous ce titre (*Microfisica del potere, op. cit.*) que paraîtra en 1977 en Italie, chez l'éditeur Einaudi, un ensemble d'essais réunis par A. Fontana et P. Pasquino autour des travaux de Foucault et comprenant la transcription de deux cours au Collège de France du 7 et du 14 janvier 1976. Le volume, résultat d'un travail collectif mené entre la France et l'Italie au milieu des années 1970 avec le concours direct de Foucault, n'a hélas jamais été traduit en français : il est sans doute le seul exemple d'un livre portant la signature de Foucault et pourtant non disponible en langue française.
2. À ce propos, voir G. Deleuze, *Foucault*, Paris, Éd. de Minuit, 1986, « Un nouveau cartographe (*Surveiller et punir*) », pp. 31-51. On se référera également à un très bel – et très étrange – entretien de 1976, « Questions à M. Foucault sur la géographie », *Hérodote*, n° 1, janvier-mars 1976, pp. 71-85, repris in M. Foucault, *Dits et Écrits, op. cit.*, vol. III, texte n° 169. L'exergue en est une phrase de Foucault qui, de prime abord, pourrait sembler assez énigmatique : « ...la géographie doit bien être au cœur de ce dont je m'occupe » (p. 28). Affirmation que le texte de l'entretien, qui porte précisément – et ce n'est bien entendu pas un hasard – en grande partie sur le thème du pouvoir, se charge immédiatement d'éclaircir : « L'utilisation des ternes spatiaux vous a un petit air d'antihistoire pour tous

pouvoir n'empêche certes pas la lecture de phénomènes d'homogénéité transversaux – les rapports de
pouvoir à l'intérieur de la prison sont ainsi lus par
Foucault à partir de la même matrice historique qui
donne simultanément lieu à la disciplinarisation de
l'école ou de l'hôpital –, mais elle interdit que l'on
pose quelque chose comme « une espèce de pouvoir
central qui serait primordial[1] » et dont dériveraient
dans un second temps un certain nombre de variations « locales ». Pour Foucault, le processus est
inverse : c'est le repérage cartographique des variations qui permet la construction d'une représentation
isomorphique, d'une sorte de « constante »

---

ceux qui confondent l'histoire avec les vieilles formes de l'évolution,
de la continuité vivante, du développement organique, du progrès
de la conscience ou du projet de l'existence. Du moment qu'on par-
lait en termes d'espace, c'est qu'on était contre le temps. C'est qu'on
"niait l'histoire", comme disaient les sots, c'est qu'on était "techno-
crate". Ils ne comprenaient pas que, dans le repérage des implantations, des délimitations, des découpages d'objets, des mises en
tableau, des organisations de domaines, *ce qu'on faisait affleurer,
c'étaient des processus – historiques, bien sûr – de pouvoir. La description
spatialisante des faits de discours ouvre sur l'analyse des effets de pouvoir
qui leur sont liés* » (*ibid.*, p. 34, c'est moi qui souligne). Le « pouvoir »
n'est donc ni unitaire dans le temps – du point de vue de l'archéologie –, ni homogène dans l'espace (du point de vue de la généalogie) : il est soumis à la fois à une variation historique (selon l'ordre
de la périodisation) et à une régionalisation spatiale (selon la description cartographique).

1. M. Foucault, « Les mailles du pouvoir », *op. cit.*, in *Dits et Écrits*,
op. cit., vol. IV, texte n° 297, p. 187.

commune, d'une matrice qui ne serait jamais antérieure à la diversité de ses effets, mais qui en serait
au contraire le produit. Et c'est ce qui est ouvertement reproché à un schéma de type contractuel (de
Grotius, ou de Pufendorf, à Rousseau) : « Une
société n'est pas un corps unitaire dans lequel s'exer-
cerait un pouvoir et seulement un, mais c'est en réalité une juxtaposition, une liaison, une coordination,
une hiérarchie, aussi, de différents pouvoirs, qui
néanmoins demeurent dans leur spécificité. [...] Le
schéma des juristes [...] consiste à dire : "Au début,
il n'y avait pas de société, et ensuite est apparue la
société, à partir du moment où est apparu un point
central de souveraineté qui a organisé le corps social,
et qui a permis ensuite toute une série de pouvoirs
locaux et régionaux[1]." »

La surprise vient sans doute de ce que la référence
jouée par Foucault contre les théoriciens de la
nature exclusivement juridique du pouvoir soit
Marx. On ne reviendra pas sur la distance que Foucault marque en bien des endroits à l'égard de Marx
et des pensées marxistes : on en a en particulier rappelé les grandes lignes à propos de la conception de
l'histoire et de celle du (ou des) sujet(s) politique(s),
puisque ni une lecture téléologique du devenir
(l'histoire de la lutte des classes) ni une définition
unitaire et en termes de classe des acteurs politiques

---

1. *Ibid.*

(le prolétariat, la bourgeoisie) ne peuvent bien entendu correspondre au projet foucaldien d'un devenir sans *telos* et d'une subjectivité dont tout l'enjeu est, au contraire, de comprendre comment elle se construit à partir de singularités disparates. Si l'on ajoute à cette critique le souvenir des pages des *Mots et des Choses* où la conception marxienne de l'économie est rabattue sur la pensée de Ricardo[1], et les nombreux commentaires de Foucault où la rupture représentée par Marx est réduite à sa dimension

---

1. Cf. à ce propos M. Foucault, *Les Mots et les Choses, op. cit.*, chap. VIII, « Travail, vie, langage », en particulier pp. 265-275. Foucault y écrit : « Mais peu importe sans doute l'alternative entre le "pessimisme" de Ricardo et la promesse révolutionnaire de Marx. Un tel système d'options ne représente rien de plus que les deux manières possibles de parcourir les rapports de l'anthropologie et de l'histoire, tels que l'économie les instaure à travers les notions de rareté et de travail. Pour Ricardo, l'Histoire remplit le creux ménagé par la finitude anthropologique et manifesté par une perpétuelle carence, jusqu'au moment où se trouve atteint le point d'une stabilisation définitive ; selon la lecture marxiste, l'Histoire, en dépossédant l'homme de son travail, fait surgir en relief la forme positive de sa finitude – sa vérité matérielle, enfin libérée. [...] Au niveau profond du savoir occidental, le marxisme n'a introduit aucune coupure réelle ; il s'est logé sans difficulté, comme une figure pleine, tranquille, confortable et, ma foi, satisfaisante pour un temps (le sien), à l'intérieur d'une disposition épistémologique qui l'a accueilli avec faveur (puisque c'est elle justement qui lui faisait place) et qu'il n'avait en retour ni le propos de troubler, ni surtout le pouvoir d'altérer, ne fût-ce que d'un pouce, puisqu'il reposait tout entier sur elle » (pp. 273-274).

sociologique[1], on comprendra à quel point la distance est grande. Pourtant, c'est à propos de l'analyse des pouvoirs que la référence à Marx réapparaît de manière pour le moins inattendue, en particulier sur deux points décisifs.

Foucault et Marx

Le premier point correspond précisément à l'affirmation de la pluralité des rapports de pouvoir : « En

---

1. Par « dimension sociologique », on entend ici une analyse moins en termes de composition de classe qu'en termes de subjectivités en lutte : « Ce dont j'aimerais discuter, à partir de Marx, ce n'est pas du problème de la sociologie des classes, mais de la méthode stratégique concernant la lutte. C'est là que s'ancre mon intérêt pour Marx […]. Mon intérêt va à l'incidence des antagonismes eux-mêmes : qui entre dans la lutte ? avec quoi et comment ? pourquoi y a-t-il cette lutte ? sur quoi repose-t-elle ? » (M. Foucault, « Méthodologie pour la connaissance du monde : comment se débarrasser du marxisme » (entretien avec R. Yoshimoto, 25 avril 1978), *Umi*, Tokyo, juillet 1978, pp. 302-328, repris in M. Foucault, *Dits et Écrits, op. cit.*, vol. III, texte n° 235. La citation se trouve à la p. 606). Et deux ans plus tôt, toujours à propos de Marx : « Je crois que ses analyses économiques, la manière dont il analyse la formation du capital sont pour une grande part commandées par les concepts qu'il dérive de la trame même de l'économie ricardienne. Je n'ai aucun mérite à le dire, c'est Marx lui-même qui l'a dit. Mais prenez en revanche son analyse de la Commune de Paris ou son 18 Brumaire de Louis-Napoléon, vous avez là un type d'analyse historique qui manifestement ne relève pas d'un modèle du XVIIIe siècle » (M. Foucault, « Questions à M. Foucault sur la géographie », *op. cit.*, in *Dits et Écrits, op. cit.*, vol. III, texte n° 169. La citation se trouve aux pp. 38-39).

somme, ce que nous pouvons trouver dans le livre II du *Capital*, c'est, en premier lieu, qu'il n'existe pas un pouvoir, mais plusieurs pouvoirs. Pouvoirs, cela veut dire des formes de domination, des formes de sujétion, qui fonctionnent localement, par exemple dans l'atelier, dans l'armée, dans une propriété de type esclavagiste ou dans une propriété où il y a des relations serviles. Tout cela, ce sont des formes locales, régionales de pouvoir, qui ont leur propre mode de fonctionnement, leur procédure et leur technique. Toutes ces formes de pouvoir sont hétérogènes. [...] Marx insiste beaucoup, par exemple, sur le caractère spécifique et à la fois relativement autonome, imperméable en quelque sorte, du pouvoir de fait que le patron exerce dans un atelier, par rapport au pouvoir de type juridique qui existait dans le reste de la société. Donc, existence de régions de pouvoir. La société est un archipel de pouvoirs différents[1]. » Ce qui est intéressant dans ce recours à Marx[2], c'est que, indépendamment de la justesse de la remarque de Foucault, il lui permet en réalité de penser le problème nodal qui est au cœur de sa réflexion politique

---

1. M. Foucault, « Les mailles du pouvoir », *op. cit.*, in *Dits et Écrits*, *op. cit.*, vol. IV, texte n° 297, pp. 186-187.

2. Foucault mentionne précisément en note le texte auquel il se réfère : il s'agit du deuxième livre du *Capital*, « Le procès de circulation du capital » (K. Marx, *Le Capital. Critique de l'économie politique*, livre II, trad. fr. E. Cogniot, C. Cohen-Solal et G. Badia, Paris, Éditions sociales, 1976, vol. II).

et qui semble prendre forme de manière toujours plus explicite : comment concevoir qu'une pluralité de formes non homogènes entre elles, et dotées non seulement d'une singularité qui leur est propre, mais d'une autonomie de fait dans leur nature et dans leur fonctionnement, contribuent à la formation d'une figure cohérente ? Ou encore : comment penser que la diversité d'un certain nombre de phénomènes puisse donner naissance à un dispositif complexe qui rendrait raison de chacun d'entre eux sans en gommer les singularités[1] ?

C'est, on le voit bien ici, encore une fois la question du difficile rapport entre différence et unité qui est posée : la même interrogation qui avait émergé à propos de la définition de l'*épistémè* comme isomorphisme, c'est-à-dire comme ensemble de formes différentes et pourtant liées entre elles par une communauté d'enjeux dans les savoirs et dans les pratiques. Mais c'est également la question qui avait travaillé l'analyse de Foucault de l'intérieur au moment de l'expérience du GIP, puisque le problème était là

---

1. Pour ce qui est du rapport de Foucault à Marx, on renvoie plus généralement aux travaux précieux de Roberto Nigro. On lira par exemple son « Foucault lecteur et critique de Marx », in J. Bidet et E. Kouvelakis (éd.), *Marx contemporain*, Paris, PUF, 2001, ou encore « Subordination réelle et pouvoir biopolitique. Marx et Foucault », *Actuel Marx*, n° 13, 2002. Les analyses de Thomas Lemke sont également éclairantes : voir par exemple « "Marx sans guillemets" : Foucault, la gouvernementalité et la critique du néolibéralisme », *Actuel Marx*, n° 36, 2004.

aussi de comprendre de quelle manière un ensemble de singularités subjectives, une fois réacquise la possibilité d'être les sujets de leur propre expérience, pouvaient donner vie à un sujet collectif inédit susceptible de conserver chacune des singularités de départ tout en les rendant fortes d'une puissance commune inédite.

Formulons à présent la question en termes abstraits : peut-on penser l'unité d'un ensemble d'éléments divers sans que cette unité soit nécessairement posée *a priori*, c'est-à-dire pensée comme fondement de la différence ? La différence n'est-elle lisible qu'à partir d'une unité qui en serait en quelque sorte la garante ? C'est là tout le nerf du reproche que Foucault adresse à ce qu'il nomme la « sociologie juridique du pouvoir », puisque l'identification du pouvoir avec la souveraineté fait nécessairement dériver la variété des pouvoirs d'une souche primordiale, tout comme la notion de citoyen ne peut prendre forme qu'à partir du moment où il entre dans la forme du contrat, c'est-à-dire quand il devient membre du corps social.

Bien entendu, cette « juridicisation » de la représentation du pouvoir qui consiste à poser son unité pour pouvoir penser successivement la richesse de ses articulations est particulièrement patente dans le cas où elle débouche sur une identification avec l'État. Là encore, on a déjà vu, à l'occasion de l'épisode du GIP, combien la réticence de Foucault était grande à l'égard de cette réduction du problème des rapports de pouvoir à la seule figure de l'État. On y ajoutera seulement deux remarques.

De manière assez étonnante, c'est encore Marx qui sert à Foucault pour critiquer ce type de réductionnisme, à la faveur d'une distinction extrêmement serrée entre Marx et un certain nombre de lectures marxiennes postérieures : « Il me semble en effet que si nous analysons le pouvoir en privilégiant l'appareil d'État, si nous analysons le pouvoir en le considérant comme un mécanisme de conservation, si nous considérons le pouvoir comme une superstructure juridique, nous ne faisons, au fond, pas plus que reprendre le thème classique de la pensée bourgeoise, lorsqu'elle envisage essentiellement le pouvoir comme un fait juridique. Privilégier l'appareil d'État [...] est, au fond, "rousseauiser" Marx. [...] Il n'est pas surprenant que cette conception supposée marxiste de pouvoir comme appareil d'État, comme instance de conservation, comme superstructure juridique, se trouve essentiellement dans la social-démocratie européenne de la fin du XIXe siècle, quand le problème était justement celui de savoir comment faire fonctionner Marx à l'intérieur d'un système juridique qui était celui de la bourgeoisie[1]. »

---

1. M. Foucault, « Les mailles du pouvoir », *op. cit.*, in *Dits et Écrits*, *op. cit.*, vol. IV, texte n° 297, p. 189. La même accusation de réduction est formulée par Foucault de manière symétrique à propos du concept de « classe » : tout comme les relations de pouvoir ne se

Par ailleurs, il n'est pas indifférent que dans le même texte où apparaît cette surprenante référence à Marx soient également convoqués les travaux de Pierre Clastres[1]. Les différents essais recueillis dans *La*

---

réduisent pas à un pouvoir unique décliné par la suite en différentes variantes ou à la seule figure de l'appareil d'État, la multiplicité des sujets peuvent bien construire à partir de leurs différences un sujet collectif, mais elles n'en dérivent pas. En somme, le concept de « classe » peut bien être le produit d'une construction collective, mais en aucun cas on ne peut y voir le fondement *a priori* d'une subjectivité commune : « Encore une fois, ici un certain marxisme académique utilise fréquemment l'opposition classe dominante *versus* classe dominée, discours dominant *versus* discours dominé. Or ce dualisme, d'abord, ne sera jamais trouvé chez Marx, mais par contre il peut être trouvé chez des penseurs réactionnaires et racistes comme Gobineau, qui admettent que, dans une société, il y a toujours deux classes, une dominée et une autre qui domine. Vous pouvez trouver cela en plusieurs endroits, mais jamais chez Marx, parce qu'en effet Marx est trop rusé pour pouvoir admettre une chose pareille ; il sait parfaitement que ce qui fait la solidité des relations de pouvoir c'est qu'elles ne finissent jamais, il n'y a pas d'un côté quelques-uns, de l'autre beaucoup ; elles passent partout : la classe ouvrière retransmet des relations de pouvoir, elle exerce des relations de pouvoir » (*ibid.*, p. 201).

1. *Ibid.*, p. 184 : « Et il a fallu attendre les années plus récentes pour voir apparaître des nouveaux points de vue sur le pouvoir, soit un point de vue strictement marxiste ou soit un point de vue plus éloigné du marxisme classique. De toute façon, nous voyons à partir de là apparaître, avec les travaux de Clastres, par exemple, toute une nouvelle conception du pouvoir comme technologie, qui essaie de s'émanciper du primat, du privilège de la règle et de la prohibition qui, au fond, avait régné sur l'ethnologie depuis Durkheim jusqu'à Lévi-Strauss. » La référence à Clastres est inhabituelle chez Foucault,

Société contre l'État[1] ont en effet tous pour point de départ l'idée que, s'il existe des sociétés sans État, il ne s'agit pas pour autant de sociétés sans organisation politique ; ou, plutôt, que c'est l'un des effets les plus pervers et les plus tenaces de notre ethnocentrisme que de ne pas pouvoir penser le pouvoir sans devoir nécessairement penser quelque chose comme la formation d'un appareil d'État, ou pour le moins d'une incarnation séparée et unitaire du pouvoir. Comme l'écrit très clairement Clastres : « La propriété essentielle (c'est-à-dire qui touche à l'essence) de la société primitive, c'est d'exercer un pouvoir absolu et complet sur tout ce qui la compose, c'est d'interdire l'autonomie de l'un quelconque de ses sous-ensembles qui la constituent[2]... » Il s'agit donc d'empêcher que même devant ces sociétés, en un mouvement rétroactif et totalement illégitime, nous ne pensions au contraire le champ du politique exclusivement à travers sa réduction au modèle qui est le nôtre en Occident

---

puisqu'il n'existe que cette seule occurrence ; en revanche, elle est centrale dans l'analyse des relations de pouvoir – et singulièrement dans l'analyse de la guerre – à laquelle se livrent Gilles Deleuze et Félix Guattari dans le chapitre XII de *Mille plateaux*. Le livre de Deleuze et Guattari, publié aux Éditions de Minuit en 1980, précède donc d'un an le texte de la conférence de Foucault que nous rapportons ici.

1. P. Clastres, *La Société contre l'État. Recherches d'anthropologie politique*, Paris, Éd. de Minuit, coll. « Critique », 1974.
2. Pierre Clastres, « La société contre l'État », in *La Société contre l'État*, *op. cit.*, p. 180.

depuis l'époque moderne, c'est-à-dire sous la forme d'un pouvoir *séparé*. Et Clastres de souligner : « Si l'on s'obstine à réfléchir sur le pouvoir à partir de la certitude que sa forme véritable se trouve réalisée dans notre culture, si l'on persiste à faire de cette forme la mesure de toutes les autres, voire même leur *telos*, alors assurément on renonce à la cohérence du discours, et on laisse se dégrader la science en opinion[1]. » La réduction du problème du (ou des) pouvoir(s) à la seule analyse et critique de l'État ne peut donc de ce point de vue représenter qu'une illusion rétroactive de complétude historique, et l'oubli que les formes d'organisation et d'articulation du champ politique ne sont saisissables que dans le contexte où elles apparaissent et par lequel elles sont déterminées.

Or, là où Clastres fait jouer l'étrangeté – c'est-à-dire l'hétérogénéité – des sociétés amérindiennes face au modèle occidental moderne à partir de la *distance spatiale* qui sépare les deux mondes, et refuse que l'Occident représente la norme en fonction de laquelle mesurer le degré d'évolution d'une « hétérogénéité » pourtant évaluée à partir de ce qu'elle n'est pas[2], Foucault semble bien plus repérer le problème à

---

1. P. Clastres, « Copernic et les sauvages », in *La Société contre l'État, op. cit.*, p. 19.
2. Il est frappant de voir à quel point ce refus de réintégration normative de l'altérité est en réalité proche des analyses foucaldiennes que nous avons déjà rappelées sur le rapport raison/déraison et sur le privilège exorbitant de la première sur la seconde. On ne peut pas

partir d'une *distance temporelle* : la réduction du pouvoir à la seule forme de l'État est un oubli de l'historicité du concept d'État lui-même, c'est-à-dire une opération qui consiste en réalité à transformer un concept historiquement déterminé en un absolu sans histoire, en un fondement universel. Et l'on comprend alors que cette « différence » soit pour Foucault immédiatement associée à l'idée de discontinuité, c'est-à-dire la rupture temporelle de quelque chose qui est perçu comme un *continuum* abusif. Si ce n'est que, ce faisant, Foucault prend le risque non seule-

---

non plus ne pas penser à certains textes de Jacques Derrida de la seconde moitié des années 1960, qui eux aussi semblent vouloir mettre à l'index la tentation d'européisation qui guette parfois le discours anthropologique, c'est-à-dire l'utilisation non questionnée de catégories et de concepts provenant d'un horizon de pensée occidental. Qu'on se souvienne, par exemple, des critiques formulées à l'égard de Lévi-Strauss dans *De la grammatologie* (Paris, Éd. de Minuit, 1967) à propos de l'épisode de la « leçon d'écriture », ou du court texte intitulé « La structure, le signe, le jeu dans le discours des sciences humaines » (in *L'Écriture et la différence*, Paris, Seuil, coll. « Tel Quel », 1967) : « Or l'ethnologie – comme toute science – se produit dans l'élément du discours. Et elle est d'abord une science européenne, utilisant, fût-ce à son corps défendant, les concepts de la tradition. Par conséquent, qu'il le veuille ou non, et cela ne dépend pas d'une décision de l'ethnologue, celui-ci accueille dans son discours les prémisses de l'ethnocentrisme au moment même où il le dénonce » (« La structure, le signe, le jeu... », in *L'Écriture et la différence*, *op. cit.*, p. 414). Signalons que parmi les penseurs épinglés par Derrida au même titre que Lévi-Strauss, il y a aussi Foucault, auquel Derrida consacre un bref et très intense essai, « Cogito et histoire de la folie » (in *L'Écriture et la différence*, *op. cit.*).

ment d'affronter sans réellement le résoudre le problème difficile des « sauts » d'une *épistémè* à une autre – dont nous avons déjà vu le caractère problématique –, mais également de supprimer toute possibilité de lecture de l'histoire en termes d'évolution.

On dira à raison que, chez Clastres aussi, la dénonciation de la lecture « évolutionniste » des différences anthropologiques est extrêmement nette : « L'ethnocentrisme n'est donc pas une vaine entrave à la réflexion et ses implications sont de plus de conséquence qu'on ne pourrait le croire. Il ne peut laisser subsister les différences chacune pour soi en sa neutralité, mais veut les comprendre comme différences déterminées à partir de ce qui est le plus familier, le pouvoir tel qu'il est éprouvé et pensé dans la culture de l'Occident. *L'évolutionnisme, vieux compère de l'ethnocentrisme, n'est pas loin.* La démarche à ce niveau est double : d'abord recenser les sociétés selon la plus ou moins grande proximité que leur type de pouvoir entretient avec le nôtre ; affirmer ensuite explicitement (comme jadis) ou implicitement (comme maintenant) une *continuité* entre toutes ces diverses formes de pouvoir[1]. » Mais la continuité dont parle Clastres se donne par-dessus et en dépit de différences qui s'offrent *simultanément* à l'observateur : l'évolutionnisme complice de l'ethnocentrisme qu'il

---

1. P. Clastres, « Copernic et les sauvages », in *La Société contre l'État*, *op. cit.*, p. 16. C'est moi qui souligne.

met à l'index, ce n'est pas tant l'idée d'un devenir historique en général que sa réduction à une figure figée et relativement statique qui ferait de notre société et de son fonctionnement le mètre à l'aune duquel mesurer toutes les différences qui s'offrent simultanément – *ailleurs* – en termes d'accomplissement plus ou moins réussi.

L'évolutionnisme pris à partie par Clastres est donc en réalité un mécanisme qui fixe le degré de développement *présent* de telle ou telle société en fonction d'une mesure qui correspond à notre *propre présent*. La hiérarchisation des présents selon cette échelle normative est ce qui définit, en une illusion rétrospective, quelque chose comme la reconstruction d'une « évolution historique », bien que la dimension historique en soit totalement absente. Chez Foucault, au contraire, la critique de la continuité et de la linéarité de l'histoire est dès le départ enracinée dans une perspective qui prend pour objet différentes périodisations qui sont en elles-mêmes historiques. C'est ainsi que Foucault se retrouve dans l'obligation de répondre à une question à laquelle Clastres, lui, dans la mesure où il joue plutôt sur le couple différenciation spatiale/ simultanéité temporelle, échappe. Et cette question, à laquelle Foucault n'a à l'évidence pas totalement répondu, est la suivante : n'y a-t-il d'évolution historique que sous la forme d'un évolutionnisme ? Ou encore : peut-on penser un devenir non évolutionniste de l'histoire ? En somme, les concepts de devenir et de discontinuité ou de différence sont-ils antithétiques ?

Pouvoir coercitif, pouvoir productif

Sans vouloir trop nous attarder sur les analyses complexes proposées par Clastres, nous aimerions pourtant en souligner un second aspect, qui correspond de manière assez surprenante au second « décalage » formulé par Foucault dans ses propres analyses des rapports de pouvoir, et qui convoque encore une fois Marx. Ce second point de critique porte sur l'identification fréquente du pouvoir avec une fonction exclusivement coercitive. Chez Clastres, la dissociation concerne en réalité le couple politique/pouvoir coercitif : la leçon des Indiens Tupi-Guarani, c'est précisément qu'une absence de pouvoir coercitif ne signifie pas une absence d'organisation politique[1], et que toutes les sociétés, bien loin de se partager en sociétés à pouvoir et sociétés sans pouvoir, présentent dans tous les cas, sans exception, une certaine organi-

---

1. *Ibid.* : « Notre culture, depuis ses origines, pense le pouvoir politique en termes de relations hiérarchisées et autoritaires de commandement-obéissance. Toute forme, réelle ou possible, de pouvoir est par la suite réductible à cette relation privilégiée qui en exprime *a priori* l'essence. Si la réduction n'est pas possible, c'est qu'on se trouve dans l'en-deçà du politique : le défaut de relation commandement-obéissance entraîne *ipso facto* le défaut de pouvoir politique » (« Copernic et les sauvages », *op. cit.*, p. 15).

sation du pouvoir politique (immanent au social).
Cette organisation suit deux modèles principaux – pouvoir coercitif/pouvoir non coercitif –, ce qui veut dire
non seulement que le pouvoir politique n'est pas
réductible à sa fonction de commandement/imposi-
tion d'obéissance, mais aussi que cette dernière ne
peut en aucun cas constituer le critère en fonction
duquel évaluer l'autre type de fonctionnement du
pouvoir politique qui est décrit par Clastres.

Chez Foucault, la critique n'est pas exactement
formulée dans les mêmes termes, puisqu'il s'agit de
comprendre que la fonction coercitive du pouvoir
n'épuise pas tous les rapports de pouvoir qui existent
dans notre propre organisation politique depuis deux
siècles. Certes, l'illusion induite par la pensée politique moderne – c'est-à-dire par une théorie politique
de la souveraineté – a précisément abouti à cette
réduction : « En d'autres termes, l'Occident n'a
jamais eu d'autre système de représentation, de formulation et d'analyse du pouvoir que celui du droit,
le système de la loi[1]. » Mais tout l'enjeu est justement
de déconstruire au sein de l'Occident lui-même cette
fausse équivalence du pouvoir et de la prohibition.
Encore une fois, il ne s'agit évidemment pas ici de
confondre Clastres avec Foucault : leur proximité sur
certains points n'efface pas des divergences pro-

---

1. M. Foucault, « Les mailles du pouvoir », *op. cit.*, in *Dits et Écrits*,
op. cit., vol. IV, texte n° 297, p. 186.

fondes[1]. Pourtant, il nous faut bien constater que, chez Foucault, la référence à Clastres n'est pas totalement dépourvue de poids, et qu'elle présente une « consis-

---

1. Le voisinage Clastres-Foucault est en réalité plus complexe et riche qu'il n'y paraît. Il semble, par exemple, que toute l'interrogation sur la guerre que l'on trouve chez Clastres – c'est-à-dire l'hypothèse que la guerre pourrait être le point de renversement qui fait qu'une organisation immanente à la société et non coercitive du pouvoir politique se transforme à un moment donné en pouvoir séparé et coercitif – soit en partie passée chez Foucault dans le cours au Collège de France de 1976 (M. Foucault, *Il faut défendre la société*, Paris, EHESS-Gallimard-Seuil, 1997 ; cf. également M. Foucault, « Il faut défendre la société », *Annuaire du Collège de France, 76ᵉ année, année 1975-1976*, repris in M. Foucault, *Dits et Écrits, op. cit.*, vol. III, texte n° 187) ; car, si Clastres affirme que la guerre peut représenter l'événement qui fait passer d'un mode à l'autre – ce qui revient à dire que la guerre est à l'origine du pouvoir politique coercitif et séparé, et en particulier de son incarnation dans l'État moderne –, Foucault, lui, travaille sur l'hypothèse du retournement de la formule clausewitzienne selon laquelle la guerre ne serait que la continuation de la politique par d'autres moyens – ce qui revient à dire que la guerre fonde le pouvoir politique moderne, et non le contraire. Clastres est sans doute plus prudent que Foucault à cet égard, puisque son analyse se termine par un non-lieu (« Si "ça marchait", alors on aurait là le lieu natal du pouvoir politique comme contrainte et violence, on aurait la première incarnation, la figure minimale de l'État. Mais ça ne marche jamais », *La Société contre l'État, op. cit.*, p. 178), alors que Foucault lui-même choisit de confirmer pleinement l'hypothèse. Il n'en reste pas moins que le voisinage des deux analyses est impressionnant. Il existe en revanche une totale divergence des deux auteurs à propos de Marx, puisque Clastres voit essentiellement en Marx un penseur de l'État, alors que Foucault, comme nous l'avons vu, l'utilise au contraire pour étayer la thèse d'une pluralité des rapports de pouvoir.

tance » inattendue ; comme si, malgré toutes les différences qui les séparent, Foucault cherchait chez Clastres, pour nourrir ses propres réflexions théoriques, tout à la fois une autre modélisation du pouvoir et la tangibilité des analyses anthropologiques.

Passons à présent aux conséquences de tout cela. Dire que le pouvoir est en réalité un ensemble de rapports de pouvoir historiquement déterminés et précédant toute illusion d'unité successive, et que l'essence de ces rapports n'est pas purement coercitive – c'est-à-dire négative, privative, répressive –, c'est dessiner, au rebours de la représentation du pouvoir comme interdiction, une cartographie des relations de pouvoir *en positif.* Or, pour Foucault, dire que les relations de pouvoir sont positives, ce n'est bien entendu pas leur reconnaître une légitimité morale – parce que la positivité morale de la loi telle qu'on la trouve par exemple chez Kant est précisément fondée sur une fonction de coercition –, mais comprendre qu'elles ont une utilité d'un autre type : elles *produisent.*

La production du pouvoir est double. D'une part, elle est liée à l'histoire de la production économique au sens strict : nous ne voulons pas revenir ici sur la manière dont Foucault associe et entrecroise l'histoire des disciplines et de l'apparition des biopouvoirs avec celle du libéralisme, mais il est évident que, à partir de cette grande mutation que représentent la disciplinarisation des corps et le contrôle sur la vie, la double gestion des individus et des populations, la prohibi-

tion et la punition ne sont plus au centre du fonctionnement des pouvoirs parce que l'enjeu est devenu
autre : la technologie du pouvoir est désormais construite sur des impératifs de rentabilité – c'est-à-dire à
la fois de réduction des coûts et de croissance de l'effi-
cacité – dont le modèle est économique ; bien plus,
c'est parce que cette nouvelle technologie est construite sur des impératifs de rentabilité qu'elle rend
possible cet autre type de rentabilité qui concerne
directement la sphère de la production industrielle, et
que Foucault appelle génériquement « libéralisme »
ou « capital ». Le lien est par conséquent double,
puisque les disciplines fonctionnent à partir d'un
modèle économique tout en rendant possibles l'organisation et le contrôle de cette nouvelle économie qui
est sous-entendue par la production industrielle.
Comme le confirme Foucault : « J'ai essayé de montrer [...] comment cette mutation de la technologie
du pouvoir fait absolument partie du développement
du capitalisme. Elle fait partie de ce développement
dans la mesure où, d'un côté, c'est le développement
du capitalisme qui a rendu possible cette mutation
technologique, mais cette mutation a rendu possible
le développement du capitalisme, bref, une implication permanente des deux mouvements, qui sont
d'une certaine façon engrenés l'un dans l'autre[1]. »

---

1. M. Foucault, « Les mailles du pouvoir », *op. cit.*, in *Dits et Écrits*,
op. cit., vol. IV, texte n° 297, p. 200.

D'autre part, dire que les relations de pouvoir produisent, c'est reconnaître qu'elles n'induisent pas seulement des effets de gestion, de limitation et éventuellement de sanction du réel, mais qu'elles permettent au contraire un surplus positif de réalité – ou, en termes plus ontologiques que politiques, une *production d'être*. Cette production d'être affecte au premier chef les sujets qui sont pris dans les rapports de pouvoir : elle est ce que Foucault appellera par la suite une *production de subjectivité*.

Dans l'analyse foucaldienne, la possibilité de cette production d'être est liée à la redéfinition totale des relations de pouvoir, c'est-à-dire à ce qui lie entre eux les hommes qui imposent un pouvoir, d'une part, et les hommes qui subissent et éventuellement réagissent à ce pouvoir, de l'autre. Le premier élément dont part Foucault est en réalité assez simple, même s'il implique un décalage très fort par rapport aux représentations traditionnelles du pouvoir. En effet, les deux pôles de la relation, loin d'être simplement définis par un vis-à-vis qui les opposerait tout en les séparant nettement, sont pour Foucault pris dans un jeu d'implications réciproques qui en scellent l'interdépendance fondamentale. Comme le rappelle Foucault lui-même à de nombreuses reprises : « Si je me faisais une conception ontologique du pouvoir, il y aurait d'un côté le Pouvoir avec un P majuscule, sorte d'instance lunaire, supraterrestre, et puis les résistances des malheureux qui sont contraints de se plier au pouvoir. Je crois qu'une analyse de ce genre est totalement fausse ; car le pouvoir naît d'une pluralité de rapports qui se greffent sur autre chose et rendent possible autre chose[1]. » Or, dire que les rapports de pouvoir et ce (ou ceux) qu'ils assujettissent ont partie liée implique à son tour deux conséquences importantes. La première est qu'il n'y a paradoxalement pas de pouvoir sans liberté parce que, si le pouvoir est avant tout une relation – et non pas une instance abstraite, une entité métaphysique ou une incarnation « choséifiée » et unitaire –, alors il ne peut pas se permettre d'annuler l'un des deux termes du rapport.

Pour Foucault, le pouvoir implique certes une violence évidente, mais ce n'est pas sous la forme d'une destruction ou d'une rupture unilatérale qu'elle s'impose (c'est-à-dire comme imposition simple et directe d'un rapport de forces coercitif à des individus ou à des populations). De manière plus complexe, la lecture foucaldienne des relations de pouvoir définit celles-ci comme une « action sur l'action » des individus ou des populations, c'est-à-dire comme une transformation de l'action libre des personnes ou des groupes, et non pas comme son effacement. Encore une fois, cette « action sur

---

1. M. Foucault, « Precisazioni sul potere. Risposta ad alcuni critici » (entretien avec P. Pasquino, février 1978), *Aut Aut*, n° 167-168, septembre-décembre 1978, pp. 3-11 ; trad. fr. « Précisions sur le pouvoir. Réponses à certaines critiques », in M. Foucault, *Dits et Écrits, op. cit.*, vol. III, texte n° 238, p. 631.

l'action », cette « conduite de la conduite » peut n'en être pas moins brutale ; pourtant, elle diffère profondément d'un simple rapport de domination dans la mesure où à aucun moment la forme même du rapport de pouvoir (c'est-à-dire précisément la relation) n'est supprimée. Comme le précise très clairement Foucault : « Une relation de violence agit sur un corps, sur des choses : elle force, elle plie, elle brise, elle détruit : elle referme toutes les possibilités ; elle n'a donc auprès d'elle d'autre pôle que celui de la passivité ; et si elle rencontre une résistance, elle n'a d'autre choix que d'entreprendre de la réduire. Une relation de pouvoir, en revanche, s'articule sur deux éléments qui lui sont indispensables pour être justement une relation de pouvoir : que l'"autre" (celui sur lequel elle s'exerce) soit bien reconnu et maintenu jusqu'au bout comme sujet d'action ; et que s'ouvre, devant la relation de pouvoir, tout un champ de réponses, réactions, effets, inventions possibles[1]. »

Cette inclusion de l'« autre » dans la relation, qui équivaut à la fois à ne jamais nier la permanence d'une liberté des sujets et à dessiner par avance le champ d'une réaction possible (ce que Foucault, reprenant un terme qui lui était cher dans la décennie précédente, appelle « résistance », mais dans un

---

1. M. Foucault, « Le sujet et le pouvoir », *op. cit.*, in *Dits et Écrits*, *op. cit.*, vol. IV, texte n° 306, p. 236.

sens cette fois-ci totalement différent), est de manière assez évidente en rupture radicale avec une lecture simplement contraignante ou oppressive du pouvoir. Elle revient à dire qu'un rapport de domination et une relation de pouvoir ne sont en réalité pas la même chose, puisque le pouvoir « ne s'exerce que sur des "sujets libres", et en tant qu'ils sont libres – entendons par là des sujets individuels ou collectifs qui ont devant eux un champ de possibilité où plusieurs conduites, plusieurs réactions et divers modes de comportement peuvent prendre place. Là où les déterminations sont saturées, il n'y a pas de relation de pouvoir : l'esclavage n'est pas un rapport de pouvoir lorsque l'homme est aux fers (il s'agit alors d'un rapport physique de contrainte), mais justement lorsqu'il peut se déplacer et à la limite s'échapper[1] ».

Le pouvoir, défini comme un ensemble d'actions sur des actions possibles, implique donc une transformation des sujets agissants – et c'est cette transformation, sous la forme d'un choix de réaction ou de comportement, que Foucault appellera désormais « résistance ». Cela signifie que là où le terme de résistance avait eu pour Foucault le sens d'une extériorité au pouvoir (pensons par exemple à la recherche, longtemps poursuivie et finalement abandonnée, d'une résistance de la parole subjective *contre* l'ordre objectif

---

1. *Ibid.*, pp. 237-238.

du discours, c'est-à-dire d'un « dehors » du langage qui opposerait son irréductibilité aux procédures d'identification, de distribution et d'organisation de la grille discursive), il devient à présent interne à la relation de pouvoir elle-même. La résistance, c'est la possibilité (mais aussi la nécessité) pour les sujets investis par le pouvoir de se transformer et de réagir : l'insoumission de la liberté est au cœur de la relation de pouvoir. Ce qui veut également dire que l'on s'éloigne d'une lecture « antagoniste » du conflit pour lui substituer la perspective d'une lutte – car la lutte demeure – qui prend aussi la forme d'une « incitation réciproque[1] ».

Une éthique de la « pratique de la liberté »

On comprend alors que certaines lectures classiquement marxistes aient été au moment du tournant foucaldien de la fin des années 1970 – et demeurent aujourd'hui – extrêmement réticentes à l'égard de ces formulations, comme si Foucault, en inscrivant la liberté au plus intime de ce qui la contraint, avait « trahi » toute perspective de libération. Mais, à ce reproche, Foucault répond de façon assez cohérente avec lui-même qu'il n'est pas intéressé par la « libération » des hommes – parce que c'est de la liberté, et non de la libération, qu'il s'agit

1. *Ibid.*, p. 238.

de dire la puissance[1]. La libération est tout au plus
une réaction drastique contre ce qu'elle identifie

---

1. Voir par exemple « L'éthique du souci de soi comme pratique de
la liberté » (entretien avec J. Becker, R. Fornet-Bétancourt et
A. Gomez-Müller, 20 janvier 1984), *Concordia, Revista Internacional
de Filosofía*, n° 6, juillet-décembre 1984, pp. 99-116, repris in
M. Foucault, *Dits et Écrits, op. cit.*, vol. IV, texte n° 356 : « J'ai toujours été un peu méfiant à l'égard du thème central de la libération,
dans la mesure où, si l'on ne le traite pas avec un certain nombre de
précautions et à l'intérieur de certaines limites, il risque de renvoyer
à l'idée qu'il existe une nature ou un fond humain qui s'est trouvé,
à la suite d'un certain nombre de processus historiques, économiques
et sociaux, masqué, aliéné ou emprisonné dans des mécanismes, et
par des mécanismes de répression. Dans cette hypothèse, il suffirait
de faire sauter ces verrous répressifs pour que l'homme se réconcilie
avec lui-même, retrouve sa nature ou reprenne contact avec son origine et restaure un rapport plein avec lui-même. [...] C'est pourquoi
j'insiste plutôt sur les pratiques de liberté que sur les processus de
libération qui, encore une fois, ont leur place, mais ne me paraissent
pas pouvoir, à eux seuls, définir toutes les formes pratiques de
liberté » (pp. 709-710). Le paradoxe posé par Foucault est donc le
suivant : théoriser un processus de libération, c'est admettre la possibilité d'une sortie des rapports de pouvoir et d'un retour à une
liberté originaire aliénée : la liberté originaire est le véritable
« dehors » du pouvoir. Alors qu'affirmer d'emblée la liberté ineffaçable
de l'homme y compris dans les mécanismes d'assujettissement et
d'aliénation qui constituent les dispositifs de pouvoir, c'est à la fois
renoncer une fois pour toutes à toute illusion métaphysique de l'origine, à tout rêve de « dehors », et ouvrir au cœur du réel, immédiatement et de manière immanente, la possibilité d'une pratique de la
liberté. Qu'on ne s'y trompe pas : Foucault ne nie pas totalement la
nécessité de certaines luttes de libération (comme cela s'est par exemple
passé dans le cas de la révolution iranienne, exemple sur lequel
nous reviendrons bientôt) ; mais c'est avec d'évidentes réticences que

comme son contraire : l'aliénation, l'assujettissement. C'est-à-dire qu'elle ne s'affirme paradoxalement que de manière parfaitement dialectique au
rebours de ce qui la nie, dans l'illusion du retour à
un état originaire et pur qui serait celui de l'absence
totale de servitude : à la lettre une sorte de *pré-
histoire*, si l'on identifie au contraire l'histoire avec
l'émergence et la variation des rapports de pouvoir
– en somme, un retour à la fiction rousseauiste de la
pureté et de l'innocence de l'état de nature. Cette
solution ne laisse donc d'autre choix que celui de la
sortie contemporaine de l'histoire et du politique.
Foucault propose, en revanche, une autre solution :
non pas rechercher un « dehors » de l'histoire et du
politique, mais creuser, au sein même des déterminations historiques, sociales et politiques, les conditions d'un véritable *travail de la liberté*.

Ce point permet alors de comprendre dans quelle
mesure l'implication réciproque des relations de pou-

Foucault y fait allusion, dans la mesure où « quand un peuple colo-
nisé cherche à se libérer de son colonisateur, c'est bien une pratique
de libération, au sens strict. Mais on sait bien, dans ce cas d'ailleurs
précis, que cette pratique de libération ne suffit pas à définir les pratiques de liberté qui seront ensuite nécessaires pour que ce peuple,
cette société et ces individus puissent se définir des formes recevables
et acceptables de leur existence ou de la société politique » (*ibid.*,
p. 710). Un processus de libération n'est jamais en soi un gage de
liberté à venir, alors que la pratique de la liberté représente – au sein
même des relations de pouvoir qu'elle creuse à leur insu – une résistance irréductible.

voir et de la liberté – ou, plus simplement, de la résistance au pouvoir – ne signifie à aucun moment la reformulation d'un cercle dialectique parfait où l'asservissement et la réaction à l'asservissement se relanceraient sans fin. Il est vrai que certaines formulations foucaldiennes semblent présenter de prime abord une ambiguïté assez grande, et que l'étrange relation qui paraît lier indissociablement entre elles l'aliénation et la liberté tout en les maintenant dans leur spécificité irréductible n'est pas sans faire penser à une version « historicisée » (et dégagée de toute référence à la conscience) du fameux texte hégélien sur la dialectique du maître et de l'esclave[1]. En effet, si Hegel écrit en ouverture de ces pages célèbres : « La conscience de soi est en soi et pour soi quand elle est en soi et pour soi pour une autre conscience de soi ; c'est-à-dire qu'elle n'est qu'en tant qu'être reconnu. Le concept de cette unité de la conscience de soi dans son doublement, ou le concept de l'infinité se réalisant dans la conscience de soi, présente un entrelacement d'aspects multiples et inclut des éléments de signification variée ; c'est ainsi que, *pour une part, les moments de cet entrelacement doivent être tenus rigoureusement les uns en dehors des autres, que pour l'autre, dans cette distinction, ils doivent aussi être pris et connus*

---

1. G.W.F. Hegel, *La Phénoménologie de l'Esprit*, trad. J. Hyppolite, Paris, Aubier, t. I, chap. IV : « La Vérité de la Certitude de soi-même : A. Indépendance et Dépendance de la Conscience de soi ; Domination et Servitude » (pp. 155-166).

comme non distincts, ou qu'ils doivent toujours être pris et reconnus dans leur signification opposée[1] », Foucault affirme pour sa part : « S'il est vrai que, au cœur des relations de pouvoir et comme condition permanente de leur existence, il y a une "insoumission" et des libertés essentiellement rétives, il n'y a pas de relation de pouvoir sans résistance, sans échappatoire ou fuite, sans retournement éventuel ; toute relation de pouvoir implique donc, au moins de façon virtuelle, une stratégie de lutte, sans que pour cela elles en viennent à se superposer, à perdre leur spécificité et finalement à se confondre[2]. » Pourtant, l'« empreinte » hégélienne est immédiatement écartée par Foucault dans la mesure où le rapport d'implication réciproque qui lie le pouvoir à la liberté n'est en réalité pas parfaitement symétrique, ce qui l'empêche de se transformer en une pure tautologie. Plus encore : tout l'enjeu des analyses foucaldiennes est précisément de penser à la fois l'indissociabilité du pouvoir et de la liberté (ou, pour le dire en d'autres termes, l'entrelacement nécessaire d'une analytique des pouvoirs et d'une analytique des subjectivités) et leur dissymétrie essentielle.

Cette dissymétrie, Foucault tente dans un premier temps – et de manière sans doute maladroite – de la rendre possible à partir de l'affirmation d'une antériorité non seulement chronologique mais ontologique de

---

1. *Ibid.*, p. 155. C'est moi qui souligne.
2. M. Foucault, « Le sujet et le pouvoir », *op. cit.*, in *Dits et Écrits*, *op. cit.*, vol. IV, p. 242.

la résistance au pouvoir. L'« autre du pouvoir » est toujours antérieur au pouvoir lui-même ; comme le dit Foucault dans un texte de 1978, « le pouvoir naît d'une pluralité de rapports qui se greffent sur autre chose, naissent d'autre chose et rendent possible autre chose[1] ». Mais faire du pouvoir l'effet d'une série de causes antérieures, c'est revenir paradoxalement à une formulation qui non seulement suppose qu'une instance (la liberté absolue ? le monde naturel ?) soit considérée comme originaire par rapport à une réalité seconde, mais qui articule la réciprocité du lien pouvoir/liberté à partir de la reconnaissance de la prééminence du terme identifié comme cause. Évidemment, Foucault se retrouve assez vite acculé à un choix impossible : ou bien accepter le reproche d'une structure purement tautologique (fréquent en cette fin des années 1970) en vertu de laquelle les deux « pôles » du rapport se renvoient l'un à l'autre dans un mouvement parfaitement circulaire et sans possibilité de sortir de cette « boucle » perverse ; ou bien réintroduire un principe de différenciation immédiatement identifié à une structure de type causal (le pouvoir est un *effet de ce qui lui est autre*), ce qui permet certes de dissocier les termes, mais contraint inévitablement à accepter une perspective où la cause est ontologiquement première et l'effet toujours second par rapport à sa cause.

---

1. M. Foucault, « Précisions sur le pouvoir. Réponse à certains critiques », *op. cit.*, in *Dits et Écrits*, *op. cit.*, vol. III, p. 631.

VIII

L'invention de soi

Se produire soi-même

Au début des années 1980, l'argumentation foucaldienne change radicalement et abandonne tout
recours à un type d'hypothèse qui assignerait au
pouvoir une fonction ontologiquement seconde par
rapport à une « origine » ontologiquement libre.
L'analytique du pouvoir est recentrée sur la question
du « comment » – en évitant soigneusement la question du « pourquoi[1] » – afin de ne pas s'exposer au
risque d'une dérive causale qui impliquerait immédiatement une hiérarchisation ontologique du pouvoir et de son « autre ». Il s'agit donc de trouver un

---

1. Comme le précise malicieusement Foucault : « Pour certains,
s'interroger sur le "comment" du pouvoir, ce serait se limiter à en
décrire les effets sans les rapporter jamais ni à des causes ni à une
"nature" » (« Le sujet et le pouvoir », *op. cit.*, in *Dits et Écrits*, *op. cit.*,
vol. IV, p. 232), alors que c'est précisément à cette fin que Foucault
évite désormais la question du « pourquoi ».

principe de distinction qui soit susceptible à la fois de maintenir l'implication réciproque du pouvoir et de la liberté, et d'en différencier les termes. Cette différenciation ne sera plus logique (cause/effet), ni chronologique (avant/après), ni bien évidemment ontologique (origine/devenir), mais reposera désormais sur la manière dont il peut être dit que le pouvoir et la résistance (c'est-à-dire la pratique de la liberté au sein même du rapport de pouvoir) « produisent[1] ».

Or, là encore, le problème est d'éviter une tautologie. Quand Foucault écrit que le pouvoir « produit » – dans la mesure où il se présente comme une « action sur l'action des autres » et où il implique des effets de transformation –, il dit à la fois que celui-ci ne cesse jamais de dessiner d'autres grilles d'identification, d'inventer d'autres dispositifs de hiérarchisation et de répartition, d'autres stratégies d'investissement et de captation, et qu'il détermine profondément ce à quoi il s'applique. Les rapports de pouvoir sont, de ce point de vue, à la fois en expansion permanente et en transformation continuelle afin de s'adapter au plus près aux modifications d'une réalité qu'ils contribuent eux-mêmes à changer.

---

1. En réalité, il arrive malgré tout que Foucault cède à la tentation de réintroduire un principe de hiérarchisation : « [...] au cœur des relations de pouvoir *et comme condition permanente de leur existence*, il y a une "insoumission" et des libertés essentiellement rétives... » (« Le sujet et le pouvoir », *op. cit.*, p. 242, c'est moi qui souligne).

Quand le philosophe écrit au contraire que la résistance est productive, il entend décrire le mouvement par lequel la pratique de la liberté est sans cesse relancée par les nouveaux dispositifs de pouvoir : la résistance se transforme exactement à la mesure des transformations des rapports de pouvoir.

On dira alors que Foucault n'a rien résolu, et qu'il n'a fait que déplacer la menace de la tautologie avant de la retrouver, intacte et entière, sous cette nouvelle formulation : « Entre relation de pouvoir et stratégie de lutte, il y a appel réciproque, enchaînement indéfini et renversement perpétuel[1]. » Sinon que, comme nous y avons déjà insisté plusieurs fois, là où le pouvoir *réagit* à la pratique de la liberté qu'il a contribué à susciter en se modifiant pour se renforcer, la résistance *invente* sur le seul terrain qui soit à la fois le produit des rapports de pouvoir et la matière même des pratiques de liberté : celui du rapport à soi. « Soi », c'est à la fois le sujet en tant qu'objectivation produite par les dispositifs normatifs et travaillée par l'entrelacs complexe des rapports de pouvoir, et une subjectivité qui se réapproprie d'elle-même à travers une pratique de liberté ; mieux : qui se réapproprie d'elle-même et qui simultanément se réinvente, se *produit*. La « production » propre aux rapports de pouvoir est donc une *réaction* aux limitations et aux résistances que ceux-ci rencontrent : c'est dans cette

---

1. *Ibid.*

mesure que l'on peut dire que les rapports de pouvoir dépendent de la résistance, qu'ils se nourrissent de la liberté qui paradoxalement les faille ; alors que la production de subjectivité est une réaction qui possède le privilège extraordinaire de pouvoir être aussi – et toujours – une invention, une inauguration : une création. Dans le premier cas, on a donc, au mieux, affaire à une logique qui, quel que soit le raffinement dont elle fait preuve, est essentiellement gestionnaire : il s'agit de gérer (c'est-à-dire de contenir, d'infléchir, d'organiser, de discipliner, de canaliser, d'exploiter, d'influencer, etc.) à son propre profit l'existant. Dans le second, il s'agit au contraire d'inventer des formes de vie, d'expérimenter des modalités expressives, des manières d'être ensemble, de tenter des rapports à soi et aux autres inédits. Il y a là à prendre au sérieux le thème de l'invention : c'est, à la lettre, la création de formes d'être nouvelles qui, si elles sont immanentes et matérielles, n'en représentent pas moins un accroissement de ce qui est ; et c'est dans cette mesure que certains n'ont pas hésité à utiliser, dans le sillage de l'usage qu'en fait Foucault lui-même, le terme d'*ontologie*[1]. Le passage de la question du pouvoir à celle de la subjectivité, ou plutôt la problématisation de leur entrelacement indissoluble, aboutit donc à une nouvelle configuration où l'impossibilité de penser le

---

1. Je me permets de renvoyer par exemple à mon « Le commun : une ontologie », *Rue Descartes*, n° 67 : *Quel sujet du politique ?*, PUF-Collège international de philosophie, 2010.

pouvoir sans des mécanismes de subjectivation résistentielle (et, à l'inverse, les procédés de subjectivation sans des dispositifs d'objectivation qui s'y appliquent immédiatement) n'exclut pourtant en rien la dissymétrie essentielle entre ces deux pôles. Le caractère gestionnaire du pouvoir et celui, inventif, de la subjectivité – ce que certains, en hommage à Spinoza, n'ont pas hésité à caractériser comme une opposition entre le pouvoir (*potestas*) et la puissance (*potentia*)[1] – sont à la fois inséparables et non coïncidants ; et c'est précisément dans ce décalage intime que peut s'ancrer la perspective d'une résistance.

Une autre histoire possible

Revenons à présent au problème que nous affrontions avant cette très longue parenthèse sur le pouvoir, c'est-à-dire au renversement qui se produit dans le travail de Foucault à partir du moment où celui-ci

---

1. L'opposition est patente dans les analyses que Gilles Deleuze consacre à Spinoza, en particulier dans *Spinoza et le problème de l'expression*, Paris, Éd. de Minuit, 1969 ; étrangement, elle l'est beaucoup moins dans celles que Deleuze consacre à la pensée de Foucault vingt ans plus tard (cf. *Foucault*, Paris, Éd. de Minuit, 1986). Chez Antonio Negri, en revanche, les analyses spinozistes et celles qui portent sur la pensée foucaldienne coïncident presque parfaitement : cf. de ce point de vue *L'Anomalie sauvage. Puissance et pouvoir chez Baruch Spinoza*, Paris, PUF, 1982, rééd. Paris, Amsterdam, 2007, et *Fabrique de porcelaine. Pour une nouvelle grammaire du politique*, Paris, Stock, 2006.

décide d'émanciper l'histoire de la sexualité d'une analytique du pouvoir au sens strict.

La modification du projet de l'*Histoire de la sexualité* tel qu'il avait tout d'abord été exposé dans les pages de *La Volonté de savoir*[1], en 1976, peut précisément se comprendre à partir de ce point. Ce qui semble en effet intéresser Foucault après la publication de *La Volonté de savoir*, en 1976, c'est davantage le problème posé par les « techniques de soi » et par la possibilité des processus de subjectivation que l'histoire de la sexualité en elle-même ; comme s'il s'agissait de recentrer la recherche sur un rapport à soi qui se donne avant tout comme *expérience de soi*, comme *ethos* ; comme s'il s'agissait de faire déboucher l'analytique du pouvoir dans une dimension qui, loin d'en dénoncer les carences et les impasses, en relancerait les enjeux tout en rouvrant l'espace d'une pratique possible de la liberté.

Il existe de nombreuses formulations de ce retournement, qui ouvre à la double perspective éthique et esthétique : éthique, parce qu'il s'agit de se prendre soi-même pour objet de sa propre action ; esthétique,

---

1. Et sur la quatrième de couverture, où l'on peut effectivement lire l'annonce de cinq autres volumes qui devaient représenter la suite du projet : « 2. La chair et le corps ; 3. La croisade des enfants ; 4. La femme, la mère et l'hystérique ; 5. Les pervers ; 6. Populations et races ». De ces cinq titres, seul « Populations et races » renvoie au moins partiellement à un travail de recherche effectivement réalisé (le cours au Collège de France de 1975-1976 : « Il faut défendre la société »).

parce que, s'il s'agit de se produire soi-même, autant suivre l'injonction foucaldienne et « faire de sa vie une œuvre d'art ».

La plus convaincante de ces formulations semble cependant être celle que fournit Foucault quand il fait de ce retournement le prolongement naturel de l'entrelacs complexe qui lie entre eux le pouvoir et la pratique de la liberté. Ce que Foucault explique, c'est que tout son travail a correspondu depuis le début des années 1960 à la fois à la description minutieuse de la manière dont les rapports de pouvoir s'entrecroisaient et concouraient à former une grille cohérente de discours, de dispositifs, de pratiques et d'institutions, malgré les différences « locales » entre les divers champs auxquels ils s'appliquaient (moment archéologique) ; et à la description de la manière dont un ensemble homogène de rapports de pouvoir dans un champ défini se modifiaient et se reformulaient afin d'être au plus près de ce qu'ils avaient investi (moment généalogique). Or cette double analyse archéologique et généalogique est effectivement une analytique du pouvoir qui, si elle pose avec clarté l'indissociabilité du pouvoir et de la résistance au pouvoir, est malgré tout centrée sur un axe dominant : celui d'une histoire de l'assujettissement – ou, en d'autres termes, d'une histoire des modes d'objectivation qui ont construit pour la raison l'espace d'une connaissance possible et ont inclus en son centre cet objet spécifique qu'est l'homme. Ce qui semble se produire dans la recherche foucaldienne à la fin des années 1970, ce n'est pas tant un démarcage par rapport à cette première perspective que la prise de conscience que la même histoire peut être dite et faite autrement ; et que, en lieu et place d'une histoire des dispositifs de pouvoir, on peut tenter cette autre histoire qui est celle des pratiques de résistance, c'est-à-dire aussi de l'*invention de soi*.

En réalité, l'idée n'est pas nouvelle chez Foucault : on a déjà rappelé cette évocation paradoxale du « grondement sourd de la bataille » qui clôt *Surveiller et punir* dès 1975, c'est-à-dire la trace souterraine d'une résistance féroce à la fin d'un texte qui se présente pourtant explicitement comme une généalogie de la manière dont fonctionnent et s'appliquent les rapports de pouvoir depuis plus de deux siècles. Ce qui est frappant, c'est qu'à partir du constat de l'indissociabilité du pouvoir et de la résistance naisse alors l'idée d'une sorte de « contre-histoire » – une contre-histoire dont on percevra clairement le projet général dans le texte remarquable consacré à la vie des « hommes infâmes[1] », en 1977, et qui se veut précisé-

---

1. M. Foucault, « La vie des hommes infâmes », *Les Cahiers du chemin*, n° 29, 15 janvier 1977, pp. 12-29, repris in M. Foucault, *Dits et Écrits, op. cit.*, vol. III, texte n° 198. Rappelons que le texte devait être l'introduction à une anthologie d'archives de l'enfermement de l'Hôpital général et de la Bastille. L'idée de l'anthologie se transforma par la suite en un projet de collection éditoriale chez Gallimard (« Les vies parallèles »), en 1978, avec la

ment pour Foucault un recueil d'existences réelles :
« Qu'on puisse leur donner un lieu et une date ; que
derrière ces noms qui ne disent plus rien, derrière ces
mots rapides et qui peuvent bien la plupart du temps
avoir été faux, mensongers, injustes, outranciers, il y
ait eu des hommes qui ont vécu et qui sont
morts[1]... »

Faire la contre-histoire des rapports de pouvoir, ce
n'est pas, contrairement à ce qu'une lecture trop
rapide pourrait laisser entendre, faire l'histoire des
opprimés en lieu et place de celle des vainqueurs – ce
qui supposerait d'ailleurs que les oppresseurs et les
opprimés, dans un rapport de vis-à-vis immuable,
soient clairement identifiés et toujours identiques à
eux-mêmes. Nous savons que, pour Foucault, il ne
peut en aller ainsi. Faire la contre-histoire des rapports de pouvoir, ce sera donc plus simplement faire
l'histoire de la manière dont des vies singulières et
minuscules ont eu à se confronter aux rapports de
pouvoir et en sont ressorties changées, profondément
marquées, voire détruites – mais jamais sans avoir
auparavant produit des stratégies de résistance qui
reposent souvent sur une production discursive (une

---

publication du mémoire d'Herculine Barbin, puis, en 1979, du
Cercle amoureux d'Henri Legrand. Sur le texte, on se référera également à Collectif Maurice Florence (Ph. Artières, J.-F. Bert,
P. Michon, M. Potte-Bonneville et J. Revel), *Archives de l'infamie*,
op. cit.

1. *Ibid.*, p. 239.

« prise de parole »), parfois encore sur des gestes ou des comportements inédits, des décisions ou des choix inattendus, et modifient tout à la fois les rapports de pouvoir qu'elles cherchent à contrer et l'individu qu'elles cherchent à défendre.

Encore une fois, pour Foucault, nul n'est besoin de dissocier le mouvement d'opposition ou de résistance de ce à quoi il s'oppose – puisque l'un et l'autre se nourrissent réciproquement. Et nul n'est besoin de dissocier le mouvement de résistance d'une existence singulière des effets subjectifs – ou, pour le dire encore plus directement, de la *production subjective* – que cela engendre immédiatement : la résistance n'est possible que parce que, contrairement au pouvoir, elle se donne comme une production, une invention, et non pas seulement comme une réaction ; mais cette production – qui est une pratique innovante de soi – n'est possible que dans la mesure où c'est la résistance au pouvoir qui en a induit le mouvement. En somme, là où il y a pouvoir, il ne peut pas ne pas y avoir lutte et pratique de la liberté ; et là où il y a lutte et pratique de la liberté, cela ne peut pas ne pas passer à travers les canaux d'une production subjective, d'une invention de soi.

L'autre histoire que Foucault cherche donc à faire, ce sera dans un premier temps une histoire des luttes et des résistances, puis, plus directement encore, à la toute fin des années 1970, dans le grand tournant qui l'amènera au travail sur l'esthétique de l'existence et sur l'éthique, une histoire des *modes de subjectivation.* Dans le premier cas, à travers les vies des « hommes infâmes », il s'agit de lire une histoire renversée des rapports de pouvoir puisque, précisément, « ce qui les arrache à la nuit où elles auraient pu, et peut-être toujours dû rester, c'est la rencontre avec le pouvoir[1] » ; dans le deuxième, il s'agit à la fois de dire dans quelle mesure le rapport à soi est toujours mis en forme par les rapports de pouvoir propres à une époque donnée – c'est-à-dire objectivé à travers un certain nombre de dispositifs, de régimes de discours et de pratiques –, et « structuré comme une pratique qui peut avoir ses modèles, ses conformités, ses variantes, mais aussi *ses créations*[2] ».

Laissons donc Foucault conclure, dans un texte qui explique précisément le remaniement du projet de l'*Histoire de la sexualité* à partir de la volonté d'insister sur cette dimension de l'invention de soi : « Le projet d'une histoire de la sexualité était lié au désir d'analyser de plus près le troisième axe constitutif de toute matrice d'expérience : la modalité du rapport à soi. Non pas que la sexualité ne puisse et ne doive pas – à la manière de la folie, de la maladie ou de la délinquance – être envisagée comme foyer d'expérience comportant un domaine de savoir, un système de

---

1. *Ibid.*, p. 240.
2. M. Foucault, « À propos de la généalogie de l'éthique : un aperçu du travail en cours », *op. cit.*, in *Dits et Écrits, op. cit.*, vol. IV, texte n° 344, p. 617. C'est moi qui souligne.

règles et un mode de rapport à soi. Cependant, l'importance qu'y prend ce dernier permet de le choisir comme fil directeur pour l'histoire même de cette expérience et de sa formation [...]. Le risque était de reproduire, à propos de la sexualité, des formes d'analyses centrées sur l'organisation d'un domaine de connaissance, ou sur le développement des techniques de contrôle et de coercition – comme celles qui ont été faites précédemment à propos de la maladie ou de la délinquance. Pour mieux analyser en elles-mêmes les formes du rapport à soi, j'ai été amené à remonter à travers le temps de plus en plus loin du cadre chronologique que je m'étais primitivement fixé : à la fois pour m'adresser à des périodes dans lesquelles l'effet des savoirs et la complexité des systèmes normatifs étaient moins grands et aussi pour pouvoir éventuellement dégager des formes de rapport à soi différentes de celles qui caractérisent l'expérience de la sexualité[1]. » L'invention de soi devient donc le thème central du travail de Foucault : non pas que la sexualité en épuise toutes les formes – ni, bien entendu, que l'étude du monde grec en représente le seul exemple –,

---

1. M. Foucault, « Preface to the *History of Sexuality* », in P. Rabinow, *The Foucault Reader*, *op. cit.* ; trad. fr. « Préface à l'*Histoire de la sexualité* », repris in M. Foucault, *Dits et Écrits*, *op. cit.*, vol. IV, texte n° 340, pp. 583-584. Le texte était initialement destiné à être la préface du deuxième volume de l'*Histoire de la sexualité* – c'est pour cette raison qu'il rend compte de la manière dont le plan annoncé dans *La Volonté de savoir* a été profondément modifié. Il sera finalement remplacé par une nouvelle rédaction.

mais parce que c'est à présent à partir de ce problème qu'il va s'agir de reprendre les fils de la recherche. Et c'est, de fait, ce à quoi Foucault ne cessera de revenir jusqu'à la fin de sa vie.

Qu'est-ce qu'une vie autre ?

Comme on le sait sans doute, depuis désormais plusieurs années est lancée une vaste entreprise de publication des cours que Foucault prononça au Collège de France entre 1971 et 1984. Les exigences de cette édition soignée ont de fait imposé depuis le début une sorte de « marche de crabe » qui procède par bons en avant et en arrière, sans suivre l'ordre chronologique réel des années de cours. La chose, si elle est en soi un peu étrange, possède au moins un double avantage. Le premier est sans doute de nous empêcher de céder à la paresse intellectuelle et de nous interdire de nous reposer entièrement sur une linéarité supposée de la recherche foucaldienne : s'agissant, comme nous avons essayé de le montrer dans ce livre, d'un penseur ayant lui-même revendiqué et théorisé – dans le sillage de noms tutélaires aussi différents que ceux de Canguilhem pour la philosophie des sciences, de Nietzsche pour la philosophie, ou de l'école des *Annales* pour l'historiographie – la pratique même de la discontinuité, cette impossibilité d'une lecture rectiligne n'est pas pour déplaire, bien au contraire ; d'autant qu'elle n'exclut pas l'affirmation d'une cohérence interne extrêmement forte : une cohérence bizarre et difficile sans doute, mais une cohérence quand même, et des plus intenses – en dents de scie, en spirale, en sauts et en reprises, en tournants et en vrilles, dans une sorte d'exploration passionnée de toutes les figures qui nouent les fils, pensent les problèmes, expérimentent tout à la fois des concepts et des pratiques, et ne cessent de questionner et de relancer, plutôt que de vouloir résoudre et dissoudre. Le second avantage tient au fait que, dans cet étrange jeu de publication « dans le désordre » qui nous contraint du même coup à penser les modalités mêmes de la production et de la codification de l'« ordre » – à commencer par celui que nous nommons *chronologique* –, il n'est pas absolument indifférent de pouvoir lire les « derniers cours » (ceux de 1984) alors qu'il reste par ailleurs, au moment où nous écrivons, cinq autres années de cours encore non publiées.

Or la récente publication du *Courage de la vérité. Le gouvernement de soi et des autres II. Cours au Collège de France. 1984*[1] clôt sans arriver à clore ; ou, plus exactement, le cours est à la fois ce par quoi se termine effectivement le travail de Foucault au Collège et l'un des jalons d'une plus vaste et plus complexe « figure dans le tapis », pour le dire avec Henry James,

---

1. M. Foucault, *Le Courage de la vérité. Le gouvernement de soi et des autres II. Cours au Collège de France 1984*, édition établie par Frédéric Gros, Paris, Gallimard-Seuil-EHESS, 2009.

que l'on est au contraire bien loin de pouvoir encore discerner en entier – si tant est qu'il soit jamais possible de le faire.

Foucault meurt à la fin de juin 1984 (le dernier cours de l'année 1984 est prononcé au Collège de France le 28 mars et se termine par ces mots : « Mais enfin il est trop tard. Alors, merci »). On l'a vu, dès la fin des années 1960, il avait produit la critique radicale et violente non seulement de la notion d'*auteur*, mais aussi de celle d'*œuvre*, et de ce pseudo-lien qui, à travers le doublet auteur/œuvre, permet d'ordonner et de lisser en une séquence plate et codifiée, psychologisée et parfaitement lisible, à la fois les aléas d'une recherche vivante et les déterminations historiques de toute parole. Du même coup, la publication des « dernier cours du Collège », en laquelle on pourrait être tenté de voir une sorte de testament, d'indication finale ou de legs à la charge des disciples et amis, ou, plus encore, la conclusion trop attendue d'un parcours auquel il ne manquerait qu'un point final en forme de dévoilement absolu, est un formidable pied de nez posthume de Foucault lui-même à tous ceux qui ont oublié l'ironie critique que l'on sent parfois poindre dans *L'Ordre du discours*[1] – le cours qui inaugure pourtant son enseignement au Collège de France en décembre 1970 –, ou qui rêvent de le faire entrer dans l'une des cases agréablement prédisposées de

---

1. M. Foucault, *L'Ordre du discours*, *op. cit.*

l'histoire de la philosophie. En somme : il n'est heureusement pas si facile de faire de Foucault un auteur – et ce *Courage de la vérité*, qui à la fois est le dernier cours (dans l'ordre de la vie) et ne l'est pas (dans l'ordre de l'édition), est là pour nous le rappeler.

En réalité, l'année de cours 1984 peut être comprise d'une double manière : à la fois dans le prolongement de l'année qui la précède – *Le Gouvernement de soi et des autres. Cours au Collège de France 1983-1984*[1], dont nous disposons par ailleurs déjà de l'édition critique –, à laquelle elle reprend son titre en guise de sous-titre (mais nous reviendrons sur ce point), et comme une entreprise qui, par rapport au parcours qui l'a précédée, rompt assez fortement : non pas qu'elle renie ou qu'elle s'oppose au travail déjà fait, mais plutôt dans la mesure où elle déplace le questionnement et inaugure sans doute un nouveau champ de problématisation.

Depuis 1981, Foucault s'occupe en effet de ce qu'il appelle « son trip gréco-latin » : en janvier 1981, il avait inauguré avec le cours *Subjectivité et vérité* – dont on ne dispose encore pour l'instant que des cassettes audio et du résumé[2] – un cycle qui allait se

---

1. M. Foucault, *Le Gouvernement de soi et des autres. Cours au Collège de France 1983-1984*, édition établie par Fr. Gros, Paris, Gallimard-Seuil-EHESS, 2008.

2. « Subjectivité et vérité » fait en effet partie des cinq cours dont le texte n'a pas encore été publié par Gallimard-Seuil-EHESS. Il le sera vraisemblablement dans des délais assez brefs.

poursuivre les années suivantes avec *L'Herméneutique du sujet*, puis avec *Le Gouvernement de soi et des autres.* On y retrouve donc un certain nombre d'éléments essentiels pour les dernières années de recherche du philosophe, en particulier à travers le déplacement et la reprise des trois thèmes qui avaient dans un premier temps structuré son travail : une analyse des modes de véridiction (et non pas, comme dans les premières années, une épistémologie de la vérité), une étude des formes de gouvernementalité (et non pas une théorie générale du Pouvoir), et enfin une attention portée aux manières de se produire soi-même comme sujet, c'est-à-dire aux techniques de subjectivation (et non pas une déduction du Sujet). On y retrouve également des thèmes centraux (celui du dire-vrai, de la *parrêsia*, telle que Foucault développe depuis 1982 la notion, et qui implique à son tour une « ontologie des discours vrais » ; ou encore celui de l'*alèthurgie*, c'est-à-dire de la façon dont un sujet se transforme éthiquement dans son rapport à soi et aux autres en fonction d'une configuration spécifique de dire-vrai). Dans tous les cas, il s'agit de reprendre un type d'approche qui, au lieu d'envisager formellement ou épistémologiquement le problème de la vérité, s'attache au contraire à penser ensemble et de manière articulée les styles de véridiction et les types de rapport à soi, les formes du dire-vrai et les modes de subjectivation : rien, donc, qui ne vienne poser une césure entre la pure forme de la vérité et les situations pratiques de l'existence, puisque au contraire il s'agit de montrer à quel point, dans la pensée antique, et précisément entre ces deux pôles que sont la véridiction et la subjectivation, les discours et les pratiques sont intimement liés. C'est donc au bilan de ces travaux des dernières années que Foucault consacre son premier cours, le 1er février 1984, en particulier dans le tournant que semble effectuer son analyse des dimensions politiques aux dimensions éthiques de la *parrêsia* ; et c'est encore dans cette voie qu'il poursuit jusqu'au 29 février.

Ce premier mois de cours est certes passionnant – émouvant, sans doute aussi, quand Foucault, à la faveur d'une lecture serrée de certains passages de l'*Apologie de Socrate* sur la peur de la mort, ou du *Phédon* sur le rapport entre la philosophie et la maladie, s'attarde sur la manière dont Socrate semble tisser ensemble les thèmes de la *parrêsia* et de l'*epimeleia*, c'est-à-dire du souci de soi… Il ne s'agit évidemment pas ici d'établir des parallèles grossiers, ni de suggérer que Foucault, se sachant malade, se devinait aussi condamné et laissait percer dans ses cours la présence d'une mort désormais escomptée et voisine : après tout, nous ne savons pas grand-chose de cela et, quand bien même nous le saurions, rien ne pourrait faire davantage injure à Foucault que la tentative d'écraser le vaste mouvement d'une pensée sous la simple chronique biographique, fût-elle douloureuse et infiniment digne.

Mais il existe d'autres manières, bien plus subtiles, de tramer la pensée et la vie de Foucault, dans le va-et-vient incessant entre une archéologie des systèmes de pensée et des modes de vie (le « trip gréco-latin ») et une analyse de notre propre actualité – ce que Foucault appelle précisément, dans les années 1980, une « ontologie du présent ». Ainsi, à propos du type de *parrêsia* propre à Socrate et qu'il faut soigneusement distinguer de la *parrêsia* politique (non seulement parce qu'elle ne consiste pas à « donner des conseils à la cité », mais parce qu'elle est une tâche que le dieu a confiée à Socrate et qu'il s'agit précisément de protéger des dangers de la politique) : « Il [Socrate] tient à soumettre cet oracle à la vérification. Et il emploie, pour désigner la modalité de cette recherche (*zêtesis*), un mot caractéristique, qui est important. C'est le mot *elegkhien*, qui veut dire : faire des reproches, faire des objections, questionner, soumettre quelqu'un à un interrogatoire, s'opposer à ce que quelqu'un a dit pour savoir si ce qui a été dit tient bien ou ne tient pas. C'est en quelque sorte le discuter. […] Il ne s'agit pas d'entreprendre une interprétation, mais d'entreprendre une recherche pour tester, pour éprouver la vérité de l'oracle. Il s'agit de le discuter. Et cette recherche prend la forme d'une discussion, d'une réfutation possible[1]. » Comme s'il n'était pas évident que, dans cette « discussion » qui peut prendre la

---

1. M. Foucault, *Le Courage de la vérité, op. cit.*, pp. 75-76.

forme d'une « réfutation possible » – ce qu'ailleurs Foucault nomme aussi la « différence possible[1] » –, c'est de l'élaboration de tout un travail d'enquête et de vérification qu'il s'agit, qui va contre les vérités établies et les certitudes acquises, qui met au contraire au jour le jeu et les atours rhétoriques dont se parent en général les fausses vérités, et qui est le travail de Foucault lui-même.

Or, si cette véridiction courageuse s'oppose à la véridiction politique, ce n'est pas parce qu'elle n'est pas en elle-même et de manière intime *politique*, mais au contraire parce qu'elle déplace le lieu du politique ; qu'elle n'est pas une affirmation faite pour le bien de la cité, mais une question posée au cœur de la cité ; qu'elle n'est pas prescriptive ou assertive, mais interrogative ; et que, plutôt que de dire aux gens comment ils devraient se comporter, elle les prie par exemple – et avant toute chose – de s'occuper d'eux-mêmes...

Dès lors, si la peur de mourir de Socrate est en réalité simplement la peur que cette tâche qui lui a été confiée ne puisse s'interrompre, il est difficile de ne pas penser que la peur de mourir de Foucault – si tant est qu'il l'ait éprouvée en ces premiers mois de l'année 1984 – est peut-être elle aussi simplement la crainte

---

1. Voir par exemple les deux commentaires que Foucault consacre successivement, en 1983 et en 1984, au texte de Kant « Qu'est-ce que les Lumières ? », repris désormais in M. Foucault, *Dits et Écrits*, *op. cit.*, vol. IV.

que cette autre parole politique possible – la parole politique comme critique du politique, des institutions, des visées réformistes et prédictives, d'un certain ordre des discours, etc. – ne puisse, elle aussi, se tarir un jour. L'incitation à s'occuper de soi et à mettre en pratique l'*épimeleia*, ce souci si essentiel dans le discours socratique, c'est alors aussi l'idée que la tâche doit être prolongée et continuée par chacun dans une pratique éthique du rapport à soi ; mais c'est bien parce que, « en vous incitant à vous occuper de vous-mêmes, c'est à la cité tout entière que je suis utile[1] ». La *parrêsia* socratique, c'est ce courage de la vérité qui critique et déplace à la fois, et qui met entre les mains des hommes – dans un souci qu'ils doivent avoir d'eux-mêmes et des autres – la possibilité de refonder la cité.

Dans le commentaire du *Phédon*, c'est un autre déplacement qui est de la même manière à l'œuvre. Comme le suggère Frédéric Gros (qui a établi le texte du cours de 1984 et qui signe l'excellente « situation du cours » finale) : « Le problème posé est celui des dernières paroles de Socrate, cette énigmatique injonction : "Criton, nous devons un coq à Asklépios ; soucie-t'en" (118a). Ces derniers mots avaient reçu dans toute la tradition une interprétation nihiliste. Comme si Socrate avait dit : Il faut remercier le dieu de la médecine, car, par la mort qui sauve, je suis

---

1. M. Foucault, *Le Courage de la vérité*, *op. cit.*, p. 83.

guéri de la maladie de vivre. Foucault va s'aider de Dumézil pour donner de la formule fameuse une autre lecture : si Socrate peut remercier Asklépios dans ses derniers instants, c'est bien qu'il a été guéri, mais guéri de la maladie des faux discours, de la contagion des opinions communes et dominantes, de l'épidémie des préjugés, guéri de la philosophie[1]. » Pour le Foucault lecteur du *Phédon*, et comme dans le cas de l'*Apologie* (c'est-à-dire parallèlement à une *critique politique de la politique*), il s'agit moins de réfuter la philosophie en tant que telle que d'en redéfinir et d'en déplacer le lieu et les pratiques, les enjeux et la valeur de vérité. De la même façon que la *parrêsia* socratique, précisément parce qu'elle s'oppose à la *parrêsia* politique (celle de Solon, par exemple), redéfinit du même coup ce que peut être une parole (et une pratique) politique critique et courageuse, la pratique de la philosophie socratique qui est tout entière reprise dans les derniers mots que Socrate prononce après avoir demandé le sacrifice d'un coq à Asklépios (*mê amelêsête* : littéralement, « ne négligez pas ») consiste en effet à opposer à l'ordre dominant des idées instituées une pratique de l'interrogation et de la problématisation que seul le souci peut consentir.

Voilà donc le vrai courage de la vérité : celui qui consiste à déplacer les lieux de la pensée et du poli-

---

1. Fr. Gros, « Situation du cours », in M. Foucault, *Le Courage de la vérité, op. cit.*, pp. 319-320.

tique en les vidant d'eux-mêmes et en les réinvestissant à partir d'une pratique qui soit à la fois questionnante, critique et non prescriptive ; et qui enseigne aux hommes que seul le souci de soi et des autres (« Le gouvernement de soi et des autres » est, faut-il le rappeler, le sous-titre de ce cours de 1984 après avoir été le titre du cours de 1982-1983) est la véritable condition de la liberté et de la vérité. Bien loin, par conséquent, d'une interprétation commune qui voudrait que, s'intéressant à l'éthique au tournant des années 1980, Foucault ait en réalité donné à voir un reflux radical de sa propre pensée politique telle qu'il tentait pourtant de la construire dans les années 1970 ; bien loin, aussi, d'une lecture de ces cours – ou des deux derniers volumes de l'*Histoire de la sexualité*, qui leur sont contemporains dans l'écriture – qui ferait du souci de soi une sorte de préfiguration antique – et ô combien anachronique – de cet individualisme moderne en lequel certains semblent vouloir voir la seule incarnation véritable de la liberté et de l'autonomie…

Non, encore une fois, il faut le dire : le souci de soi ne va pas sans un souci des autres, et il n'y a rien de plus politique que la critique de l'ordre institué des discours et des pratiques politiques, c'est-à-dire la remise en cause des jeux de vérité à partir desquels ces mêmes discours et pratiques construisent leur assertivité. Voilà, dès lors, en quoi consiste le courage de la vérité – ou, si l'on veut, une autre philosophie possible. « Et c'est ainsi que l'âme de Socrate devient la pierre de touche (*basanos*) de l'âme des autres » ; et c'est ainsi que Foucault, vingt-cinq ans après sa mort, nous oblige encore à réfléchir.

À partir de la deuxième heure du cours du 29 février 1984, Foucault s'intéresse alors spécifiquement aux cyniques, qu'il qualifie immédiatement en fonction des cours précédents (en insistant par exemple sur « la disqualification très forte, sur laquelle on reviendra, qui a pesé sur le cynisme dans l'Antiquité même, ou en tout cas l'attitude qui a fait qu'à l'égard du cynisme, la philosophie instituée, institutionnelle, reconnue, a toujours eu une attitude ambiguë[1] » : là encore, l'opposition entre deux types de pratique de la philosophie est évidente), et dont il va livrer jusqu'au 28 mars une lecture décapante.

De cette lecture, et au-delà de la très grande finesse du commentaire que Foucault construit tout au long des cours (et qu'il faut bien entendu aller lire), on aimerait ici souligner deux points essentiels. Le premier est celui du scandale ; le second, celui de la postérité du cynisme.

Le scandale, donc, ou comment faire de sa propre existence un scandale public. Les cyniques ne sont pas simplement la version paroxystique du dire-vrai socratique – Diogène apostrophant les badauds afin de dénoncer les opinions répandues et les lieux

---

1. M. Foucault, *Le Courage de la vérité, op. cit.*, p. 163.

communs, et les contraignant à remettre en question leurs croyances et leurs modes de vie. Les cyniques montrent par leur propre mode de vie cette résistance critique et courageuse du dire-vrai à l'ordre institué du monde.

Là où la parole de Socrate, et elle seule, portait en elle-même son courage, la *parrêsia* cynique investit au contraire le terrain de la vie dans son entier. Le dire-vrai devient un *vivre-vrai* : c'est à la vie, qui inclut la pensée, la recherche, l'enquête, la critique, mais qui inclut *aussi* la manière de se vêtir et de se nourrir, de se comporter et de se rapporter aux autres, que les cyniques demandent de construire le double déplacement radical dont nous avons vu qu'il était central pour Foucault, celui d'un évidage et d'une refondation tout à la fois de la politique et de la philosophie. La « vraie vie » cynique est à la conduite de l'existence ce que le dire-vrai est à la parole, elle en est en réalité le prolongement et la radicalisation ; et, comme le souligne très justement Frédéric Gros : « La transvaluation cynique, c'est ce travail consistant à vivre *à la lettre* les principes de vérité. La vérité, définitivement, c'est ce qui est insupportable, dès qu'elle quitte le domaine des discours pour s'incarner dans l'existence. La "vraie vie" ne peut se manifester que comme "vie autre"[1]. »

_____

1. Fr. Gros, « Situation du cours », in M. Foucault, *Le Courage de la vérité*, *op. cit.*, p. 325.

Or la « vie autre » n'est plus la réalisation d'un idéal de tempérance, de justesse ou de sagesse : elle devient la matérialisation de la « différence possible », le creusement d'une déprise critique à l'égard de l'existant, sa virulente remise en question, afin de faire apparaître en pleine lumière la nécessité d'un monde radicalement différent de ce qu'il est. Et, au contraire de ce qui se passe dans la pensée platonicienne, nul ciel des Idées pour nous aider à situer – ailleurs, dans un dehors de notre propre monde – la perfection à laquelle nous aspirons. Chez les cyniques, c'est ici et maintenant qu'il s'agit de faire jouer la différence, de provoquer la rupture ; d'engager, à travers une pratique du dire-vrai et de la vraie vie comme scandale, une redéfinition de l'idée même de la philosophie comme militantisme et comme risque, de susciter la transformation du monde.

C'est, quand on y pense, et malgré l'effet d'anachronisme évident que suggère le terme, une *biopolitique* avant l'heure, une politique faisant de la vie, du *Bios*, le terrain de sa propre résistance : « Ce serait l'idée d'une militance en quelque sorte en milieu ouvert, c'est-à-dire une militance qui s'adresse absolument à tout le monde, une militance qui n'exige justement pas une éducation (une *paideia*), mais qui a recours à un certain nombre de moyens violents et drastiques, non pas tellement pour former les gens et leur apprendre que pour les secouer et les convertir, les convertir brusquement. C'est une militance en milieu ouvert, en ce sens qu'elle prétend s'attaquer non pas seulement à tel vice ou défaut ou opinion que pourrait avoir tel ou tel individu, mais également aux conventions, aux lois, aux institutions qui, elles-mêmes, reposent sur les vices, les défauts, les faiblesses, les opinions que le genre humain partage en général. C'est donc une militance qui prétend changer le monde, beaucoup plus qu'une militance qui cherche-rait simplement à fournir à ses adeptes les moyens de parvenir à une vie heureuse[1]. » Le scandale, c'est celui d'avoir substitué la vie à la parole, ou plus exactement d'avoir absorbé la parole dans quelque chose de plus large qui est précisément l'expérimentation de modes de vie ; le scandale, c'est de vouloir transformer le monde.

Deuxième point, alors : celui de la postérité du cynisme. Dès le moment où il aborde les cyniques, dans la deuxième heure du cours du 29 février 2004, et précisément parce qu'il envisage moins le cynisme comme doctrine que comme « attitude et manière d'être[2] », Foucault fait l'hypothèse qu'il doit être pos-sible de faire une « histoire du cynisme depuis l'Anti-quité jusqu'à nous[3] ». Des différentes étapes de cette histoire, on ne dira rien ici – la chose mériterait à elle seule un autre livre –, mais l'on aimerait malgré tout attirer l'attention des lecteurs sur la dernière, celle que

---

1. M. Foucault, *Le Courage de la vérité*, *op. cit.*, p. 262.
2. *Ibid.*, p. 164.
3. *Ibid.*

Foucault appelle « le militantisme comme témoignage par la vie[1] », et en laquelle il voit le troisième aspect (après la socialité secrète et l'organisation instituée) de ce qu'il identifie comme « vie révolutionnaire ». Certes, l'analyse se concentre en ce point essentiellement sur les mouvements révolutionnaires aux XIXe et XXe siècles ; et Foucault passe par ailleurs assez rapidement à ces autres exemples de « vie autre » que représentent certaines vies d'artistes (la « pratique de l'art comme mise à nu et réduction à l'élémentaire de l'existence[2] »). Mais, dans les deux cas – vies militantes, vies d'artistes –, ce qu'il s'agit de faire (et ce sur quoi il faut insister), c'est la déconstruction critique de l'ordre institué : « refus, rejet perpétuel de toute forme déjà acquise[3] ».

Or, c'est sur ce refus qu'il convient de s'interroger.

S'il n'était précisément qu'un refus, la généalogie du cynisme ne serait que l'histoire d'une violente dissolution nihiliste de ce qui est – ce qui a par ailleurs été l'une des manières assez fréquentes de lire le cynisme antique. Mais tel n'est pas le cas, et c'est bien là la grande richesse de la lecture foucaldienne de nous le montrer : car, au cœur du scandale, c'est au contraire l'élaboration d'une vie autre qu'il s'agit non seulement de rendre possible pour l'avenir, mais de mettre en acte immédiatement, dans une sorte de

---

1. *Ibid.*, p. 170.
2. *Ibid.*, p. 173.
3. *Ibid.*, p. 174.

désutopie[1] radicale. La pensée cynique est d'autant plus scandaleuse qu'elle institue autant qu'elle destitue, qu'elle invente et qu'elle inaugure autant qu'elle déconstruit. Le militant est un inventeur de formes de vie autant qu'un critique de l'existant, de la même façon que la modernité artistique n'est pas seulement anti-aristotélicienne et qu'elle inaugure à son tour une infinité de mondes nouveaux…

Et probablement la grandeur de Foucault tient-elle alors précisément au fait que, philosophe et militant, fasciné depuis les années 1960 par les artistes (il faudrait ici reprendre les textes « littéraires » de Foucault, sur lesquels nous nous sommes arrêtés au début de ce travail, et montrer de quelle manière, dans leur insistance sur la notion de transgression et de résistance, ils anticipent formidablement le cours de 1984) et expérimentateur de modes de vie pour la pensée et de modes de pensée pour la vie, il est aussi celui qui, au détour d'un long excursus de plusieurs années sur la pensée antique, nous a rappelé à quel point nous avions oublié cette puissance d'inauguration inventive de la vie elle-même. À quel point, surtout, celle-ci

---

1. Sur la notion de désutopie, voir par exemple A. Negri, *L'Anomalie sauvage. Pouvoir et puissance chez Spinoza, op. cit.*, en particulier chap. VII (« Seconde fondation ») et IX (« Différence et avenir »). Sur le refus de Foucault de céder à l'illusion de l'utopie, et sur son attention pour le creusage de la différence *au présent*, je me permets de renvoyer à mon « Foucault et l'utopie », in M. Riot-Sarcey, Th. Bouchet et A. Picon (éd.), *Dictionnaire des utopies*, Paris, Larousse, 2006.

nous était proche et, sans doute aujourd'hui plus que jamais, essentielle.

Nous rappelions plus haut que le derniers cours par lequel se clôt le travail de Foucault au Collège de France finit par les mots : « Mais enfin il est trop tard. Alors, merci. » En réalité, cet adieu en forme de remerciement écourte – faute de temps, comme le reconnaît Foucault – ce que le philosophe avait prévu de dire, et dont nous avons la trace. Dans l'édition qu'il a faite du *Courage de la vérité*, Frédéric Gros cite, en une longue note conclusive, le développement final du manuscrit du cours de 1984, que Foucault n'a pas prononcé[1]. Les derniers mots en sont : « Mais ce sur quoi je voudrais insister pour finir, c'est ceci : il n'y a pas d'instauration de la vérité sans une position essentielle de l'altérité ; la vérité, ce n'est jamais le même ; il ne peut y avoir de vérité que dans la forme de l'autre monde et de la vie autre[2]. » La grande erreur serait sans doute de lire ces mots comme un appel étrange à reprendre le fil d'une pensée de la transcendance (« autre monde »), ou à inciter à une altérité dont nous savons à la fois à quel point elle n'est que la forme renversée du même et combien elle nourrit l'illusion tenace d'un dehors (de ce qui est, de l'histoire, des relations de pouvoir – bref, de l'existant). De fait, Foucault semble immédiatement se

---

1. M. Foucault, *Le Courage de la vérité*, *op. cit.*, pp. 309-311.
2. *Ibid.*, p. 311.

corriger : « La vérité, ce n'est jamais le même. » Il y a donc à comprendre dans cette évocation de la « vie autre » le creusage lent et tenace d'une différence non réductible au cœur même du présent, et dont la vie représenterait la matière même, la pâte souple et ductile. Rien de plus immanent que cette altérité-là, précisément parce qu'elle est en réalité l'expérimentation de la différence possible que Foucault évoque à de nombreuses reprises dans ses deux commentaires du « Qu'est-ce que les Lumières ? » de Kant, en 1983 et en 1984. Une idée à la fois très lumineuse et finalement pas si nouvelle chez Foucault, qui avait déjà noté, dans l'*Incipit* à la collection « Des travaux » qu'il aurait dû diriger au Seuil : « Travail : ce qui est susceptible d'introduire une différence significative dans le champ du savoir, au prix d'une certaine peine pour l'auteur et le lecteur, et avec l'éventuelle récompense d'un certain plaisir, c'est-à-dire d'un accès à une autre figure de la vérité ». Tout l'enjeu du cours de 1984 tient donc au fait que ce qui était chez Foucault caractérisé dès la fin des années 1970 comme frayage de la différence dans le champ du savoir devient à présent la torsion et la mise à l'ouvrage de la vie tout court. C'est au cœur de ce déplacement des savoirs à la vie, des discours aux comportements, de la *scientia* à l'*ars*, que se pose précisément la question des modes de subjectivation, c'est-à-dire de l'invention de soi. Cette invention ne peut être dissociée d'une expérimentation ; elle est sans doute difficile (dans le cas des cyniques, elle est même particulièrement violente), mais elle s'accompagne parfois, lorsqu'elle réussit à produire des formes de vie inédites, d'« un certain plaisir » ; et elle représente non pas le mode d'accès à une vérité qui serait déjà là – et qu'il ne s'agirait par conséquent que de dévoiler[1] –, mais la manière de produire et d'instituer – au sens propre de construire – d'autres régimes de vérité.

« Ne négligez pas… », disait donc Socrate. Et, dans un effet d'écho, nous ne pouvons pas ne pas entendre Foucault nous rappeler à ce tissage difficile de la *parrêsia* et de l'*epimeleia* – comme s'il nous indiquait : n'oubliez pas d'inventer votre vie. C'est, au croisement de l'éthique, du politique et de la philosophie, la tâche ouverte et passionnante qu'à son tour il nous laisse.

---

1. Sur l'incompatibilité des approches foucaldienne et heideggérienne, en particulier sur la question de la vérité et le sens du mot « technique », je me permets de renvoyer à mon « Foucault et la technique », *Tracés. Revue de l'ENS-LSH*, n° 16 : *Techno-*, 1/2009.

Conclusion

Nous étions partis avec la volonté de montrer que toutes les ruptures apparentes du parcours foucaldien, quelle que soit la forme qu'elles puissent prendre, correspondaient en réalité à une torsion interne de la problématisation : non pas une discontinuité conçue comme un abandon, comme un saut ou comme un retour en arrière, mais au contraire une différenciation par retournement et déplacement. La dernière « rupture » envisagée, celle qui est traditionnellement associée tout à la fois à la réorientation du plan de l'*Histoire de la sexualité*, entre 1976 et 1984, et au passage de l'analytique du pouvoir à la problématisation éthique et esthétique du rapport à soi, nous dit pourtant à quel point la cohérence intime du projet foucaldien est forte : certes, le barycentre de la problématique subit un déplacement conséquent, mais ce n'est que dans la mesure où l'analytique du pouvoir est assumée jusqu'au bout que peut apparaître, finalement, le thème de la production de subjectivité.

Encore une fois, la lecture de Foucault nous contraint à mettre en pratique ce sur quoi le discours foucaldien porte précisément : la conscience aiguë que les catégories logiques à travers lesquelles un discours peut être identifié, évalué et interprété – c'est-à-dire, pour user d'un terme plus grossier, « compris » – ne sont jamais absolues, mais au contraire liées à une configuration historique donnée qui édicte les critères de recevabilité des discours en général et en détermine les formes acceptables. Or, justement, les « ruptures » foucaldiennes, c'est-à-dire les changements de champs, d'outillages conceptuels, de méthodes ou de problématisations, ne sont des ruptures que si l'on accepte la synonymie parfaite des idées de linéarité, de continuité et de cohérence : une synonymie qui est de fait, pour Foucault, l'une des matrices d'organisation des discours de savoir depuis l'âge classique.

Au rebours de ce modèle normatif, le parcours de Foucault se présente au contraire comme l'expérience d'une autre articulation du travail de la pensée. Et c'est à travers la tentative d'élaborer quelque chose comme une « cohérence du discontinu », c'est-à-dire tout à la fois la renonciation à la progression linéaire et la dénonciation d'une série d'oppositions constituantes (identité/contradiction, même/autre, tout/partie, individuel/collectif, etc.), qu'il nous fait entrer de plain-pied dans la critique de l'ordre du discours. Foucault parle certes de choses fort différentes. Mais c'est paradoxalement parce qu'il accepte le risque de la différence qu'il peut dessiner en creux et avec force la figure d'une cohérence extrême : une interrogation sur l'historicité et les limites de notre manière de penser, de parler et d'agir, ou – ce qui revient finalement au même – un questionnement radical des déterminations qui nous font être ce que nous sommes. Des déterminations qui rendent raison de l'ancrage historique et de la consistance de notre pensée et de nos représentations, certes, mais qui indiquent sans doute aussi en filigrane l'espace dans lequel nous devons tenter d'agir sur nous-mêmes.

« Telle est l'ironie de ces efforts que l'on fait pour changer sa façon de voir, pour modifier l'horizon de ce qu'on connaît et pour tenter de s'égarer un peu. Ont-ils conduit effectivement à penser autrement ? Peut-être ont-ils permis de penser autrement ce qu'on pensait déjà et d'apercevoir ce qu'on a fait sous un angle différent et sous une lumière plus nette. On croyait s'éloigner et on se retrouve à la verticale de soi-même[1] », commente Foucault. *Penser autrement ce qu'on pensait déjà* : peut-être est-ce là l'une des clefs pour nous permettre de comprendre à quel point les concepts de différence et de discontinuité – mais aussi

---

1. M. Foucault, « Usages des plaisirs et techniques de soi », *Le Débat*, n° 27, novembre 1983, pp. 46-72, repris in M. Foucault, *Dits et Écrits*, *op. cit.*, vol. IV, texte n° 338, p. 545. Le texte, publié avant la sortie des volumes II et III de l'*Histoire de la sexualité*, *L'Usage des plaisirs* et *Le Souci de soi*, en mai 1984, avait été écrit pour en être l'« Introduction générale ».

l'expérience de la différence et de la discontinuité à travers l'exercice de la pensée – sont essentiels pour une perspective éthique. Parce que, s'ils imposent la rupture et la déprise de soi, alors ils permettent aussi le déplacement et l'invention ; et parce que, si l'on entend par perspective éthique une redéfinition du terrain politique qui doive nécessairement inclure son « autre » – la « pratique de la liberté » sous la forme du rapport à soi et aux autres –, alors cette expérimentation de la subjectivation peut et doit être un espace d'invention. Une politique devenue éthique, une éthique qui s'articule entièrement sur les figures de la transformation créatrice des formes de la subjectivité et qui accepte le défi d'une véritable invention de soi. En somme : une ontologie nouvelle, dont il s'agit aujourd'hui, plus que jamais, de faire l'épreuve.

Postscriptum
sur certaines lectures foucaldiennes actuelles

À plus de vingt-cinq ans de la disparition de Michel Foucault, que reste-t-il d'une pensée qui n'allait jamais sans la revendication d'expériences et l'élaboration de pratiques ? Et ne considère-t-on désormais pas le travail de Foucault davantage comme un corpus à maîtriser que comme un parcours à restituer ? La question est sans doute trop brutale pour être pleinement juste ; mais il est vrai aussi que ne pas reconnaître qu'elle doit être posée – en ces temps de célébrations foucaldiennes répétées – fait courir à Foucault le plus grand des risques : faire de lui une pensée morte. Le hasard a voulu que, il y a six ans, les célébrations du vingtième anniversaire de la mort du philosophe coïncident avec la publication très attendue du cours au Collège de France de l'année 1978-1979, *Naissance de la biopolitique*[1]. Un

---

1. M. Foucault, *Naissance de la biopolitique* (édition établie par Michel Senellart sous la direction de François Ewald et d'Alessandro Fontana), Paris, Gallimard-Seuil-EHESS, 2004.

hasard heureux, parce que si l'entreprise de publication des cours n'était pas nouvelle et avait déjà réservé aux lecteurs de grands bonheurs – elle est, depuis, allée de l'avant, en donnant aux foucaldiens des textes d'une force et d'une nouveauté incomparables –, le cours sur la biopolitique était, en 2004, peut-être plus attendu encore que les précédents.

Deux raisons à cela. La première, strictement liée à la compréhension du mouvement interne du travail foucaldien, tenait au fait que les lecteurs avaient désormais à leur disposition un cours qui se trouvait à la charnière des recherches menées par Foucault dans les années 1970 sous la forme d'une analytique du pouvoir, d'une part, et de celles qui commençaient à poindre dans son travail sous la forme d'une double problématisation éthique et esthétique du rapport à soi et du rapport aux autres, de l'autre. En somme, la *Naissance de la biopolitique* peut à bien des égards être lue chez Foucault comme le moment de passage du politique à l'éthique. La seconde raison était alors précisément liée à ce dernier point : le cours permettait en effet de comprendre si l'inscription du travail de Foucault dans une dimension éthique correspondait à un renoncement au politique (thèse qui a souvent été soutenue : dans ce cas, l'éthique n'aurait été qu'un repli du politique), et l'on saisissait bien alors ce qui poussait certains à voir dans le Foucault des dernières années (celui de la production de subjectivité, des techniques de soi et de l'esthétique de l'existence) le relent d'un retour coupable à la figure tant décriée du sujet, voire la formulation explicite d'une sorte de néo-individualisme, juste retour des choses chez un penseur que les mêmes avaient accusé de relativisme radical et de cynisme philosophique quelques années auparavant ; ou si ce passage du politique à l'éthique était, bien au contraire, l'ouverture d'un autre horizon d'analyse des rapports de pouvoir sous l'angle inédit de la subjectivation : non plus seulement une analytique des pouvoirs, dont *Surveiller et punir* (1975) demeurait l'exemple incontournable, mais une analytique de la manière dont les hommes, au sein même de ces rapports qui les font être tout autant qu'ils les assujettissent, réussissent à se réapproprier leur subjectivité ; la manière dont ils minent la mainmise du pouvoir sur leur vie (sociale tout autant que biologique, collective tout autant qu'individuelle), c'est-à-dire un ensemble complexe et ramifié de biopouvoirs, en faisant apparaître au grand jour la seule résistance possible : non pas un autre pouvoir opposé au premier – et qui lui serait parfaitement symétrique –, non pas un contre-pouvoir, mais une dissymétrie essentielle, la puissance créative de la vie, une nouvelle politique de résistance, une *biopolitique*.

Or on dira non sans raison que, dans le cours de 1978-1979, les biopouvoirs et la biopolitique, loin d'être opposés comme des « pouvoirs sur la vie », d'une part, et la « puissance de la vie », de l'autre, loin d'être considérés comme dissymétriques, sont au contraire exactement synonymes. En effet, le terme « biopolitique » y désigne simplement la façon dont le pouvoir s'est transformé entre la fin du XVIIIe et le début du XIXe siècle, afin de gouverner non seulement les individus à travers un certain nombre de procédés disciplinaires, mais l'ensemble des vivants constitués en populations ; c'est ainsi que, à travers des biopouvoirs locaux, on a commencé à s'occuper de choses qui étaient jusqu'alors demeurées à l'extérieur de ce qu'on considérait habituellement comme la sphère du politique – l'hygiène, l'alimentation, la natalité –, que la règle utilisée pour gérer ces populations n'était plus seulement la règle juridique, mais une règle d'un nouveau type, une règle naturelle, c'est-à-dire une *norme*, et que l'on est sorti de la politique du corps dressable et disciplinable – l'anatomo-politique – pour entrer précisément dans une biopolitique, une véritable médecine sociale. Cette émergence de la vie comme nouvel enjeu du pouvoir requiert par ailleurs une analyse du type de rationalité politique dans laquelle elle est possible, et c'est dans cette mesure que Foucault est amené à travailler de manière extrêmement fine sur la naissance du libéralisme, qu'il considère comme la clef de voûte du basculement vers une biopolitique.

Le problème est alors le suivant. Tant que l'on maintient l'indistinction entre biopouvoirs et biopolitique, il n'y a pas de résistance possible à la captation de la vie et à sa gestion normative : pas d'extériorité qui tienne, pas de contre-pouvoir envisageable, à moins de reproduire à l'envers ce dont on veut se libérer. Les lectures « libérales » de Foucault sont alors permises et encouragées ; elles foisonnent aujourd'hui précisément à partir de cette analyse de la gestion normative d'un vivant organisé en populations – et, dans certaines organisations patronales comme dans l'analyse actuarielle des modes de vie, c'est là une démarche que l'on veut (et qui est, à sa façon) ouvertement foucaldienne. Ou alors, au contraire, on dissocie les biopouvoirs de la biopolitique (ce que fera en réalité Foucault, à la suite du cours de 1978-1979), on fait de cette dernière une affirmation de la puissance de la vie *contre* le pouvoir sur la vie, on localise dans la vie elle-même – dans la production d'affects et de langages, dans la coopération sociale, dans les corps et les désirs, dans l'invention de nouvelles formes de rapport à soi et aux autres, etc. – le lieu de création d'une nouvelle subjectivité qui se donnerait aussi comme moment de désassujettissement.

C'est sur cette divergence de lectures que nous aimerions nous arrêter un instant. Il ne s'agit bien évidemment pas de stigmatiser certaines lectures comme « fausses » ou « déviantes », et d'en valoriser d'autres comme « justes » et politiquement correctes : l'établissement d'un canon des lectures foucaldiennes visant à construire une sorte d'orthodoxie rétrospective des commentaires aurait sans nul doute fait horreur à Foucault – ou bien l'aurait plus simplement fait rire –, lui qui ne concevait pas de vérité sans jeux de vérités ni de discours sans interprétations. Et, précisément parce que vingt-cinq ans ont passé depuis sa disparition, il faut accepter de considérer ses textes et le mouvement de sa réflexion à la fois comme s'inscrivant dans un contexte historique qui a probablement en partie changé et qui, s'il est encore parfois le nôtre, ne l'est en réalité plus totalement ; et comme un travail qui, parce qu'il a été offert et exposé à tous, doit remplir la fonction d'une « boîte à outils » et en assumer le risque. Mais l'image de la boîte à outils, si elle est d'autant plus séduisante qu'elle nous est proposée par Foucault lui-même, ne doit pas nous induire à croire que se servir d'une pensée signifie ne pas prendre garde aux conséquences de son usage. Quand on utilise un outil, ce n'est pas son emprunt qui est en cause, c'est la finalité que ce dernier sous-entend, et très souvent la manière dont on s'en sert pour y parvenir. En somme, il y a une totale liberté d'usage de la pensée foucaldienne, à la condition, cependant, que soit respectée l'exigence qui était celle de Foucault : faire du travail de la pensée et de son entrelacement avec l'expérience un terrain de questionnement incessant des catégories de notre rapport au monde et des conditions de notre subjectivation[1].

Or, depuis quelques années, deux grandes interprétations semblent s'affronter.

---

1. Sur la notion d'« usage » de la pensée foucaldienne, voir Ph. Artières et M. Potte-Bonneville, *D'Après Foucault. Gestes, luttes, programmes*, Paris, Les Prairies Ordinaires, 2007.

La première commente moins le travail de Foucault qu'elle ne le juge sévèrement ; et c'est en général à partir de la confusion entre l'évaluation de l'homme et celle de l'œuvre qu'elle procède. Quoique la chose soit assez étonnante en elle-même – on se rappelle bien entendu à quel point la « psychologisation » des textes faisait horreur à Foucault, et le parti pris qu'il avait au contraire adopté de lire les textes comme des productions historiques indépendamment de la notion traditionnelle d'« auteur » –, son mécanisme est en fait assez retors. Le jugement négatif qui est exprimé repose sur un ensemble de présupposés qui ne sont en général pas explicites, et dont on pourrait pourtant trouver le contenu éminemment discutable. La confrontation homme/œuvre y fonctionne en effet à partir d'une séparation nette entre les discours théoriques et les engagements militants : on reproche à Foucault des égarements politiques (tout particulièrement sur la question de la révolution iranienne), des enthousiasmes coupables d'erreurs d'appréciation inacceptables, en somme une légèreté inconciliable avec la responsabilité qui sied à un intellectuel de renom ; et l'on rend cette pratique politique inconséquente responsable de l'échec que l'on choisit de lire en filigrane dans le passage des thématisations ouvertement politiques à celles, éthiques, qui caractérisent les dernières années de recherche du philosophe.

Or, si l'on y réfléchit, le fonctionnement de ce type de jugement est assez paradoxal, puisqu'il commence par séparer soigneusement la pratique de la théorie, selon un schéma dont nous avons vu qu'il était absolument réfuté par Foucault, pour pouvoir ensuite rendre la première responsable de la faillite de la seconde. C'est parce que Foucault est militant *et* philosophe, mais qu'il n'établit pas de distinction réelle entre ces deux modalités de rapport au monde, qu'il ne peut être ni parfaitement militant ni parfaitement philosophe : les égarements du premier conduisent donc aux impasses du second. Par ailleurs, la pratique militante n'est conçue que sur le vieux modèle de l'intellectuel engagé ; c'est-à-dire que si Foucault est jugé durement, c'est non seulement parce qu'il s'est trompé, mais parce qu'il a manqué au rôle d'expertise qui devait être le sien, et qu'il est coupable d'avoir mis en danger une opinion dont il aurait au contraire dû éclairer la conscience. Or, bien évidemment, cette fonction d'expert orientant le jugement des foules est à mille lieues de la pratique politique de Foucault, puisque nous avons au contraire tenté de montrer à quel point il s'agissait pour lui de redéfinir le militantisme au sein d'une dimension collective de recherche qui serait aussi, et surtout, une enquête sur des formes nouvelles de subjectivité partagée, une interrogation sur la production d'un nouvel agir commun, un questionnement incessant sur la manière dont les hommes peuvent se produire à la fois eux-mêmes et avec les autres.

Il reste alors aux détracteurs de Foucault à expliquer la raison de cette inconséquence coupable. Et, parce que la faute est difficilement imputable à un défaut d'intelligence, on a en général recours à deux explications différentes. Soit Foucault parle de choses qu'il ne connaît pas (il n'est donc pas assez « expert » : en l'absence de « savoir » qualifié, il lui est donc interdit de prendre la parole, puisque celle-ci est de fait une parole « publique » et qu'elle peut, jouant de son prestige et de sa notoriété, induire les autres en erreur) ; soit encore, c'est parce que le philosophe était au préalable coupable d'avoir brouillé un certain nombre de « valeurs morales » qu'il devient en quelque sorte victime de son propre relativisme : il ne peut plus distinguer le bien du mal.

Dans le premier cas, le raisonnement est fallacieux, non parce que Foucault ne se trompe jamais (de fait, il se trompe parfois lourdement, et le reconnaît : il suffit de relire les premiers textes sur l'Iran et de les confronter aux derniers pour s'apercevoir du changement dans l'approche et de la disparition de cet « enthousiasme » effectivement bien rapide qui caractérisait les prises de position initiales), mais parce que, s'il se trompe, il le fait en son nom. Jamais le philosophe ne s'exprime donc au nom d'un « savoir » ou d'une « position de pouvoir » dans l'ordre complexe des discours : bien au contraire, c'est parce qu'il ne possède pas de réponse, c'est parce qu'il problématise l'actualité, qu'il intervient. Nulle position de pouvoir intellectuel, donc, dans la pratique politique de Foucault, mais un questionnement incessant à partir de thématiques de recherche qui suscitent le rapport au réel et qui, en même temps, en sont nourries. La distinction entre le discours public et le discours privé, de même que la distinction entre la théorie et la pratique, sont ici dénuées de sens : quand Foucault participe au GIP, ce n'est ni comme expert, ni comme porte-parole, ni comme figure publique, mais comme militant. Et le militantisme y trouve sans doute une définition nouvelle, puisqu'il s'agit essentiellement d'inventer – mieux : d'expérimenter – les conditions de possibilité d'un nouveau « nous », d'une nouvelle dimension commune. Au GIP, Foucault n'est ni un détenu (ce qu'il n'est effectivement pas), ni un philosophe de renom (ce qu'il est pourtant) : il est simplement l'un des acteurs de ce « nous » ; et si la notoriété est parfois utile pour dénoncer les injustices et les violences, elle ne l'est qu'à titre d'instrument provisoire et ne dit rien sur la « position » réelle des personnalités qui participent de la dimension collective. Il arrive donc que les communiqués du GIP soient lus publiquement par tel ou tel visage connu, et les photographies d'Élie Kagan[1] sont là aujourd'hui pour

---

1. Voir à ce propos *Michel Foucault. Une journée particulière. Photographies d'Élie Kagan avec des textes d'Alain Jaubert et de Philippe Artières*, Paris, Ædelsa éditions, 2004.

témoigner en effet de la présence de nombreuses figures du monde intellectuel lors des manifestations publiques du groupe ; pourtant, ces communiqués ne sont en général pas signés : la parole commune est une parole qui appartient à tous.

Dans le deuxième cas, le reproche d'« immoralisme » s'ancre dans une critique plus profonde qui est celle du relativisme et qui, si elle a été extrêmement nourrie dès le milieu des années 1970, semble depuis quelques années trouver un étrange regain de vigueur. Foucault n'en est pas le seul accusé – peut-être se souvient-on, par exemple, des violents reproches adressés à un historien comme Paul Veyne au milieu des années 1970 –, mais il en demeure la figure centrale. On objecte donc à Foucault que, à vouloir tout historiciser, on a fait perdre à la pensée un certain nombre de valeurs fondamentales, et que, si la réflexion politique ne se construit pas sur un socle de morale universelle, elle risque d'être complice d'errements dont il arrive même qu'on les qualifie de totalitaires. L'argument pourrait sembler grossier – il ne l'est pas. Ce qui est en effet le cœur de l'argumentation, c'est qu'il n'y a pas de démocratie sans universalité, et que celle-ci ne peut donc faire l'objet d'un regard historique : on oppose donc l'universalité au travail de la critique, les valeurs fondamentales à l'histoire, la morale à la politique, ce qui revient à dire que l'archéologie (c'est-à-dire l'histoire des systèmes de pensée, y compris celle de la construction de ce que l'on appelle la démocratie moderne) et la généalogie (c'est-à-dire l'ontologie critique de nous-mêmes) ne peuvent aboutir qu'au dangereux brouillage des valeurs humaines.

La référence à Nietzsche – décisive, nous l'avons vu, pour Foucault – ne fait qu'aggraver les choses : on oublie que la lecture foucaldienne se concentre presque exclusivement sur la pensée nietzschéenne de l'histoire comme discontinuité, et l'on choisit de considérer la référence à l'auteur des *Considérations intempestives* comme la mise en danger des canons de l'universalité. Que Foucault, contrairement à Deleuze, n'ait que très peu utilisé le Nietzsche de la volonté de puissance et de la figure du surhomme ne change rien à l'affaire ; et, quand bien même l'aurait-il fait, on ne peut s'empêcher de penser qu'une interprétation qui comprend la volonté de puissance comme volonté (fasciste) de pouvoir, et qui fait du surhomme une figure de la domination totalitaire, est à coup sûr victime – ou complice – d'une lecture bien hâtive.

Le fort retour, dans les dernières années, à un certain nombre d'universels dont on ne questionne pas toujours les conditions historiques et épistémiques de production – qu'il s'agisse de certains discours sur les droits de l'homme ou du recours toujours plus fréquent à l'idée de « nature humaine » – aurait sans nul doute passionné Foucault : il aurait essayé d'en faire la généalogie. Qu'est-ce donc que l'émergence historiquement déterminée de discours qui prétendent ne pas avoir d'histoire, ou valoir *en dehors de* toute histoire ? Il ne s'agit pas là d'en critiquer l'utilité ou la pertinence, mais d'admettre que si rien n'échappe à l'histoire, ce n'est pas pour autant qu'il faut se résigner au pur règne des forces. La morale prescrit ; l'éthique problématise et remodèle le rapport à soi et aux autres. Que Foucault se soit délibérément placé du côté de l'*ethos* ne signifie pas que sa pensée soit a-morale, mais qu'elle cherchait à lire dans l'histoire la manière dont les hommes ont successivement problématisé un certain nombre de rapports à soi et à autrui, et en ont fait le terrain d'une subjectivation possible. La pastorale chrétienne est l'une de ces problématisations ; la pensée des droits de l'homme en est une autre ; le recours à l'idée de « nature humaine », une autre encore. La question est précisément de savoir à partir de quelles problématisations se construit aujourd'hui l'*ethos* des hommes dans le monde contemporain – ce qui n'exclut ni leur nécessité ni leur utilité, mais les replace simplement dans l'histoire.

La deuxième interprétation que nous aimerions rapidement mentionner est, en réalité, solidaire de la première. Elle consiste à « sauver » la pensée foucaldienne à partir de trois présupposés : le thème de la production de subjectivité est en fait un heureux retour à la figure du sujet ; le passage à l'éthique est une prise de conscience de la nécessité d'une perspective morale ; l'analyse des biopouvoirs et de la biopolitique marque le retour à une perspective où le libéralisme est considéré comme élément de libération (puisque l'on sort des disciplines), et où l'insistance sur la liberté intransitive des subjectivités est comprise comme une liberté des individus telle qu'elle est définie dans le cadre d'un contrat démocratique. Nous ne reviendrons pas ici sur les deux premiers points, puisque nous en avons amplement traité tout au long de ce travail. Le troisième mérite, en revanche, quelques commentaires.

La lecture néolibérale de Foucault n'est pas sans arguments, puisqu'il y a en effet chez le philosophe une confusion initiale entre biopouvoirs (pouvoirs sur la vie) et biopolitique (puissance de la vie), et que le passage assez brutal des analyses de *Surveiller et punir* sur la disciplinarisation des corps à celles des cours au Collège de France immédiatement postérieurs, qui s'intéressent à un nouveau type de rapports de pouvoir s'étendant à la gestion de la vie dans son entier, pourrait laisser croire qu'un paradigme chasse l'autre. Or il n'en est rien : nous avons cherché à montrer de quelle manière les pouvoirs disciplinaires et les pouvoirs sur la vie, le contrôle des populations et l'individualisation des sujets représentaient en réalité les différentes facettes d'une reformulation générale et complexe du pouvoir d'autant plus utile qu'elle était étroitement liée à un certain nombre d'impératifs économiques. Le « libéralisme » dont parle Foucault, c'est à la fois le nom donné à cette nouvelle rationalité politico-économique, et la découverte paradoxale que les rapports de pouvoir se nourrissent de la liberté des hommes : ils en ont besoin. Comment la vie, devenue objet des biopouvoirs, peut-elle alors résister ? À travers l'acceptation de cette « liberté » que les rapports de pouvoir garantissent à chaque individu à l'intérieur même de l'espace qu'ils ont au préalable construit, et qui permet tout à la fois l'assujettissement des subjectivités et leur réorganisation à travers la double série individu/population ? Si l'on accepte cette hypothèse, ce que Foucault appelle la « subjectivation » n'a plus aucun sens : nous sommes contraints d'être définis à partir de la désingularisation de ce que nous sommes, c'est-à-dire par l'acceptation de cette individualisation qui nous garantit des droits et des devoirs dans la mesure où nous ne sommes pas *qualitativement* différents des autres. L'égalité et la liberté qui sont invoquées sont purement quantitatives ; mais elles ne sont possibles que sur la base d'un abandon de la qualité singulière des subjectivités, de leur incommensurabilité. D'où l'énorme effort déployé encore aujourd'hui pour quantifier tout ce qui peut paraître qualitativement singulier : la gestion actuarielle de la vie n'est rien d'autre que la tentative de faire entrer dans le grand règne de la mesure tout ce qui semble en représenter l'excédence ; que l'on ne s'étonne donc pas de trouver d'aguerris et très remarquables lecteurs de Foucault chez les assureurs.

Mais le discours change bien évidemment si l'on affirme au contraire que la résistance de la vie aux biopouvoirs passe par une tout autre « liberté » : celle de l'invention de soi, celle de la re-subjectivation, celle de la réappropriation de la singularité de chacun. C'est en cela que, face aux rapports de pouvoir, Foucault semble opposer une nouvelle forme de politique : une biopolitique, une politique de la vie, entendue comme une puissance de production de soi et non pas seulement comme un contre-pouvoir de réaction. Or, s'il est possible que, de l'intérieur même des rapports de pouvoir, les hommes se produisent eux-mêmes, s'il est possible que cette invention de soi – singulière ou commune – ne cesse d'inaugurer d'autres espaces possibles, d'autres langages et d'autres affects, d'autres relations et d'autres modèles de coopération, alors les hommes ne seront jamais totalement susceptibles d'entrer dans les cadres quantitatifs et tout-puissants de la mesure.

Que la tâche politique inhérente à toute existence sociale en passe par une redécouverte de l'intransitivité de la liberté, voilà donc ce qui fait de la *puissance* la seule réponse envisageable au pouvoir, et de l'ontologie la seule politique possible : une invention de soi – et de soi et des autres, de soi avec les autres – qui ne cesse d'inaugurer un monde que le pouvoir aimerait croire fini et qui ne le sera pourtant jamais.

Comme le dit, avec une lucidité extrême, Foucault à la toute fin de sa vie : « Richard Rorty fait remarquer que, dans ces analyses, je ne fais appel à aucun "nous" – à aucun de ces "nous" dont le consensus, les valeurs, la traditionalité forment le cadre d'une pensée et définissent les conditions dans lesquelles on peut la valider. Mais le problème justement est de savoir si effectivement c'est bien à l'intérieur d'un "nous" qu'il convient de se placer pour faire valoir les principes qu'on reconnaît et les valeurs qu'on accepte ; ou s'il ne faut pas, en élaborant la question, rendre possible la formation future d'un "nous". C'est que le "nous" ne me semble pas devoir être préalable à la question ; il ne peut être que le résultat – et le résultat nécessairement provisoire – de la question telle qu'elle se pose dans les termes nouveaux où on la formule[1]. »

Une manière, encore une fois, de dire que l'on n'en finit pas de créer, et que si l'homme moderne ressemble à cette figure de sable dont *Les Mots et les Choses* nous ont appris qu'elle était destinée à s'effacer progressivement à la lisière de la mer, cette puissance qui est la nôtre est là pour nous faire découvrir d'autres rivages.

---

1. M. Foucault, « Polemics, Politics and Problematizations » (entretien avec Paul Rabinow), in P. Rabinow (éd.), *The Foucault Reader*, New York, Pantheon Books, 1984, trad. fr. « Polémique, politique et problematisations », in M. Foucault, *Dits et Écrits*, *op. cit.*, vol. IV, texte n° 342, p. 594.

Bibliographie sommaire

Écrits de Michel Foucault

Maladie mentale et personnalité, Paris, PUF, 1954 ; rééd.
modifiée : *Maladie mentale et psychologie*, Paris, PUF,
1962.

Folie et déraison. Histoire de la folie à l'âge classique, Paris,
Plon, 1961 ; rééd. modifiée (nouvelle préface et deux
appendices) : *Histoire de la folie à l'âge classique*, Paris,
Gallimard, 1972.

Naissance de la clinique. Une archéologie du regard médical,
Paris, PUF, 1963 (rééd. légèrement modifiée en 1972).

Raymond Roussel, Paris, Gallimard, 1963.

Les Mots et les Choses. Une archéologie des sciences humaines,
Paris, Gallimard, 1966.

L'Archéologie du savoir, Paris, Gallimard, 1969.

L'Ordre du discours, Paris, Gallimard, 1971.

*Moi, Pierre Rivière, ayant égorgé ma sœur, ma mère et mon
frère. Un cas de parricide au XIXe siècle* (ouvrage collectif),
Paris, Gallimard-Julliard, 1973.

Surveiller et punir. Naissance de la prison, Paris, Gallimard, 1975.

Histoire de la sexualité, tome I : *La Volonté de savoir*, Paris, Gallimard, 1976.

Le Désordre des familles. Lettres de cachet des archives de la Bastille (avec Arlette Farge), Paris, Gallimard-Julliard, 1983.

Histoire de la sexualité, tome II : *L'Usage des plaisirs*, et tome III : *Le Souci de soi*, Paris, Gallimard, 1984.

Résumé des cours au Collège de France, Paris, Julliard, 1989 (désormais repris in *Dits et Écrits, op. cit.*).

Dits et Écrits, Paris, Gallimard, 1991, 4 volumes (éd. établie sous la direction de François Ewald et Daniel Defert, avec la collaboration de Jacques Lagrange).

Il faut défendre la société. Cours au Collège de France 1975-1976, Paris, Gallimard-Seuil-EHESS, 1997.

Les Anormaux. Cours au Collège de France 1974-1975, Paris, Gallimard-Seuil-EHESS, 1999.

L'Herméneutique du sujet. Cours au Collège de France 1981-1982, Paris, Gallimard-Seuil-EHESS, 2001.

Sécurité, territoire, population. Cours au Collège de France 1977-1978, Paris, Gallimard-Seuil-EHESS, 2004.

Naissance de la biopolitique. Cours au Collège de France 1978-1979, Paris, Gallimard-Seuil-EHESS, 2004.

La Peinture de Manet, Paris, Seuil, coll. « Traces écrites », 2004.

Philosophie. Anthologie, anthologie de textes établie et présentée par Frédéric Gros et Arnold I. Davidson, Paris, Gallimard, coll. « Folio Essais », 2004.

Raymond Aron/Michel Foucault : un dialogue, texte établi par Jean-François Bert, Paris, Lignes, 2007.

« Introduction », in Emmanuel Kant, *Anthropologie du point de vue pragmatique*, Paris, Vrin, 2008.

Le Gouvernement de soi et des autres. Cours au Collège de France 1982-1983, Paris, Gallimard-Seuil-EHESS, 2008.

Le Courage de la vérité. Le gouvernement de soi et des autres II. Cours au Collège de France 1984, Paris, Gallimard-Seuil-EHESS, 2009.

Quelques ouvrages critiques accessibles en langue française

L'Impossible Prison. Recherches sur le système pénitentiaire au XIXe siècle (ouvrage collectif sous la direction de Michelle Perrot), Paris, Seuil, 1980.

Hubert Dreyfus et Paul Rabinow, *Michel Foucault, un parcours philosophique*, Paris, Gallimard, 1984.

Gilles Deleuze, *Foucault*, Paris, Éditions de Minuit, 1986.

« Foucault : du monde entier », numéro spécial de la revue *Critique*, n° 471-472, Éditions de Minuit, août-septembre 1986.

Maurice Blanchot, *Michel Foucault tel que je l'imagine*, Paris, Éditions Fata Morgana, 1986.

Michel Foucault philosophe. Rencontre internationale de Paris, 9-10-11 janvier 1988 (ouvrage collectif), Paris, Seuil, 1989.

Didier Éribon, *Michel Foucault*, Paris, Flammarion, 1991.

Penser la folie. Essais sur Michel Foucault (ouvrage collectif), Paris, Galilée, 1992.

Michel Foucault. Lire l'œuvre (ouvrage collectif sous la direction de Luce Giard), Grenoble, Éditions Jérôme Millon, 1992.

David Macey, *Michel Foucault*, Paris, Gallimard, 1994.

Frédéric Gros, *Michel Foucault*, Paris, PUF, coll. « Que sais-je ? », 1996.

Au risque de Foucault (ouvrage collectif), Paris, Centre Georges Pompidou, 1997.

Le Courage de la vérité (ouvrage collectif sous la direction de Frédéric Gros), Paris, PUF, 2002.

Judith Revel, *Le Vocabulaire de Foucault*, Paris, Ellipses, 2002, rééd. 2009.

Philippe Artières, Laurent Quéro et Michelle Zancarini, *Le Groupe d'information sur les prisons. Archives d'une lutte. 1970-1972*, Paris, IMEC, 2003.

Michel Foucault, la littérature et les arts (ouvrage collectif), actes du colloque de Cerisy-la-Salle (juin 2001), Paris, Kimé, 2004.

« Foucault : usages et actualités », numéro spécial de la revue *Le Portique. Philosophie et sciences humaines*, n° 13-14, Metz, 1er et 2e semestres 2004.

Mathieu Potte-Bonneville, *Michel Foucault, l'inquiétude de l'histoire*, Paris, PUF, 2004.

« Michel Foucault, 1984-2004 », numéro spécial de la revue *Vacarme*, n° 29, Paris, automne 2004.

Guillaume Le Blanc, *La Pensée Foucault*, Paris, Ellipses, 2006.

Stéphane Legrand, *Les Normes chez Foucault*, Paris, PUF, 2007.

Philippe Artières et Mathieu Potte-Bonneville, *D'après Foucault. Gestes, luttes, programmes*, Paris, Les Prairies Ordinaires, 2007.

Judith Revel, *Dictionnaire Foucault*, Paris, Ellipses, 2008.

Philippe Artières, Jean-François Bert, Philippe Chevallier, Pascal Michon, Mathieu Potte-Bonneville, Judith Revel et Jean-Claude Zancarini (éd.), *Les Mots et les Choses. Regards croisés (1966-1968)*, Caen, Presses Universitaires de Caen/IMEC, 2009.

Collectif Maurice Florence (Philippe Artières, Jean-François Bert, Pascal Michon, Mathieu Potte-Bonneville et Judith Revel), *Archives de l'infamie*, Paris, Les Prairies Ordinaires, 2009.

Mathieu Potte-Bonneville, *Foucault*, Paris, Ellipses, 2010.

Table

Pour l'éditeur, le principe est d'utiliser des papiers composés de fibres naturelles, renouvelables, recyclables et fabriquées à partir de bois issus de forêts qui adoptent un système d'aménagement durable.

En outre, l'éditeur attend de ses fournisseurs de papier qu'ils s'inscrivent dans une démarche de certification environnementale reconnue.

Photocomposition Nord Compo
Villeneuve-d'Ascq

49.42.3925.2/01

Achevé d'imprimer en septembre 2010
par la Nouvelle Imprimerie Laballery (Clamecy, France)
N° d'impression : 009151